글로벌트렌드 2040
인공지능과 미래사회

진 하 수 지 음

글로벌트렌드 2040 인공지능과 미래사회

발 행 | 2024년 01월 10일
저 자 | 진하수
펴낸이 | 한건희
펴낸곳 | 주식회사 부크크
출판사등록 | 2014.07.15.(제2014-16호)
주 소 | 서울특별시 금천구 가산디지털1로 119 SK트윈타워 A동 305호
전 화 | 1670-8316
이메일 | info@bookk.co.kr

ISBN | 979-11-410-6598-0

글로벌트렌드 2040
인공지능과 미래사회

진 하 수 지 음

저자 소개

한국디지털경제연구원 대표원장, 다빈치논문컨설팅 대표박사, 디지털경제학 박사, 데이터통계처리(stata, spss, sci, kci), python과 R을 활용하는 빅데이터 처리 분석, 머신러닝과 딥러닝의 인공지능 분석 처리와 전문평가위원, 블록체인과 가상화폐 분석처리와 전문심사위원, 기후변화 및 ESG 전문위원, 여러대학의 박사/석사 과정의 강사로 활동하고 있다.

들어가는 말

미래사회는 4차 산업혁명으로 인한 기술의 발전과 변화에 따라 크게 달라질 것으로 누구나 전망하고 있다. 특히, 미래기술로 인공지능(AI), 빅데이터, 사물인터넷(IoT), 가상현실(VR), 증강현실(AR), 디지털 헬스기술, 핵융합로(fusion reactor), 탄소중립기술, 유전자 편집 기술 등 첨단 기술의 발전과 코로나19와 같은 Disease X의 예상치 못한 전염병 창궐로 사회 전반에 걸쳐 다양한 변화를 가져올 것으로 예상한다.

미래사회의 주요 변화는 **초연결사회, 초고령화, 초지능화, 초개인화, 초공존사회 및 초복합화**와 같이 요약할 수 있다. 먼저, 초연결사회는 인공지능, 빅데이터, 사물인터넷 등 첨단 기술의 발전으로 인해 모든 사물과 사람이 서로 연결된 초연결사회가 도래할 것으로 전망한다. 초연결사회에서는 모든 사람이 언제 어디서나 다양한 정보와 서비스를 이용할 수 있게 될 것이다.

둘째, 초고령화 사회는 의학의 발전, 건강한 생활 방식, 위생 조건의 향상 등 여러 가지 이유로 인해 사람들의 수명이 연장되고 있다. 오래 사는 것은 긍정적인 면도 있지만, 동시에 사회적, 경제적인 문제들을 초래한다. 노령 인구의 증가와 함께 건강 문제, 사회 복지, 노동 시장 등에 다양한 영향을 미치고 있다. 고령화가 진행되면 사회에서 노인들의 건강과 복지를 지원하는 시스템이나 인프라가 필요하며, 노동 시장에도 변화가 필요하다. 노후를 준비하고 노인들에게 적합한 삶의 질을 제공하기 위해 사회적으로 대비할 필요가 있다.

셋째, 초지능화는 컴퓨팅 기술의 발전, 인공지능 기술의 발전, 빅데이터의 폭발적인 증가와 AI 알고리즘의 발전으로 인해 인간의 지능을 뛰어넘는 초지능이 출현할 것으로 전망한다. 즉, 컴퓨터의 성능이 발전하면서 AI가 처리할 수 있는 정보의 양과 복잡성도 증가하고 있고, 세계적으로 데이터의 폭발적인 증가로 AI의 학습과 발전에 기여하였고, 새로운 알고리즘 개발을 가능하게 할 것이다. 일자리 감소, 불평등 확대와 윤리적 문제 등에 관한 대비가 필요할 것이다.

넷째, 초개인화로 이는 빅데이터 기술의 발전으로 인해 개인의 취향과 관심사에 맞춤화된 제품과 서비스가 제공될 것으로 전망된다. 초개인화는 소비자의 만족도를 높이고, 새로운 시장을 창출할 것으로 기대된다.

다섯째, 초공존사회로 이는 인공지능, 로봇, 가상현실 등 첨단 기술의 발전으로 인해 인간과 기계가 공존하는 초공존사회가 도래할 것으로 전망된다. 초공존사회에서는 인간과 기계가 상호 협력하여 새로운 가치를 창출할 것이다.

여섯째, 초복합화로 이는 사회의 다양한 요소들이 복합적으로 상호작용하는 초복합사회가 도래할 것으로 예상된다. 이는 인종, 민족, 성별, 종교, 가치관 등과 관련하여 다양한 차이로 나타나는 다양성의 증대, 기술의 발달로 인해 전 세계 사람들이 서로 연결되어 다양한 정보와 경험을 공유하는 연결성의 강화, 기술의 발전, 기후 변화, 전쟁과 disease X과 같은 요인들이 사회에 큰 영향을 미치는 불확실성의 증가 등을 특징으로 하는 사회를 말한다.

미래사회의 해결책으로는 먼저, 교육, 보육, 복지 등 다양한 분야에서 디지털 기술의 접근성을 확대하여 디지털 격차를 해소하여 모든 사람들이 디지털 기술의 혜택을 누릴 수 있도록 해야 한다. 사이버 보안 인프라를 구축하고, 사이버 보안 교육을 강화하여 는 사이버 보안을 강화하여 개인의 정보와 자산을 보호해야 한다.

둘째, 고령자의 노동시장 참여 유도 정책으로 생산가능인구의 활용을 극대화하여 경제 성장을 촉진하고 사회 안전망을 강화할 필요가 있다. 노인 인구에 대한 사회서비스를 확대하여 노인층의 삶의 질을 높이고 사회 갈등을 예방해야 한다.

셋째, AI 기술을 활용한 새로운 일자리 창출, 기존 일자리의 재편 등으로 AI로 인해 일자리가 감소하는 것을 방지하기 위한 정책이 필요하다. AI 기술의 공정한 접근을 보장하고, 사회적 약자에 대한 보호를 강화하는 AI 기술로 인해 불평등이 확대되는 것을 방지하기 위한 정책이 필요하다. AI 기술의 개발, 사용, 관리 등에 대한 윤리적 기준을 마련하여 AI 기술의 윤리적 사용을 보장하기 위한 기준을 마련하는 것이 필요하다.

넷째, 차별 금지, 개인정보 보호 등과 관련한 법률과 제도를 강화하여 개인의 존엄과 권리를 보호하여 개인의 다양성을 존중해야 한다. 다양한 분야에서 소통과 협력을 증진하여 개인의 다양성을 존중하면서도 사회적 연대를 강화하여 사회의 통합을 도모해야 한다.

다섯째, 기후 변화 대응, 자원 절약, 재활용 등과 관련한 정책으로 환경을 보전하여 지속가능한 사회를 만들어야 한다. 다양한 분야에서 사회적 약자에 대한 지원을 강화하여 모든 사람이 차별 없이 함께 살아갈 수 있는 사회를 만들어야 한다.

여섯째, 사회 구성원들 간의 소통과 이해를 증진하여 사회의 다양성을 이해하고 존중하는 태도를 갖는 것이 중요하다. 협업과 협력의 정신을 바탕으로 사회 문제를 해결하여 사회 구성원들 간의 연결성을 활용하여 사회 문제를 해결하기 위한 노력이 필요하다. 유연하고 창의적인 사고를 바탕으로 새로운 변화에 대응하여 사회의 미래가 예측하기 어려워짐에 따라, 불확실성에 대한 대비가 필요하다.

미래기술은 현재 우리가 가지고 있는 기술을 넘어서, 새로운 가능성과 기회를 열어주는 기술로 우리의 삶을 더욱 풍요롭게 만들고, 사회를 더욱 발전시킬 것으로 기대한다. 대표적인 기술로 인공지능(AI), 로봇공학, 컴퓨팅 양자기술과 나노 유전공학 등을 거론하지만, 이 기술의 근본이 되는 기술은 인공지능 기술로 봐야 한다.

AI는 인간의 지능을 모방한 기술로 이미 다양한 분야에서 활용되고 있으며, 앞으로 더욱 발전하여 우리의 삶을 더욱 편리하고 효율적으로 만들어줄 것으로 기대된다. AI를 탑재한 로봇공학은 로봇을 설계하고, 제조하고, 운영하며, 제조, 의료, 서비스 등 다양한 분야에서 활용되고 있으며, 앞으로 더욱 발전하여 우리의 삶을 더욱 편리하고 안전하게 만들어줄 것으로 기대된다. 컴퓨팅 양자기술은 양자역학의 원리를 이용한 기술로 컴퓨팅, 통신, 의료 등 다양한 분야에서 활용될 것으로 기대된다. 나노 유전공학에서 나노 기술은 물질의 100만분의 1 크기인 나노미터 단위로 물질을 조작하는 기술로 의학, 에너지, 환경 등 다양한 분야에서 활용될 것으로 기대되며, 유전공학은 생물체의 유전 정보를 조작하는 기술로 의학, 농업, 환경 등 다양한 분야에서 활용될 것으로 기대된다.

이러한 미래 기술들은 아직 개발 초기 단계에 있지만, 빠르게 발전하고 있다. 미래기술이 우리 사회에 미칠 영향으로 AI와 로봇공학은 제조업 생산성을 향상시켜 일자리 창출과 경제 성장에 기여할 것으로 기대되며, 의료, 교육, 서비스 등 다양한 분야에서 활용되어 우리의 삶을 더욱 편리하고 안전하게 만들어줄 것으로 기대된다. 또한, 탄소중립, 핵융합로, 유전자편집기술과 Disease X 기술 등은 환경 문제, 기후 변화, 질병 등과 같은 사회 문제를 해결하는 데 도움이 될 것으로 기대된다.

이런 미래기술은 우리 사회에 엄청난 기회와 도전과제를 동시에 제시한다. 미래기술의 잠재력을 최대한 활용하고, 그로 인한 부작용을 최소화하기 위해서는 사회 전반의 노력과 협력이 필요하다.

예를 들면, 레이 커즈와일 구글 엔지니어링 이사는 10~12년 후부터는 과학이 매년 인류의 수명을 1년 이상 연장할 것이다라고 하면서, 헬스케어 혁신이 만들어낼 대변화를 예상하고 있다. 또한, 글로벌 컨설팅 업체 프라이스워터하우스쿠퍼스(PwC)의 전망에 따르면, AI가 2030년 전 세계 GDP(국내총생산)에 기여하는 규모는 15조 7천억 달러(약 1경 8,800조원)에 이를 것이고, 2030년 GDP는 AI 성장을 바탕으로 2016년보다 14%가량 늘어날 것이다라고 하면서, AI가 전 산업 곳곳에 스며들 것이라는 전망을 하고 있다.

2024년 01월 06일
kdei에서

차례

표 차례

그림 차례

Ⅰ. 미래 사회

미래학자들의 제언에 따르면 미래 키워드는 경험경제, 생명 연장과 노화제거, 초개인화, 부(富)의 이동, 기업의 지속가능성과 디지털 죽음 등을 언급한다. 또한, 맥킨지 앤드 컴퍼니의 보고서에 따르면, 10년간 벌어진 일이 팬데믹으로 수일 만에 벌어졌다고 한 것처럼 코로나19는 변화와 혁신의 촉매제 역할을 하였다. 예를 들면, 지난 10년간 이뤄진 전 세계 온라인 배송량이 단 8주 만에 넘어 이뤄졌다. 원격 의료는 15일 만에 10배 정도 늘었다. 원격 근무로 화상회의는 3개월 만에 20배 늘었다. 이런 예상치 못한 위기는 기업의 지속 가능성을 위협한다. 예를 들면 1955년 포천 500대 기업 중 62년 후인 2017년까지 살아남은 기업은 단 60곳(12%)이다. 기업의 지속 가능성은 투자자들에게도 중요한 이슈로 작용한다. 그러므로 기업들은 미래의 신기술을 기반으로 기업의 지속 가능성을 확보하려고 노력하고 있다.

즉, 미래학자들과 맥킨지 앤드 컴퍼니의 보고서를 고려할 때, 미래에는 다양한 분야에서 중요한 변화와 혁신이 예상되고 있고, 각 키워드에 대한 주요 이슈와 향후 전망에 대한 논의하고 있다.

먼저, 경험 경제(experience economy)로 소비자들은 단순한 제품이나 서비스보다는 경험을 중시하는 경향이 있다. 즉, 제품이나 서비스의 판매가 아니라, 고객에게 기억에 남는 경험을 제공함으로써 가치를 창출하는 경제를 말한다. 따라서 기업은 제품과 서비스를 통해 고객에게 특별한 경험을 제공하는 것에 주력해야 한다. 예를 들어, 관광 산업에서는 여행객들에게 특별한 경험을 제공하기 위해 노력하고 있다. 엔터테인먼트 산업에서는 관객들에게 감동과 즐거움을 선사하는 경험을 제공하기 위해 노력하고 있다. 교육산업에서는 학생들에게 배움의 즐거움을 선사하는 경험을 제공하기 위해 노력하고 있다.

둘째, 구독경제(subscription economy)는 정기적으로 일정한 금액을 지불하고 제품이나 서비스를 이용하는 경제 모델을 의미한다. 구독경제는 19세기부터 존재해왔지만, 최근 들어 인공지능(AI), 빅데이터, 사물인터넷(IoT) 등 기술의 발전으로 인해 급속도로 성장하고 있다. 예를 들면, 일정 금액을 정기적으로 지불하는 것을 특징으로 이를 통해 소비자는 제품이나 서비스를 지속적으로 이용할 수 있다. 또는 제품이나 서비스를 이용하는 것을 특징으로 소비자는 제품이나 서비스를 소유하지 않고, 단순히 이용하는 형태이다. 기존의 경제 모델과의 차이점은 기존의 경제 모델에서는 제품이나 서비스를 소유하는 것이 일반적이었지만, 구독경제에서는 제품이나 서비스를 이용하는 것이 일반적이고, 기존에는 제품이나 서비스를 구매하는 데 많은 비용이 소요되었지만, 구독경제에서는 월 단위로 소액의 비용을 지불하면 되고, 기존의 경제 모델에서는 제품이나 서비스를 구매하거나 대여하기 위해 직접 방문해야 했지만, 구독경제에서는 온라인으로 쉽게 이용할 수 있다.

셋째, 생명 연장(life extension)에 대한 부분으로 의료 기술의 발전으로 인해 인간 수명이 연장되고 있다. 인간의 수명을 연장하는 것은 의학, 과학, 기술 등 다양한 분야의 연구를 통해 이루어지고 있다. 생명 연장의 방법은 크게 두 가지로 나눌 수 있다. 하나는 질병을 예방하고 치료함으로써 수명을 연장하는 방법이고, 다른 하나는 노화의 과정을 늦추거나 역전시키는 방법이다. 이는 인구 구조와 사회 경제 구조에 영향을 미치며, 노동 시장과 사회복지 정책 등을 새롭게 고려해야 한다. 그러나 경제적 부담, 생명 연장을 누릴 수 있는 사람과 그렇지 못한 사람 간의 사회적 갈등, 생명 연장을 위한 연구가 인간의 존엄성을 침해하는 것은 아닌지, 생명 연장이 인구 증가를 초래하는 것은 아닌지 등의 문제에 대한 논의가 필요하다.

넷째, 미래의 부(富)의 이동으로 이는 크게 두 가지 방향으로 이루어질 것으로 예상한다. 하나는 기술 부문으로의 이동으로 인공지능(AI), 양자컴퓨팅, 로봇공학 등과 같은 새로운 기술의 발전으로 인해 새로운 산업과 일자리가 창출되고 있다. 이러한 산업과 일자리에 종사하는 사람들은 높은 기술력과 창의력을 바탕으로 높은 부(富)를 창출할 것으로 예상된다. 다른 하나는 글로벌화로 인한 이동으로 세계화의 진전으로 인해 국경을 넘어서는 경제 활동이 활발해지고 있다. 이러한 글로벌 경제 활동을 통해 새로운 부(富) 창출 기회가 확대되고 있다. 또한, 글로벌 경제 활동에 참여하는 기업과 개인은 글로벌 시장에서 경쟁력을 갖추기 위해 지속적으로 투자와 혁신을 이루어가고 있다. 이러한 노력을 통해 부(富)를 창출하고 축적할 수 있을 것으로 예상된다. 이런 미래의 부의 이동은 사회경제적으로 다양한 영향을 미칠 것으로 예상된다. 기술 부문으로의 이동은 사회의 양극화를 심화시키고, 글로벌화로 인한 이동은 국가 간 불평등을 확대시킬 수 있다. 이러한 부작용을 최소화하기 위해서는 사회적 안전망을 강화하고, 글로벌 경제 질서를 공정하게 정립하기 위한 노력이 필요하다.

다섯째, 기업의 지속 가능성으로 기업의 지속 가능성은 미래에 있어서 가장 중요한 과제 중 하나로, 지속 가능한 경영 전략과 새로운 기술을 활용하여 기업은 급변하는 환경에서 경쟁력을 유지할 수 있다. 여기에서 미래의 기업의 지속 가능성은 환경적 지속 가능성, 사회적 지속 가능성과 경제적 지속 가능성을 의미한다. 환경적 지속 가능성에서 기업은 환경에 미치는 부정적 영향을 최소화하고, 환경을 보호하기 위한 노력을 통해 환경적 지속 가능성을 확보해야 한다. 이를 위해서는 친환경 제품과 서비스를 개발하고, 생산 과정에서 환경 오염을 줄이는 노력이 필요하다. 또한, 기업의 공급망을 통해 환경에 미치는 영향을 최소화하기 위한 노력도 필요하다. 또한, 사회적 지속 가능성에서 기업은 사회에 공헌하고, 사회적 책임을 다함으로써 사회적 지속 가능성을 확보해야 한다. 이를 위해서는 직원의 복지와 노동권을 보장하고, 지역사회에 기여하는 노력이 필요하다. 또한, 기업의 제품과 서비스가 사회적으로 공정하고, 윤리적으로 생산되고 있는지 확인하기 위한 노력도 필요하다. 그리고 경제적 지속 가능성에서 기업은 지속적으로 성장하고, 수익을 창출함으로써 경제적 지속 가능성을 확보해야 한다. 이를 위해서는 새로운 시장을 개척하고, 혁신적인 제품과 서비스를 개발하기 위한 노력이 필요하다. 또한, 기업의 재무 구조를 건전하게 유지하고, 위험을 관리하기 위한 노력도 필요하다.

여섯째, 초개인화(hyper-personalization)는 개인의 특성과 필요에 맞게 맞춤화된 제품, 서비스, 경험을 제공하는 것을 말한다. 인공지능(AI), 데이터 분석, 머신 러닝 등의 기술을 사용하여 이루어지며, 다양한 분야에서 적용되고 있다. 예를 들어, 마케팅 분야에서는 고객의 구매 패턴, 관심사, 위치 등을 분석하여 맞춤형 광고를 제공한다. 의료 분야에서는 환자의 건강 상태, 질병 이력 등을 분석하여 맞춤형 치료를 제공한다. 교육 분야에서는 학생의 학습 수준, 학습 스타일 등을 분석하여 맞춤형 교육을 제공한다.

일곱째, 디지털 죽음(digital death)은 디지털 세계에서의 존재가 소멸되는 것을 말한다. 디지털 죽음은 물리적 죽음과는 구별되는 개념으로, 디지털 세계에서의 활동이나 존재가 영구적으로 사라지는 것을 의미한다. 개인의 사망으로 인해 디지털 세계에서의 활동이 중단되는 경우를 디지털 죽음의 가장 일반적인 원인으로 볼 수 있다. 또한, 디지털 세계에 저장된 데이터가 손실되거나, 디지털 서비스가 중단되는 경우에도 디지털 죽음이 발생할 수 있다. 개인과 사회에 다양한 영향을 미칠 수 있다. 개인의 경우, 디지털 세계에서의 활동이나 존재가 소멸됨으로써 사회적 관계, 기억, 정체성 등이 상실될 수 있고, 사회의 경우, 디지털 세계의 기록이 사라짐으로써 역사적, 문화적 유산이 손실될 수 있다. 디지털 죽음은 아직까지는 낯선 개념이지만, 디지털 기술의 발전으로 인해 그 중요성이 점차 커지고 있다. 디지털 죽음에 대한 사회적 논의를 통해, 개인과 사회가 디지털 죽음을 대비할 수 있는 방안을 마련하는 것이 필요하다.

이러한 키워드들은 미래의 비즈니스 환경에서 중요한 역할을 할 것으로 보이며, 기업과 사회는 이러한 변화에 유연하게 대응하고 적응해야 한다.

1. 경험 경제

경험 경제는 소비자들이 단순한 제품이나 서비스보다는 특별한 경험을 중시하는 경향을 의미한다. 이는 제품이나 서비스 자체의 품질보다는 소비자가 느끼는 감성적인 요소, 즉 소비자의 경험과 연관된 요소가 더 큰 영향을 미친다는 것을 의미한다. 이러한 경향은 기업이 제품이나 서비스를 통해 소비자에게 더 나은 경험을 제공함으로써 고객 충성도를 높이고 시장에서 경쟁 우위를 확보할 수 있는 기회를 제공한다.

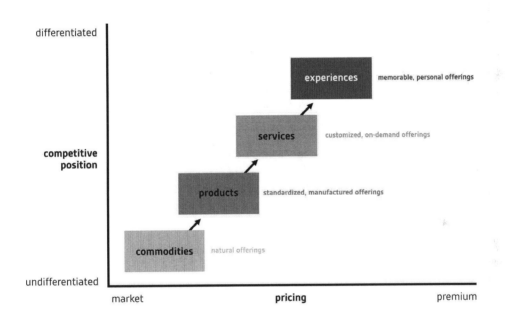

References: adapted from Pine, J. I. I., & Gilmore, J. H. (1998). Welcome to the Experience Economy. Harvard Business Review, July–August 1998, 97-105.

[그림 1] 경험경제

1) 맞춤형 서비스 제공

맞춤형 서비스 제공으로 소비자의 성향과 취향을 고려하여 맞춤형 서비스를 제공함으로써 소비자에게 개인적인 경험을 제공할 수 있다.

예를 통해 설명하면, 먼저, 개별 맞춤형 제품 추천으로 온라인 리테일러나 스트리밍 서비스는 소비자의 이전 구매 이력, 검색 기록 및 평가를 기반으로 제품 또는 콘텐츠를 추천한다. 예를 들어, 온라인 의류 쇼핑 사이트는 고객의 사이즈, 선호하는 스타일, 색상 등을 파악하여 해당 고객에게 가장 어울리는 의류를 추천할 수 있다.

둘째, 맞춤형 음식 및 요리 레시피로 음식 배달 서비스나 요리 관련 앱은 고객의 식사 취향을 고려하여 맞춤형 음식 메뉴나 요리 레시피를 제공한다. 이를 통해 고객은 자신의 선호에 따른 음식을 주문하거나 요리할 수 있다.

셋째, 맞춤형 여행 추천으로 여행 관련 웹사이트나 앱은 고객의 여행 스타일, 예산, 관심 지역을 고려하여 여행 일정이나 호텔 추천을 제공한다. 이를 통해 여행자는 자신에게 맞는 여행 경험을 설계할 수 있다.

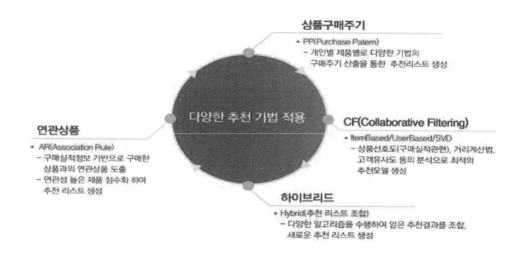

[그림 2] SENA - Recommendation

출처: lgcns.com

넷째, 맞춤형 교육 및 학습 경로로 온라인 교육 플랫폼은 학습 목표, 성취 수준, 학습 속도 등을 고려하여 학습 경로와 교육 자료를 제공한다. 학생은 자신에게 맞는 학습 경로를 따를 수 있으며, 학습 경험을 최적화할 수 있다.

다섯째, 맞춤형 헬스케어 및 의료 서비스로 헬스케어 앱은 개인의 건강 상태와 목표를 고려하여 운동 계획, 식사 권장사항, 건강 모니터링을 제공한다. 이를 통해 각 개인은 건강한 라이프스타일을 유지하거나 특정 건강 목표를 달성할 수 있다.

이러한 맞춤형 서비스 제공은 고객이 제품 또는 서비스를 더 개인적으로 경험할 수 있도록 도와준다. 이는 고객의 만족도를 높이고, 브랜드 충성도를 증가시키며, 기업의 경쟁 우위를 확보하는 데 도움이 된다.

2) 참여형 마케팅

참여형 마케팅으로 소비자들이 제품 또는 브랜드와 상호작용하고 참여할 수 있는 마케팅 전략을 채택하여 소비자들이 브랜드와 강한 연관성을 느낄 수 있도록 도와준다. 이는 소비자들이 브랜드에 대한 참여를 통해 브랜드에 대한 감정적인 결합을 형성하고, 브랜드의 제품이나 서비스에 대한 긍정적인 인식을 강화하는 데 도움이 된다.

[그림 3] 날개피자와 짜장 불닭볶음면
출처: 스페셜경제

먼저, 소셜 미디어 캠페인으로 브랜드는 소셜 미디어를 통해 고객들과 상호작용하고 콘텐츠를 공유하여 고객들이 브랜드와 관련된 이야기를 나눌 수 있도록 도와준다. 예를 들어, 브랜드는 소셜 미디어를 활용하여 고객들이 제품을 사용하는 모습이나 제품과 관련된 이야기를 공유할 수 있는 캠페인을 진행할 수 있다.

둘째, 사용자 생성 콘텐츠(User-generated content, UGC) 활용에서 브랜드는 고객들이 제작한 콘텐츠를 활용하여 브랜드의 제품이나 서비스와 관련된 이야기를 고객들끼리 공유할 수 있도록 유도한다. 예를 들어, 브랜드는 소셜 미디어에서 사용자가 만든 사진, 동영상, 혹은 리뷰를 공유하고 이를 홍보에 활용할 수 있다.

셋째, 이벤트 및 경품 증정으로 브랜드는 소비자들이 이벤트나 콘테스트에 참여하거나 경품을 획득할 수 있는 기회를 제공하여 소비자들이 브랜드와 상호작용하고 참여할 수 있는 기회를 제공한다. 예를 들어, 브랜드는 소셜 미디어를 통해 이벤트나 콘테스트를 개최하고 이를 통해 참여자들에게 경품을 증정할 수 있다.

넷째, 커뮤니티 구축으로 브랜드는 고객들이 특정 주제나 관심사에 대해 소통하고 정보를 공유할 수 있는 온라인 커뮤니티를 구축하여 고객들이 브랜드와의 관계를 강화할 수 있도록 도와준다. 이를 통해 브랜드는 고객들의 의견을 수렴하고 브랜드에 대한 강한 지지를 형성할 수 있다.

참여형 마케팅은 소비자들과 브랜드 간의 상호작용을 증진시키고 고객들이 브랜드에 대한 강한 감정적인 연결을 형성할 수 있도록 돕는 중요한 전략이다.

3) 감성적 마케팅 전략

감성적 마케팅 전략으로 제품이나 서비스의 감성적 가치를 강조하여 소비자의 감정에 호소함으로써 소비자들의 심리적 만족을 높이는 전략이다. 감성적 마케팅은 소비자들에게 제품이나 브랜드와 관련된 감정적인 연결을 형성하도록 유도함으로써 소비자들의 브랜드에 대한 긍정적인 인식을 강화하고 브랜드 충성도를 높이는 데에 중요한 역할을 한다.

먼저, 감성적 스토리텔링으로 브랜드는 제품 또는 서비스와 관련된 감동적인 이야기를 통해 소비자들의 감정에 호소한다. 이를 통해 브랜드는 소비자들에게 공감을 얻으며 브랜드와의 강한 감정적 연결을 형성할 수 있다.

둘째, 감성적 이미지 및 디자인 활용으로 브랜드는 제품의 디자인이나 브랜드의 이미지를 통해 소비자들의 감정에 호소한다. 감성적인 색상, 디자인, 그래픽 등을 활용하여 브랜드가 소비자들에게 전달하고자 하는 감성적인 가치를 강조할 수 있다.

셋째, 감동적 광고 캠페인으로 브랜드는 감성적인 광고 캠페인을 통해 소비자들의 감정을 자극하고 감동을 주도록 한다. 이를 통해 브랜드는 소비자들에게 자신의 감성적 가치와 브랜드의 철학을 전달할 수 있다.

넷째, 감성적인 제품 경험 제공으로 브랜드는 제품의 사용 경험을 통해 소비자들에게 감성적인 만족을 제공한다. 제품의 품질, 기능, 디자인 등을 통해 소비자들의 감정적인 만족을 높이고 브랜드와의 강한 연결을 형성할 수 있다.

[그림 4] 배달의민족 브랜드 제품.
출처: 스페셜경제

　다섯째, 사회적 가치 강조로 브랜드는 사회적 가치를 강조하여 소비자들의 감정에 호소한다. 브랜드의 사회적 책임, 환경 보호, 사회 공헌 활동 등을 강조함으로써 소비자들은 브랜드에 대한 긍정적인 감정을 형성할 수 있다.
　감성적 마케팅은 제품이나 브랜드와 관련된 감정적 연결을 형성하여 소비자들의 브랜드에 대한 긍정적인 인식을 강화하고 브랜드 충성도를 높이는 데에 중요한 전략에 해당한다.

　4) 새로운 기술 도입

　새로운 기술 도입으로 가상현실(VR), 증강현실(AR) 등의 기술을 활용하여 고객에게 더욱 풍부한 경험을 제공하는 전략이다. 이를 통해 기업은 고객들에게 혁신적이고 흥미로운 경험을 제공하여 제품이나 브랜드에 대한 강한 인상을 남기고 고객들의 브랜드에 대한 참여를 촉진할 수 있다.
　먼저, 가상현실(VR) 체험으로 기업은 가상현실 기술을 활용하여 고객들에게 현실과는 다른 가상 세계를 제공함으로써 제품이나 서비스에 대한 몰입감을 높일 수 있다. 가상현실 체험을 통해 고객들은 제품이나 서비스를 더욱 현실적으로 체험할 수 있다.

둘째, 증강현실(AR) 상호작용으로 기업은 증강현실 기술을 활용하여 고객들에게 현실 세계에 가상적인 요소를 추가함으로써 제품이나 서비스와 상호작용할 수 있는 기회를 제공할 수 있다. 예를 들어, 고객은 스마트폰 앱을 통해 제품을 증강현실로 볼 수 있거나 가상적인 요소와 상호작용할 수 있다.

셋째, 인터랙티브 디스플레이 및 체험으로 기업은 디지털 디스플레이나 인터랙티브 체험을 통해 고객들에게 새로운 기술을 소개하고 제품이나 브랜드에 대한 흥미를 유발할 수 있다. 이를 통해 고객들은 제품이나 서비스를 보다 참여적으로 경험할 수 있다.

넷째, 가상 시연 및 시뮬레이션으로 기업은 가상 시연이나 시뮬레이션을 통해 고객들에게 제품 또는 서비스의 활용 방법을 시각적으로 보여줌으로써 제품의 가치와 활용성을 강조할 수 있다. 이를 통해 고객들은 제품이나 서비스를 실제로 사용하는 것과 유사한 경험을 할 수 있다.

새로운 기술 도입은 고객들에게 혁신적이고 흥미로운 경험을 제공하여 브랜드와 제품에 대한 인식을 높이고 고객들의 참여를 유도하는 데에 중요한 전략적 요소로 작용한다.

5) 고객 서비스 향상

고객 서비스 향상으로 고객 서비스를 개선하여 소비자들의 불만을 해소하고 편리한 경험을 제공함으로써 고객 만족도를 높이는 전략이다. 이를 통해 기업은 고객들의 요구에 더욱 신속하게 대응하고 고객들에게 원활한 서비스를 제공함으로써 고객 충성도를 높일 수 있다.

먼저, 24시간 고객 지원 서비스로 기업은 고객들이 24시간 언제든지 문의사항이나 불만을 제기할 수 있는 고객 지원 서비스를 제공함으로써 고객들의 편의를 높일 수 있다. 이를 통해 고객들은 언제든지 필요한 정보나 지원을 받을 수 있다.

둘째, 개인화된 고객 서비스로, 기업은 고객들의 개별적인 요구를 파악하고 이에 맞춰 개인화된 서비스를 제공함으로써 고객들에게 특별한 경험을 제공할 수 있다. 예를 들어, 기업은 고객들의 구매 이력이나 선호도를 파악하여 맞춤형 서비스를 제공할 수 있다.

셋째, 빠른 문제 해결 및 반품 정책으로 기업은 고객들의 불만이나 문제를 신속하게 해결하고 고객들이 제품을 반품하거나 교환할 수 있는 정책을 마련함으로써 고객들의 불만을 최소화할 수 있다. 이를 통해 고객들은 기업에 대한 신뢰를 높일 수 있다.

넷째, 편리한 결제 및 배송 옵션으로 기업은 다양한 결제 및 배송 옵션을 제공하여 고객들이 편리하게 제품을 구매하고 받을 수 있도록 도와준다. 예를 들어, 기업은 다양한 결제 수단을 제공하고 빠른 배송 서비스를 제공함으로써 고객들의 만족도를 높일 수 있다.

다섯째, 피드백 수렴 및 개선으로 기업은 고객들로부터의 피드백을 수렴하고 이를 바탕으로 제품이나 서비스를 지속적으로 개선함으로써 고객들의 요구에 더욱 적극적으로 대응할 수 있다. 이를 통해 기업은 고객들의 신뢰를 유지하고 브랜드 충성도를 높일 수 있다.

고객 서비스 향상은 고객들의 요구에 더욱 빠르고 효과적으로 대응함으로써 고객들의 만족도를 높이고 브랜드의 신뢰를 구축하는 데에 중요한 전략적 요소로 작용한다.

이렇듯이 경험 경제는 소비자와의 긍정적인 상호작용을 통해 기업의 브랜드 가치를 향상시키고 고객 충성도를 높이는 데 있어 중요한 전략적 요소로 작용한다.

2. 구독경제

소유보다 경험 또는 구독경제는 소비자들이 물건을 소유하는 대신 그 물건을 이용하거나 경험하는 것에 중점을 두는 경제 모델을 의미한다. 이 모델은 공유경제와 밀접한 관련이 있으며, 주로 디지털 기술과 웹 플랫폼을 통해 제공된다. 구독경제의 예를 몇 가지 제시하면, 다음과 같다.

1) 스트리밍 서비스

먼저, 스트리밍 서비스로 스트리밍 서비스(예: Netflix, Spotify)는 구독경제의 대표적인 예이다. 사용자들은 영화, 음악, TV 프로그램을 소유하지 않고 매달 또는 매년 구독료를 지불하여 해당 서비스를 이용한다. 이로써 사용자들은 다양한 콘텐츠에 접근하고 소유하지 않아도 필요할 때 언제든지 이용할 수 있다. 예를 들어, Netflix를 보면, Netflix는 온라인 비디오 스트리밍 서비스로, 영화, TV 프로그램, 다큐멘터리, 오리지널 콘텐츠 등 다양한 콘텐츠를 제공하는 미국의 기업이다.

먼저, 서비스 내용에 관한 구독 옵션으로 Netflix는 사용자들에게 수많은 콘텐츠를 스트리밍 방식으로 제공한다. 사용자는 Netflix에 구독을 신청한 후 인터넷 연결을 통해 다양한 디바이스(예: 스마트폰, 태블릿, 스마트 TV, 노트북)에서 원하는 콘텐츠를 시청할 수 있다. Netflix는 사용자에게 여러 가지 구독 옵션을 제공한다. 일반적으로 매달 또는 매년 결제하는 옵션을 포함하고 있다. 사용자는 이 중에서 선택하여 Netflix 구독을 시작한다. 둘째, 다양한 콘텐츠로 Netflix는 영화, TV 프로그램, 애니메이션, 다큐멘터리, 웹 시리즈 등 다양한 콘텐츠를 제공한다. 이 중에서 오리지널 콘텐츠는 Netflix에서만 시청 가능한 독점 콘텐츠로 큰 인기를 끌고 있다. 셋째, 다국적 서비스로 Netflix는 세계적으로 서비스를 제공하며, 다양한 언어와 자막 옵션을 제공하여 국제적인 관객들을 대상으로 다양한 콘텐츠를 제공한다. 넷째, 개인화된 추천으로 Netflix는 사용자의 시청 기록을 분석하여 사용자에게 맞춘 추천 콘텐츠를 제공한다. 이를 통해 사용자들은 새로운 콘텐츠를 발견하고 자신의 취향에 맞게 콘텐츠를 찾을 수 있다. 다섯째, 오프라인 모드로 Netflix는 오프라인 모드를 통해 사용자가 인터넷 연결 없이도 콘텐츠를 다운로드하여 나중에 시청할 수 있도록 한다. 또한, 소유 비용을 회피하게 한다. 사용자는 영화나 TV 프로그램을 소유하지 않아도 된다.

Netflix는 스트리밍 서비스 분야에서 선두적인 역할을 하며, 다양한 콘텐츠와 편리한 시청 경험을 제공하는 서비스로 많은 사용자들에게 사랑받고 있다.

Netflix의 성공은 구독경제 모델의 중요성을 강조하며, 이 모델을 따르는 다른 서비스들에도 영향을 미치고 있다.

또 다른 예로 Spotify를 보면, 먼저, 음악 스트리밍으로 Spotify는 사용자들에게 음악 스트리밍 서비스를 제공한다. 사용자들은 음악을 구매하거나 다운로드할 필요 없이 매달 또는 매년 구독료를 지불하여 원하는 음악을 스트리밍할 수 있다. 둘째, 다양한 음악 콘텐츠로 Spotify는 수많은 음악 콘텐츠를 제공하며, 사용자들은 원하는 어떤 음악이든지 언제든지 스트리밍하여 들을 수 있다. 다양한 장르의 음악, 아티스트들의 음반, 플레이리스트 등을 탐색할 수 있다. 셋째, 개인화된 추천으로 Spotify는 사용자의 음악 취향을 기반으로 개인화된 음악 추천 기능을 제공한다. 이를 통해 사용자는 새로운 음악을 탐색하고 다양한 아티스트나 장르를 발견할 수 있다. 넷째, 오프라인 모드로 사용자들은 Spotify의 오프라인 모드를 통해 인터넷에 연결되지 않은 상태에서도 저장된 음악을 들을 수 있다. 이는 사용자가 언제든지 원하는 곳에서 원하는 음악을 감상할 수 있도록 한다.

Spotify와 같은 음악 스트리밍 서비스는 사용자들이 음악을 소유하지 않아도 원하는 시간에 언제든지 즐길 수 있도록 편의성을 제공한다. 이러한 모델은 사용자들이 음악을 쉽게 탐색하고 즐길 수 있도록 돕는 동시에 음악 산업 전반에도 혁신적인 변화를 가져오고 있다.

2) 자동차 구독

몇몇 회사는 자동차 구독 서비스를 제공하며, 고객들은 자동차를 구매하는 대신 매달 또는 매년 요금을 내고 자동차를 이용할 수 있다. 이로써 자동차 소유에 따른 비용(보험, 수리, 주차 등)을 피하고 필요한 때에 자동차를 이용할 수 있다.

예를 들면, Care by Volvo는 구매나 리스의 장기적인 약정 없이도 새로운 볼보를 운전할 수 있는 구독 서비스이다. 매월 요금을 내면 볼보 신차와 보험, 정비, 도로변 지원 등을 받을 수 있다. 케어 바이 볼보는 미국, 스웨덴, 영국, 독일, 프랑스 등 다양한 국가에서 이용할 수 있다. 케어 바이 볼보를 구독하려면 원하는 차를 선택하고 구독 기간을 선택하기만 하면 된다. 그런 다음 볼보 대리점에서 새 차를 픽업할 수 있다.

Care by Volvo의 이점은 편리함으로 가격 협상을 하거나 차를 사거나 빌리는 데 관련된 서류를 처리하는 것에 대해 걱정할 필요가 없다. 또한, 유연성으로 언제든지 자동차나 구독 기간을 변경할 수 있다. 또한, 마음의 안정으로 고객님의 차는 보험과 유지보수가 적용되기 때문에 예상치 못한 비용에 대해 걱정하지 않으셔도 된다.

[그림 5] Care by Volvo

출처: Volvo

　주요 고객은 사업을 위해 새 차가 필요하지만 장기 리스에 얽매이고 싶지 않은 사업주, 새 차를 원하지만 차를 사고 유지해야 하는 번거로움을 감당하고 싶지 않은 가족, 새 차를 원하면서도 거액의 계약금을 내고 싶지 않은 젊은 전문가들을 대상으로 한다. 케어 바이 볼보(Care by Volvo)는 새로운 볼보 자동차를 운전하는 새롭고 혁신적인 방법으로 만약 당신이 새 차를 운전하기에 편리하고 유연한 방법을 찾고 있다면, 케어 바이 볼보(Care by Volvo)를 고려해 보는 것도 좋은 선택이다

　먼저, 다양한 요금제로 Care by Volvo와 같은 서비스는 다양한 요금제를 제공한다. 사용자들은 월간 요금을 내고 원하는 차량을 선택할 수 있다. 이는 사용자들이 자신에게 가장 적합한 요금제를 선택할 수 있도록 한다.

　둘째, 모든 유지보수 포함으로 자동차 구독 서비스는 일반적으로 모든 유지보수 비용(예: 정기 점검, 수리, 보험)을 포함한다. 이로 인해 사용자들은 예기치 않은 유지보수 비용에 대해 걱정하지 않고 자동차를 이용할 수 있다. 셋째, 자동차 교체 옵션으로 일부 자동차 구독 서비스는 일정 기간이 지난 후 자동차 교체 옵션을 제공한다. 이는 사용자들이 새로운 모델이나 다른 차종으로 간편하게 전환할 수 있도록 도와준다. 넷째, 간편한 해지 절차로 사용자가 자동차 구독 서비스를 해지하고 싶을 경우, 일반적으로 간편한 절차를 통해 계약을 해지할 수 있다. 이는 사용자들이 유연하게 서비스를 이용하고 해지할 수 있도록 도와준다.

　자동차 구독 서비스는 자동차 소유와 관련된 여러 가지 복잡성과 비용을 간소화하여 사용자들에게 편의성을 제공하는 혁신적인 옵션이다. 이 모델은 사용자들이 필요할 때 자동차를 이용하고 유지보수에 대해 걱정하지 않고 편리하게 이용할 수 있도록 돕고 있다.

3) 의류 구독 상자

패션 업계에서 의류 구독 상자가 인기를 끌고 있다. 고객들은 매월 새로운 의류를 구입하기보다, 구독 서비스를 통해 매달 새로운 의류나 악세서리를 받는다. 이는 환경친화적이며 스타일 변경을 쉽게 할 수 있는 방법을 제공한다. 의류 구독 상자는 소비자들에게 지속 가능한 패션 경험과 스타일 변화를 제공하는 혁신적인 패션 솔루션으로 각광받고 있다. 이를 통해 소비자들은 환경 보호에 기여하면서도 다양한 패션 스타일을 경험할 수 있게 되었다.

먼저, 맞춤형 스타일링 서비스로 패션 의류 구독 상자는 고객의 개별적인 스타일과 취향을 고려하여 맞춤형 의류를 제공한다. 이는 고객들이 자신의 스타일에 맞는 새로운 의류를 발견하고, 다양한 패션 트렌드를 경험할 수 있는 기회를 제공한다. 또한, 패션 의류 구독 상자는 고객의 개별적인 스타일과 취향을 고려하여 맞춤형 의류를 제공함으로써 고객들이 자신만의 독특한 패션 아이템을 경험하고 새로운 스타일을 발견할 수 있는 기회를 제공하고 있고, 개인 스타일 프로필 작성으로 고객들은 맞춤형 서비스를 위해 자신의 스타일, 선호하는 색상, 패턴, 의류 종류, 그리고 목적에 관한 정보를 제공하는 개인 스타일 프로필을 작성한다.

개별적인 스타일 조언으로 패션 전문가나 스타일리스트들은 고객들의 스타일 프로필을 기반으로 개별적인 스타일 조언을 제공한다. 이는 고객들이 자신의 스타일에 맞는 새로운 의류나 악세서리를 선택할 수 있도록 돕는 것을 의미한다. 그리고 맞춤형 의류 제공으로 고객의 스타일과 취향을 고려하여 맞춤형으로 디자인된 의류나 액세서리를 제공한다. 이는 고객들이 자신의 스타일을 유지하면서도 새로운 패션 트렌드를 경험할 수 있도록 돕는 역할을 한다. 고객 피드백 반영으로 고객들의 피드백을 수집하고 반영하여 매달 제공되는 의류나 액세서리의 컬렉션을 개선하고 업데이트한다. 이는 고객들의 만족도를 높이고 지속적인 서비스 개선을 통해 고객과의 긴밀한 관계를 유지하는 데에 중요한 역할을 한다.

이러한 맞춤형 스타일링 서비스는 고객들이 자신만의 독특한 스타일을 발견하고 발전시킬 수 있도록 돕는 중요한 요소로 작용한다. 이를 통해 고객들은 자신의 스타일에 대한 확신을 갖고 새로운 패션 경험을 즐길 수 있게 된다.

미국의 의류 구독 상자 회사인 Stitch Fix는 고객의 취향과 신체 사이즈를 고려하여 옷을 추천해주는 서비스이다. 고객은 웹사이트나 앱을 통해 설문을 작성하면, Stitch Fix의 스타일리스트가 고객의 취향에 맞는 옷을 골라 준다. 고객은 옷을 받아본 후, 마음에 드는 옷만 구매하면 된다.

영국의 의류 구독 상자 회사인 Next는 매월 새로운 옷을 배송해주는 서비스이다. Next는 다양한 브랜드의 옷을 취급하고 있으며, 고객은 원하는 브랜드와 스타일을 선택할 수 있다. Next는 옷을 구매하지 않아도, 옷을 빌려 입을 수 있는 서비스도 제공하고 있다.

[그림 6] Stitch Fix

출처: Stitch Fix

의류 구독 상자 전문업체로는 스타일쉐어, 클로젯 셰어, 스타일난다 등이 있다. 첫째, 스타일쉐어는 국내 최대 패션 커뮤니티를 기반으로 하는 의류 구독 상자 전문업체이다. 스타일리스트가 고객의 스타일을 분석하여 의류를 추천하는 서비스와 매월 새로운 의류를 배송하는 서비스 등을 제공한다. 둘째, 클로젯 셰어는 매월 2~3개의 의류를 배송하는 의류 구독 상자 전문업체이다. 고객의 취향과 신체 사이즈를 고려하여 의류를 추천하는 서비스와 다양한 브랜드의 의류를 제공하는 서비스를 제공한다. 셋째, 스타일난다는 국내 대표적인 패션 브랜드로, 매 시즌 새로운 의류를 배송하는 의류 구독 상자 전문업체로 트렌디한 디자인의 의류를 제공하는 것이 특징이다.

이런 의류 구독 상자는 다양한 장점이 있다. 먼저, 시간과 노력을 절약할 수 있다. 매번 옷을 고르고 구매하는 번거로움을 줄일 수 있다. 또한, 새로운 옷을 경험할 수 있다. 매월 새로운 옷을 배송받을 수 있어 다양한 스타일의 옷을 경험할 수 있다. 마지막으로, 비용을 절약할 수 있다. 할인된 가격으로 옷을 구매할 수 있다. 둘째, 지속 가능한 소재 사용으로 많은 의류 구독 서비스는 지속 가능한 소재를 사용하여 환경 친화적인 제품을 제공한다. 유기농 면, 재활용 폴리에스터, 친환경 염료 등의 사용은 지속 가능한 패션 산업을 유도하고, 환경 보호에 기여하는 중요한 요소이다. 셋째, 의류 구독 서비스는 고객들이 다양한 스타일과 패션 트렌드를 탐색할 수 있는 기회를 제공한다. 이는 고객들이 자신의 스타일을 발견하고 변경할 수 있는 유연성을 부여하여 새로운 패션 경험을 가능하게 한다. 넷째, 의류 구독 서비스는 고객들에게 편리한 구매 경험을 제공한다. 매달 집으로 배송되는 의류 상자는 고객들이 쇼핑몰을 방문하지 않고도 새로운 의류를 경험할 수 있는 편리함을 제공한다.

4) 도서와 서적 구독

온라인 서적 스토어와 도서 구독 서비스(예: Kindle Unlimited)를 통해 독서를 즐기는 사람들은 매월 일정 금액을 내고 수많은 전자책을 읽거나 오디오북을 청취할 수 있다.

[그림 7] 밀리의 서재 도서 구독 서비스

출처: 밀리의 서재

도서와 서적 구독은 다양한 장점이 있다. 먼저, 시간과 노력을 절약할 수 있다. 매번 책을 고르고 구매하는 번거로움을 줄일 수 있고, 또한, 새로운 책을 경험할 수 있다. 매월 새로운 책을 배송받을 수 있어 다양한 분야의 책을 경험할 수 있다. 마지막으로, 비용을 절약할 수 있다. 할인된 가격으로 책을 구매할 수 있다. 도서와 서적 구독에도 몇 가지 단점에는 먼저, 선택의 폭이 제한될 수 있다.

개인 맞춤형 구독 서비스라도 고객의 취향을 완벽하게 반영하기는 어렵다. 또한, 반품이 어려울 수 있다. 일부 업체의 경우, 반품이 불가하거나 제한적일 수 있다. 마지막으로, 구독을 중단하기 어려울 수 있다. 대부분의 업체는 구독 중단을 위해서는 일정 기간의 통보가 필요하다.

도서와 서적 구독은 2010년대 초반부터 미국에서 시작되었다. 이후 유럽과 아시아 등으로 확산되었으며, 최근에는 한국에서도 큰 인기를 얻고 있다. 도서와 서적 구독 서비스는 다양한 형태로 제공되고 있다. 개인의 취향과 선호도에 따라 선택할 수 있는 서비스가 다양해지고 있다. 앞으로도 도서와 서적 구독 서비스는 더욱 발전하고 보편화될 것으로 예상된다.

이런 구독경제는 소비자들에게 편의성을 제공하고 동시에 소유에 따른 공간과 비용을 절약할 수 있게 한다. 이 모델은 기업들에게도 안정적인 월간 수익을 보장하며, 제품 또는 서비스를 계속 개선할 동기를 부여한다. 이러한 이유로 구독경제는 다양한 산업 분야에서 급속하게 성장하고 있다.

5) 소유보다 구독과 경험으로

소비자의 트렌드가 소유보다는 구독과 경험으로 이동한다. 즉 공유경제보다는 구독경제로 변화하고 있다. 기업과 고객의 신뢰에 바탕을 둔 구독과 경험경제 시대에 들어가고 있다. 아직은 먼 이야기이지만, 우리 인간들의 편향인 먼 기술에 대해서는 크게 기대하는 심리가 작용하고 있다.

구독과 경험경제란 제품이나 서비스 자체의 품질뿐만 아니라, 고객이 제품이나 서비스를 이용하는 과정에서 느끼는 경험을 중시하는 경제 체제를 말한다. 구독과 경험경제의 배경을 보면 다음과 같다.

먼저, 소비자의 선택권이 확대로, 현대사회는 정보와 기술의 발달로 인해 소비자의 선택권이 확대되었다. 소비자들은 다양한 제품과 서비스 중에서 자신에게 가장 적합한 것을 선택할 수 있게 되었다. 소비자의 선택권이 확대된 현대사회에서는 다양한 제품과 서비스 중에서 선택을 할 수 있으며, 이는 정보와 기술의 발달에 큰 영향을 받고 있다.

온라인 쇼핑 플랫폼의 발전으로 소비자들은 집에서 편안하게 다양한 제품을 비교하고 구매할 수 있다. 예를 들어, 아마존, 이베이, 쿠팡 등의 플랫폼을 통해 소비자들은 국내외의 다양한 브랜드와 제품을 살펴보고 가격, 리뷰 등을 비교하여 최적의 선택을 할 수 있다.

제품이나 서비스를 비교하는 웹사이트나 앱들이 많이 개발되어 소비자들은 가격, 품질, 특징 등을 쉽게 비교할 수 있다. 가격비교 사이트나 리뷰 앱을 통해 소비자들은 다양한 옵션을 고려하여 가장 만족스러운 제품을 선택할 수 있다.

기업들은 소비자의 이전 구매 이력, 검색 기록 등을 분석하여 맞춤형 광고와 제품 추천을 제공한다. 이를 통해 소비자는 자신의 취향과 필요에 맞는 제품을 빠르게 찾을 수 있다.

글로벌화와 제조기술의 발전으로 다양한 브랜드와 제품이 시장에 출시되고 있다. 소비자들은 이러한 다양성 중에서 자신에게 맞는 브랜드와 제품을 선택할 수 있어졌다. 특히, 특정 분야에서의 경쟁이 치열해지면서 소비자들은 더 많은 선택권을 누리고 있다.

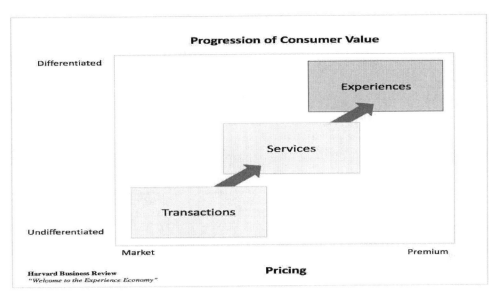

[그림 8] 경험경제

출처: HBR

서비스 업계에서도 다양성과 편의성이 증가하고 있다. 예를 들어, 음식 배달 서비스, 쇼핑몰에서의 다양한 결제 옵션, 스트리밍 서비스 등이 소비자들에게 다양한 선택을 제공하고 있다.

이러한 정보와 기술의 발달로 소비자들이 다양한 제품과 서비스 중에서 선택을 할 수 있는 환경이 형성되었다. 그러므로 소비자들은 자신의 욕구와 선호도에 맞춰 최적의 선택을 할 수 있어, 기업들은 경쟁에서 더 나은 제품과 서비스를 제공하는 데 집중하고 있다. 둘째, 소비자의 요구가 다양화로 소비자들은 단순히 제품이나 서비스의 기능과 품질만을 중시하지 않는다. 그보다는 제품이나 서비스가 자신에게 어떤 경험을 제공해주는지에 더 큰 관심을 갖는다. 즉, 소비자의 요구 다양화로 제품이나 서비스의 기능과 품질뿐만 아니라 전반적인 경험에 대한 중요성이 부각되었다. 이를 감안한 기업들은 제품이나 서비스를 통해 소비자에게 감동적이고 특별한 경험을 제공하는 노력을 기울이고 있다. 많은 소비자들은 음식을 먹는 것뿐만 아니라 음식점이나 카페 자체의 분위기와 경험에도 큰 관심을 가지고 있다. 카페나 음식점은 제품(음식)뿐만 아니라 공간 디자인, 음악, 서비스 등을 통해 소비자에게 특별한 경험을 제공하려 노력하고 있다.

호텔 산업에서는 객실의 품질뿐만 아니라 고객 서비스, 다양한 편의시설, 럭셔리한 분위기 등을 강조하여 고객에게 특별한 경험을 제공하려고 한다. 예를 들어, 호텔 내 레스토랑, 스파, 수영장 등이 고객에게 다양한 활동을 제공함으로써 숙박 경험을 풍부하게 만들고자 한다. 오프라인 소매업체들은 제품을 단순히 판매하는 것을 넘어서 고객에게 인터랙티브하고 흥미로운 쇼핑 경험을 제공하고 있다. 가상 혹은 현실의 체험 공간을 마련하거나, 디지털 기술을 활용하여 제품을 체험할 수 있는 기회를 제공하는 등의 노력이 있다.

[그림 9] 맞춤형 서비스

출처: Joseph Pine and Hames Gilmore. 2011.

온라인 플랫폼은 사용자 경험을 높이기 위해 맞춤형 서비스를 제공하고 있다. 개인화된 추천, 맞춤형 캠페인, 사용자 친화적인 디자인 등을 통해 소비자들에게 좀 더 특별하고 개인적인 경험을 제공하고자 한다. 이러한 제품이나 서비스 자체의 품질뿐만 아니라, 그로부터 얻는 전반적인 경험에 대한 소비자들의 관심이 어떻게 다양화되고 있는지를 보여준다. 요즘의 소비자들은 제품이나 서비스가 제공하는 경험에 큰 가치를 둬서, 기업들은 이를 충족시키기 위해 창의적이고 혁신적인 방법을 모색하고 있다.

셋째, 소셜미디어의 발달로 인해 소비자들은 제품이나 서비스에 대한 정보를 쉽게 공유할 수 있게 되었다. 이러한 정보 공유는 소비자의 구매 결정에 큰 영향을 미치게 되었다. 즉, 소셜 미디어의 발달로 소비자들은 제품이나 서비스에 대한 정보를 빠르게 얻을 수 있게 되었고, 이는 구매 결정에 큰 영향을 미친다. 예를 들어, 제품 또는 서비스 리뷰와 관련된 정보는 소셜 미디어를 통해 쉽게 공유되고 소비자들 사이에서 확산된다. 소셜 미디어 플랫폼에서는 소비자들이 제품에 대한 리뷰와 평가를 손쉽게 작성하고 공유할 수 있다. 예를 들어, 제품을 구매한 소비자가 자신의 경험을 페이스북, 인스타그램, 혹은 트위터 등에 공유하면, 이 정보는 해당 제품에 관심이 있는 다른 소비자들에게 전달되어 구매 결정에 영향을 줄 수 있다.

[그림 10] 소셜 미디어

출처: https://www.dokdok.co/world-news/socialmedia

기업들은 소셜 미디어를 통해 제품이나 서비스를 소개하고 광고할 수 있다. 소비자들은 이러한 광고를 통해 새로운 제품이나 특가 정보를 쉽게 접하게 되며, 이는 구매 동기를 높일 수 있다. 특정 주제나 관심사를 공유하는 소셜 미디어 그룹이나 커뮤니티에서는 소비자들이 자주 제품과 서비스에 대한 의견을 나눈다. 이러한 의견은 단순한 리뷰를 넘어서 소비자들 간의 소통을 통해 더 깊은 정보

교환을 가능하게 한다. 소셜 미디어 플랫폼에 활동하는 인플루언서들은 큰 팔로잉을 보유하고 있다. 이들이 특정 제품이나 서비스를 소개하고 추천하는 경우, 그 영향력은 상당히 크다. 소비자들은 이러한 인플루언서의 의견에 신뢰를 둔다는 점에서 이를 통해 구매 결정에 영향을 받을 수 있다.

이처럼 경험경제 시대에는 기업과 고객 사이의 신뢰가 매우 중요하다. 기업은 고객에게 좋은 경험을 제공하기 위해 노력해야 하며, 고객은 기업을 신뢰하고 지속적으로 거래할 수 있도록 해야 한다.

기업과 고객의 신뢰를 바탕으로 한 경험경제 시대를 위해서는 다음과 같은 노력이 필요하다. 먼저, 고객의 요구에 맞는 경험을 제공해야 한다. 기업은 고객의 요구를 파악하고, 그 요구에 맞는 경험을 제공해야 한다. 이를 위해서는 고객의 목소리에 귀를 기울이고, 고객의 의견을 적극적으로 반영해야 한다. 둘째, 고객과 소통으로 기업은 고객과 지속적으로 소통해야 한다. 이를 통해 기업과 고객 사이에 신뢰를 구축하고, 고객이 기업을 더욱 가까이 느낄 수 있도록 해야 한다. 셋째, 기업의 사회적 책임으로 기업은 사회적 책임을 다해야 한다. 이를 통해 기업의 이미지를 제고하고, 고객의 신뢰를 얻을 수 있다. 기업은 고객에게 새로운 경험을 제공하기 위해 노력하고, 고객은 기업을 신뢰하고 지속적으로 거래할 수 있도록 노력해야 한다.

6) 아마존과 쿠팡

아마존의 2시간 내 배송이 가능한 '프라임 익스프레스' 서비스, 아마존 프라임의 일일 배송 서비스, 2일 배송과 쿠팡 당일 로켓배송 비교하면, 다음과 같다.

먼저, 아마존의 2시간 내 배송이 가능한 '프라임 익스프레스' 서비스로 아마존은 쿠팡보다 앞서 당일배송 서비스를 제공하고 있다. 아마존은 2005년부터 2시간 내 배송이 가능한 '프라임 익스프레스' 서비스를 제공하고 있다.

쿠팡 로켓배송과 아마존 프라임 익스프레스의 차이점은 서비스 지역과 배송시간, 가격 등에서 차이가 있다. 쿠팡 로켓배송은 전국에 서비스 지역이 확대되고 있지만, 아직까지 아마존 프라임 익스프레스보다 서비스 지역이 제한적이다. 쿠팡 로켓배송은 주문 다음날 도착하는 당일배송 서비스이지만, 아마존 프라임 익스프레스는 2시간 내 배송이 가능한 서비스이다. 쿠팡 로켓배송은 무료배송이 기본이지만, 아마존 프라임 익스프레스는 월 12.99달러의 구독료를 지불해야 한다. 둘째, 쿠팡 로켓배송은 아마존 프라임의 일일 배송 서비스와 유사하다. 아마존 프라임은 주문 후 24시간 이내에 배송하는 서비스를 제공한다. 하지만, 쿠팡 로켓배송은 아마존 프라임보다 빠른 배송을 목표로 하고 있다. 또한, 쿠팡 로켓배송은 전국 어디에서나 당일 배송을 제공하는 반면, 아마존 프라임은 일부 도시에서만 당일 배송을 제공한다. 셋째, 쿠팡 로켓배송은 아마존의 2일 배송과 유사한 서비스이다. 하지만, 쿠팡 로켓배송은 주문 당일 배송을 보장한다는 점에서 아마존의 2일 배송과 차별화된다. 또한, 쿠팡 로켓배송은 아마존의 2일 배송보다 더 많은 상품을 대상으로 제공하고 있다. 아마존의 2일 배송은 일부 인기 상품에 한해 제공되는 반면, 쿠팡 로켓배송은 대부분의 상품에 대해 제공된다.

[표 1] 아마존과 쿠팡

구분	아마존	쿠팡
설립	1994년	2010년
초기사업	온라인 서점	소셜 커머스
첫해실적	51만 1000달러	거래액 약 60억원
최근실적	매출액 357억 달러	매출액 1조 9159억원
배송시스템	직접배송(자체물류, 위탁배송), 유료배송서비스(아마존프라임)	다이렉트 커머스(로켓배송, 쿠팡맨), 정기배송
사업환경	전자상거래시장 1위	치킨게임으로 점유율 경쟁
시장 점유율	37%~48%	7%내외
시장환경	온라인 다소 불리(상대적으로 낮은 인구밀도 등)	온라인에 유리 (높은 인구밀도, 수도권 인구밀집도 등)
서비스 경쟁력	전국1일 배송(일부지역 1~2시간 배송가능, 미디어 클라우드 등으로 다각화, 자체 자체현금을 통한 재투자 가능)	전국 당일 배송(온라인 유통 단일 기업, 외부 투자 자금에 의존)
흑자전환에 소요된 기간	8년	적자지속(법인 설립 후 6년 경과)

출처: https://www.thescoop.co.kr/news/articleView.html?idxno=23635

아마존과 쿠팡은 세계 최대의 이커머스 기업으로, 다양한 면에서 유사점과 차이점을 가지고 있다.

아마존과 쿠팡은 모두 세계 최대 규모의 이커머스 기업으로, 글로벌 시장에서 큰 영향력을 가지고 있다. 아마존은 미국을 중심으로, 쿠팡은 한국을 중심으로 시장을 확대해 나가고 있다. 아마존과 쿠팡은 모두 고객 중심의 비즈니스 모델을 추구하고 있다. 빠른 배송, 다양한 상품, 저렴한 가격 등을 통해 고객 만족도를 높이고 있다. 아마존과 쿠팡은 모두 기술 혁신을 통해 경쟁력을 강화하고 있다. 아마존은 인공지능(AI), 빅데이터, 클라우드 컴퓨팅 등 다양한 기술을 활용하고 있다. 쿠팡은 로켓배송, 로켓프레시 등 물류 혁신에 주력하고 있다.

아마존은 이커머스뿐만 아니라, 클라우드 컴퓨팅, 인공지능, 전자책, 웨어러블 기기 등 다양한 사업 영역을 가지고 있다. 쿠팡은 이커머스에 집중하고 있으며, 최근에는 콘텐츠 사업에도 진출하고 있다. 아마존은 미국을 중심으로 전 세계 시장에서 경쟁하고 있다. 쿠팡은 한국을 중심으로 경쟁하고 있으며, 최근에는 동남 아시아 시장 진출을 모색하고 있다. 아마존은 공격적인 투자를 통해 시장 점유율을 확대하는 전략을 추구하고 있다. 쿠팡은 수익성 개선을 위한 노력을 강화하고 있다.

아마존과 쿠팡은 세계 최대의 이커머스 기업으로, 다양한 면에서 유사점과 차이점을 가지고 있다. 아마존은 규모와 영향력에서 앞서 있지만, 쿠팡은 빠른 배송과 기술 혁신을 통해 경쟁력을 강화하고 있다. 앞으로 두 기업의 경쟁은 더욱 치열해질 것으로 예상된다.

3. 생명 연장

생명 연장은 의료 기술의 발전으로 인해 인간 수명이 연장되고 있으며, 이러한 변화는 인구 구조와 사회 경제 구조에 큰 영향을 미친다. 이러한 생명 연장 현상은 여러 측면에서 사회와 경제에 영향을 미치고, 정책 결정자들은 이를 고려하여 새로운 사회복지 정책 및 노동 시장 전략을 개발해야 한다.

1) 인구 구조 변화

생명 연장은 인구 구조에 변화를 가져왔다. 고령인구의 비율이 증가하면서 노동력 인구의 부담이 늘어나며, 이는 사회보장과 노동 시장에 대한 고려해야 한다. 정부는 노인 인구를 지원하고 노동력 시장에 적응시키기 위한 정책을 도입해야 한다.

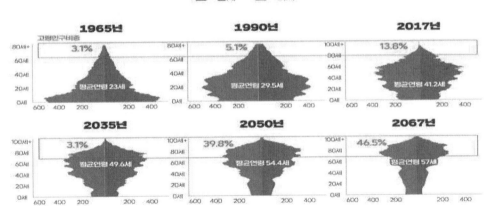

[그림 11] 대한민국의 인구구조 변화

출처: kt estate

고령 인구의 증가로 인한 노동력 인구의 부담 증가는 사회에 다양한 영향을 미치며, 이에 대한 대응을 위해 정부는 다양한 정책을 도입하고 있다. 먼저, 고령 인구를 위한 복지 정책 강화로 정부는 고령 인구를 위한 복지 서비스를 강화하여 노인들의 삶의 질을 향상시키고 경제적 안정을 도모하고 있다. 예를 들어, 건강 관리 서비스, 장기 요양 서비스, 노인 주거 시설 등을 지원하여 고령 인구들의 삶의 질을 보호하고 지원한다. 둘째, 고용 창출을 위한 정책으로 고령 인구의 증가로 인한 노동 시장의 부담을 완화하기 위해 정부는 고용 창출을 위한 다양한 정책을 추진하고 있다. 예를 들어, 고령인력을 위한 특별한 고용 프로그램을 개발하고 고령 인구의 기술을 활용할 수 있는 새로운 산업 분야를 육성하고 있다. 셋째, 노인 취업 지원 프로그램으로 노인들이 노동 시장에 적극적으로 참여할 수 있도록 정부는 노인 취업을 지원하는 다양한 프로그램을 운영하고 있다. 이는 노인들이 자신의 기술을 유용하게 활용하고 경제적으로 독립적인 삶을 영위할 수 있도록 돕는 것을 목표로 한다. 7넷째, 고령 인구를 위한 교육 및 재교육 프로그램으로 고령 인구의 역량을 강화하고 새로운 산업 환경에 노령 인력이 적응할 수 있도록 정부는 교육 및 재교육 프로그램을 지원하고 확대하고 있다. 이를 통해 고령 인구의 노동 시장 참여율을 높이고 경제적으로 활발한 역할을 할 수 있도록 돕고 있다.

이러한 정부의 정책은 고령 인구의 증가로 인한 노동 시장의 부담을 완화하고 노인들이 삶의 질을 유지하면서도 경제적으로 기여할 수 있도록 돕는 데 중점을 두고 있다.

2) 의료 및 건강 관리의 필요성

생명 연장은 의료 및 건강 관리의 중요성을 강조한다. 노인들의 건강을 유지하고 질병을 예방하는 데 필요한 의료 및 건강 서비스의 수요가 늘어난다. 정부 및 의료 기관은 이에 대한 대비책과 정책을 마련해야 한다. 그러므로 의료 및 건강 관리의 필요성은 생명 연장으로 인해 노인들의 건강 관리와 질병 예방에 대한 수요가 증가하고 있다. 이에 대한 대응을 위해 정부 및 의료 기관은 다양한 정책과 대비책을 마련하고 있다.

먼저, 예방 의학과 건강 캠페인으로 정부는 예방 의학과 건강 캠페인을 통해 노인들에게 건강한 생활습관을 유도하고 질병 예방을 촉진하는 데 초점을 맞추어야 한다. 예를 들어, 국가적인 건강 캠페인을 통해 규칙적인 운동, 균형 잡힌 식단, 정기적인 건강 검진 등을 장려하고 있다. 둘째, 의료 서비스 접근성 개선으로 의료 서비스의 접근성을 개선하기 위해 정부는 의료 시설의 확충과 효율적인 의료 서비스 제공을 위한 다양한 정책을 추진하고 있다. 노인들이 의료 서비스를 보다 쉽게 이용할 수 있도록 온라인 예약 시스템, 이동 의료 서비스, 의료 보조

기술 도입 등을 포함한 다양한 방법을 도입하고 있다. 셋째, 노인 건강 보험 제도 개선으로 노인들의 건강 보험 제도를 개선하여 노인들이 건강 관리에 대한 경제적 부담을 덜 수 있도록 하는 데 중점을 두어야 한다. 예를 들어, 보험 혜택을 확대하고 보험 금액을 조정하여 노인들이 필요로 하는 의료 서비스를 보다 쉽게 이용할 수 있도록 해야 한다. 넷째, 심리적 건강 지원 서비스로 노인들의 심리적 건강을 지원하기 위해 정부는 심리적 건강 지원 서비스를 제공하고 있다. 노인들에게 심리 상담, 사회 활동 참여, 정신 건강 교육 등을 제공하여 노인들의 심리적 안녕과 행복을 돕고 있다.

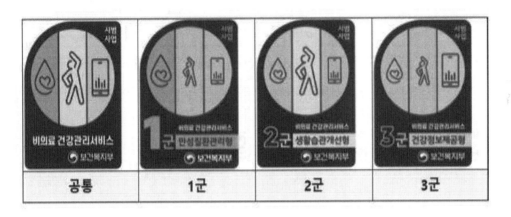

[그림 12] 비의료 건강관리서비스 시범인증 마크

출처:보건복지부

이러한 정책과 대책은 노인들의 건강을 지키고 질병 예방에 효과적으로 대응하기 위해 이루어지고 있으며, 건강한 노후 생활을 지원하는 데 중점을 두고 있다.

3) 노동 시장의 다양성

고령 인구의 증가로 인해 노동 시장도 다양성을 추구해야 한다. 노인들에게 적합한 노동 기회와 교육 기회를 제공하여 노인 노동력을 활용할 수 있어야 한다. 또한 유연한 노동 시장 정책을 개발하여 노동 시장에 대한 다양한 요구를 충족시켜야 한다.

먼저, 고령 인구를 위한 적합한 노동 기회 제공으로, 노인들에게 노동 시장에서 적합한 기회를 제공하는 것이 중요하다. 예를 들어, 노인들을 위한 일자리 맞춤형 프로그램을 개발하고, 노인들의 능력과 경험을 고려한 적절한 직무를 제공할 수 있다. 이를 통해 노인들은 경제적으로 활발한 역할을 수행할 수 있다.

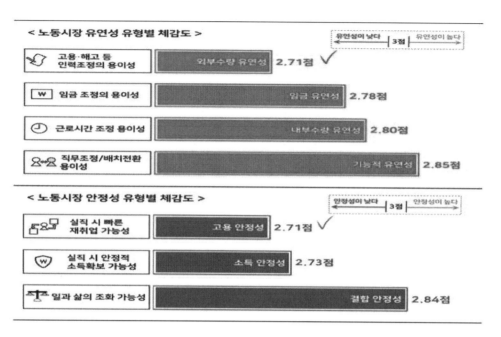

[그림 13] 노동시장 유연성과 안정성에 대한 기업 인식조사

출처: 경총

둘째, 고령 인구를 위한 교육 및 재교육 기회 제공으로 노인들이 새로운 기술과 역량을 습득하고 노동 시장에 적응할 수 있도록 교육 및 재교육 기회를 제공하는 것이 중요하다. 이를 통해 노인들은 노동 시장에서 요구되는 역량을 개발하고 유지할 수 있다. 셋째, 유연한 노동 시장 정책 개발로 노동 시장의 다양한 요구를 충족시키기 위해 유연한 노동 시장 정책을 도입할 수 있다. 예를 들어, 일시적인 일자리, 프리랜서 및 계약직 포지션, 원격 근무 옵션 등을 제공하여 노동시장의 유연성을 확보하는 것이 중요하다. 넷째, 고령 인구를 위한 사회적 통합 프로그램으로 노인들이 사회적으로 통합되고 노동 시장에서 포용받을 수 있도록 사회적 통합 프로그램을 지원할 필요가 있다. 이는 노인들을 사회활동에 참여시키고 사회적 네트워크를 형성하는 데 도움을 줄 수 있다. 다섯째, 고령 인구 참여를 촉진하는 세제 혜택으로 정부는 기업에게 고령 인구 고용을 장려하기 위해 세제 혜택을 제공할 수 있다. 이를 통해 기업들은 노인 노동력을 활용하고 노동시장의 다양성을 증진시킬 동기를 얻을 수 있다.

고령 인구의 노동 시장 참여를 촉진하고 다양성을 증진시키는 정책과 프로그램을 통해 노인들은 경제적으로 활발한 역할을 수행하고 사회적으로 통합될 수 있다. 이는 노동 시장의 지속가능성을 높이는 데 도움을 줄 수 있을 것이다.

4) 사회보장 제도의 강화

노령화된 인구를 지원하기 위해 사회보장 제도를 강화할 필요가 있다. 노인 건강 보험, 연금 제도, 장기간 요양 서비스, 주거 시설 등을 개선하고 확장하여 고령 인구의 삶의 질을 향상시켜야 한다. 즉, 사회보장 제도의 강화는 노령화된 인구를 지원하고 그들의 삶의 질을 향상시키기 위한 중요한 요소이다.

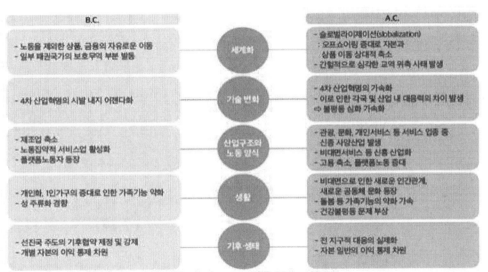

[그림 14] 코로나 이후 사회보장제도 재구성
출처: KDI

먼저, 노인 건강 보험의 확대 및 개선으로, 노인 건강 보험 제도를 확대하고 개선하여 노인들이 필요로 하는 의료 서비스를 보다 저렴한 비용으로 이용할 수 있도록 한다. 노인 건강 보험의 혜택을 확장하고 의료 서비스의 접근성을 향상시킨다. 둘째, 연금 제도의 개선으로, 연금 제도를 개선하여 노인들이 노후 생활을 안정적으로 계획하고 경제적으로 지원받을 수 있도록 한다. 연금 금액을 조정하고, 노인들에게 선택권을 부여하여 노후 자금을 효과적으로 관리할 수 있도록 한다. 셋째, 장기간 요양 서비스 제공으로, 노인들이 장기간 요양 서비스를 이용할 수 있도록 하기 위해 장기간 요양 서비스를 확대하고 접근성을 향상시킨다. 노인들의 요양과 의료 서비스에 대한 지원을 강화한다. 넷째, 주거 시설의 확대 및 품질 향상으로 노인 주거 시설을 확대하고 품질을 향상시켜 노인들이 안전하고 편안한 주거 환경을 확보할 수 있도록 한다. 노인들의 주거 요구를 충족시키기 위한 다양한 옵션을 제공한다. 다섯째, 복지 프로그램의 다양화로, 노인들을 위한 다양한 복지 프로그램을 제공하여 사회적 참여를 촉진하고 삶의 질을 향상시킨다. 이러한 프로그램은 문화 활동, 교육, 스포츠, 예술 등을 포함하며, 노인들이 활발한 사회생활을 즐길 수 있도록 한다.

사회보장 제도의 강화를 통해 고령 인구는 안전하고 안정적인 노후 생활을 보장받으며, 사회적으로 통합되고 삶의 질을 향상시킬 수 있다. 이는 사회적 안정과 공정성을 유지하는 데 중요한 역할을 한다.

5) 생애 주기 접근

생명 연장은 개별의 생애 주기를 고려해야 함을 의미한다. 노년에 대한 준비와 지원 외에도 청년 및 중년기에 대한 노력도 필요하며, 교육, 직업 훈련, 건강 관리, 저축, 투자 등에 대한 생애 주기 접근이 필요하다. 그러므로 생애 주기 접근은 개별의 생애 주기를 고려하여 노년에만 중점을 두는 것이 아니라 청년기와 중년기에도 적절한 지원과 준비가 필요함을 강조한다.

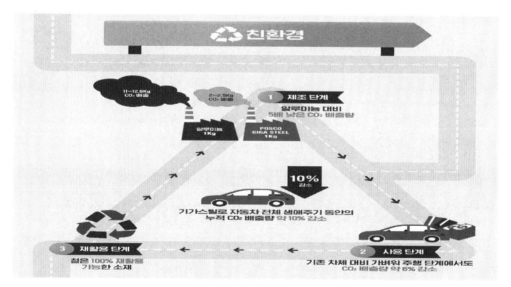

[그림 15] 자동차 제품 생애주기

출처: Roland Geyer

먼저, 교육 및 직업 훈련 기회 제공으로, 청년들과 중년층을 대상으로 교육 및 직업 훈련 기회를 확대하여 그들의 역량과 기술을 향상시키고 노동 시장에서 경쟁력을 갖출 수 있도록 한다. 이를 통해 청년들과 중년층은 안정적이고 지속 가능한 직업을 얻을 수 있다. 둘째, 건강 관리 및 예방 주의 교육 강화로, 건강한 생활습관을 심어주고 질병 예방에 대한 중요성을 강조하는 교육을 청년기와 중년기에 적극적으로 실시한다. 이를 통해 개인들은 건강한 삶을 유지하고 노년기에 건강한 노후를 보낼 수 있다. 셋째, 저축 및 투자 교육 및 지원으로 저축과 투자에 대한 교육과 지원을 통해 개인들은 재정적 안정을 위해 자산을 형성하고 유지할 수 있다. 이를 통해 개인들은 노후를 대비하여 적기에 적절한 대책을 마련할 수 있다. 넷째, 라이프 코칭 및 상담 서비스 제공으로 청년기와 중년기에 필요한 라이프 코칭 및 상담 서비스를 제공하여 개인들이 자신의 목표를 식별하고 실현할 수 있도록 돕는다. 이를 통해 개인들은 자기 계발과 성취를 위한 명확한 방향을 설정할 수 있다. 다섯째, 유연한 근로 시스템 구축으로 청년기부터 노년기까지 유연한 근로 시스템을 구축하여 다양한 세대의 노동력을 효과적으로 활용한다. 이를 통해 다양한 연령대가 적절한 조건에서 일할 수 있고, 경제적 안정을 유지할 수 있다.

생애 주기 접근은 각 단계별로 적절한 지원을 제공하여 개인들이 안정적이고 풍요로운 삶을 영위할 수 있도록 돕는 중요한 원칙이다.

6) 인프라 및 주거 환경

고령인구의 증가로 인해 인프라 및 주거 환경도 고려되어야 한다. 노인 친화적인 도시 및 주거 환경을 조성하여 노인들의 독립적이고 편안한 생활을 지원해야 한다.

먼저, 노인 친화적 도시 계획 및 설계로, 도시 계획 및 설계에 노인들의 편의와 안전을 고려한 요소를 포함시켜야 한다. 보행로의 보행 용이성, 공공 교통 체계의 접근성, 공원과 노인복지시설의 배치 등을 고려하여 노인들이 독립적으로 활동할 수 있는 환경을 조성해야 한다. 둘째, 노인 친화적 주택 및 시설 개발로, 노인들의 편의를 고려한 주택 및 시설을 개발하여 노인들이 편안하고 안전하게 생활할 수 있도록 한다. 이를 위해 접근 용이성, 안전시설, 친환경적 설비 등을 고려한 주택과 시설을 개발해야 한다. 셋째, 보호 및 안전시설 강화로 고령인구를 보호하고 안전을 보장하기 위해 보호 및 안전시설을 강화해야 한다. 노인들의 안전한 거주 환경을 보장하기 위해 화재 안전시설, 비상 구호 시설, 보호 서비스 등을 개선하고 강화해야 한다. 넷째, 노인 건강과 편의를 고려한 시설 설치로, 노인들의 건강과 편의를 고려하여 보건 시설, 의료 시설, 노인 복지시설 등을 적절하게 설치하고 운영해야 한다. 이를 통해 노인들은 필요한 의료 서비스와 복지 서비스를 쉽게 이용할 수 있다. 다섯째, 노인들을 위한 사회 활동 공간 제공으로 노인들이 사회적으로 활발하게 참여할 수 있는 활동 공간을 마련하여 노인들의 사회적 참여와 활발한 활동을 지원해야 한다. 이를 통해 노인들은 사회적 네트워크를 형성하고 활발한 사회활동을 즐길 수 있다.

고령 인구를 위한 인프라 및 주거 환경의 개선은 노인들의 삶의 질을 향상시키고 더 나은 노후 생활을 보장하기 위해 중요한 요소이다. 이런 생명 연장은 사회와 경제에 복잡한 영향을 미치는 현상이며, 이에 대한 효과적인 대응은 다양한 정책 및 사회 전략을 통해 이루어져야 한다.

4. 노화 제거

레이 커즈와일 구글 엔지니어링 이사는 10~12년 후부터는 과학발전이 매년 인류의 수명을 1년 이상 연장할 것이다라고 하였다. 즉 헬스케어 혁신이 만들어 낼 대변혁을 미리 예견하고 있다.

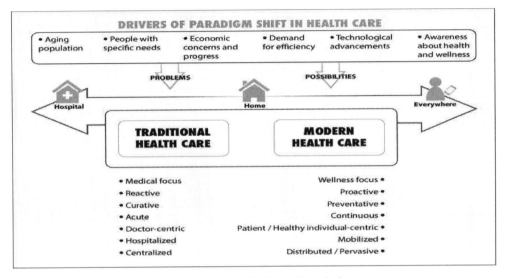

[그림 16] 현대적 헬스케어

출처: Abolade, Toyeeb Olamilekan. 2018.

1) 진단 기술, 치료 기술과 신약 개발

의학과 헬스케어 기술의 발전으로 진단 기술이 획기적인 진화가 발생한다. 현대 의학은 질병을 조기에 발견하고 진단하는데 많은 발전을 이루었다. 또한, 노화제거와 관련된 진단 기술, 치료 기술, 신약 개발이 획기적으로 진보하고 있다. 예를 들어, 조영층 CT 검사, MRI, 혈액 검사 등의 진단 기술이 향상되어 더 정확한 진단과 조기 치료가 가능해졌다. 치료 기술의 혁신적 성장도 발생한다. 암 치료, 유전자 치료, 면역 치료 등을 비롯한 의학적 치료 기술의 발전으로 많은 질병의 치료 가능성이 높아졌다. 신약 개발도 획기적인 결과를 산출하고 있다. 현재 다양한 질병에 대한 치료를 위한 새로운 약물이 연구되고 개발되고 있다.

먼저, 진단 기술의 발전으로 노화의 원인과 진행 과정을 보다 정확히 파악할 수 있게 되었다. 예를 들어, 나이가 들면서 감소하는 줄기세포의 수를 측정하거나, 노화로 인해 변형되는 유전자를 분석하는 기술이 개발되고 있다. 이러한 진단 기술을 통해 노화의 진행 정도를 예측하고, 적절한 치료를 할 수 있게 될 것이다.

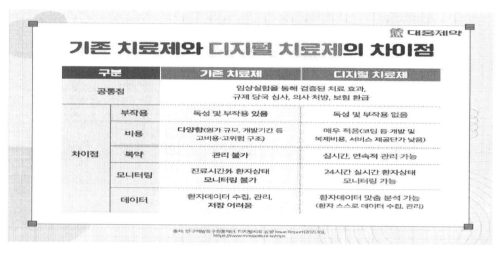

[그림 17] 디지털 치료제

출처: 대웅제약

둘째, 치료 기술의 발전으로 노화로 인한 질병을 치료할 수 있는 가능성이 높아지고 있다. 예를 들어, 암 치료에 사용되는 항암제나 방사선 치료는 노화로 인해 약해진 면역 체계를 회복시키는 데에도 효과적일 것으로 기대된다. 또한, 유전자 치료나 면역 치료를 통해 노화로 인해 손상된 세포를 복구하거나, 노화의 진행을 억제할 수도 있다.

셋째, 신약 개발도 노화제거에 큰 진전을 가져오고 있다. 예를 들어, 노화로 인해 감소하는 줄기세포의 수를 증가시키는 약물이나, 노화로 인해 변형되는 유전자를 정상화시키는 약물이 개발되고 있다. 이러한 신약이 상용화된다면, 노화로 인한 질병을 예방하고, 노화의 진행을 늦추는 데 큰 도움이 될 것이다.

유전자 검사를 통해 노화와 관련된 유전자 변이를 발견하고, 이를 치료하는 방법이 개발될 수 있다. 예를 들어, 일본의 연구팀은 노화와 관련된 유전자 변이를 가진 쥐를 대상으로 치료를 실시한 결과, 노화 관련 질병의 발병을 늦추는 데 성공했다는 연구 결과를 발표했다.

줄기세포 치료를 통해 노화된 세포를 재생하거나, 유전자 치료를 통해 노화 관련 유전자의 기능을 조절할 수 있다. 예를 들어, 미국의 연구팀은 줄기세포를 이용한 피부 재생 치료를 통해 노화된 피부를 개선하는 데 성공했다는 연구 결과를 발표했다. 또한, 중국의 연구팀은 유전자 치료를 통해 노화로 인해 감소된 근육량을 증가시키는 데 성공했다는 연구 결과를 발표했다.

면역 치료를 통해 노화로 인해 손상된 세포를 제거하거나, 노화 관련 단백질을 제거하는 방법이 개발될 수 있다. 예를 들어, 미국의 연구팀은 면역 치료를 통해 노화로 인해 손상된 신경세포를 보호하는 데 성공했다는 연구 결과를 발표했다. 또한, 일본의 연구팀은 면역 치료를 통해 노화 관련 단백질인 베타 아밀로이드를 제거하는 데 성공했다는 연구 결과를 발표했다.

[그림 18] 디지털 치료제의 구성요소

출처: 대웅제약

2) 생명 연장

생명 연장에 대한 연구로 노화 연구와 재생 의학의 발전이 눈에 도드라진다. 과학자들은 노화 과정을 이해하고, 노화를 늦추거나 건강한 노화를 유도할 수 있는 방법을 연구하고 있다. 이는 수명 연장에 대한 가능성을 제시한다. 조직 재생, 세포 재생, 장기 이식 등의 기술적 발전으로 인해 재생 의학 분야가 급속하게 발전하고 있다. 이런 연구들로 생명 연장의 가능성은 높아지고 있다.

노화 제거와 관련된 연구는 아직 초기 단계에 있지만, 빠르게 발전하고 있다. 이러한 연구가 성공적으로 이루어진다면, 인간의 수명을 크게 연장할 수 있는 가능성을 제시한다. 이는 인류의 삶에 큰 변화를 가져올 수 있는 획기적인 사건이다.

또한, 노화 제거와 생명 연장에 관한 연구가 눈에 띄게 발전하고 있다. 노화는 복잡한 과정으로, 아직까지 그 원인이 완전히 밝혀지지 않았다. 노화 과정을 이해하고, 생명을 연장하거나 건강한 생명 연장을 유도할 수 있는 방법을 연구하고 있다. 예를 들어, 노화와 생명 연장과 관련된 유전자 변이를 발견하고, 이를 치료하는 방법을 개발하고 있다. 또한, 단일 세포 분석을 통해 노화 과정에서 일어나는 세포 내 변화를 관찰하고, 이를 예방하거나 치료하는 방법을 개발하고 있다. 하지만 노화 연구를 통해 노화의 원인과 관련된 유전자, 단백질, 대사 경로 등을 밝혀낼 수 있다면, 이를 타깃으로 하는 노화제거 치료법과 생명 연장법을 개발할 수 있다.

노화를 늦추거나 역행시키는 방법을 개발할 수 있다. 노화 연구를 통해 노화 관련 유전자나 단백질을 조절하는 방법을 개발할 수 있다면, 노화를 늦추거나 역행시킬 수 있다. 예를 들어, 노화 관련 유전자인 SIRT6를 활성화시키는 방법이나, 노화 관련 단백질인 베타 아밀로이드를 제거하는 방법이 개발될 수 있다.

노화 관련 질병을 치료하거나 예방할 수 있게 된다. 노화는 암, 당뇨병, 심장병, 치매 등 다양한 질병의 발병 위험을 높이는 요인이다. 노화 관련 질병을 치료하거나 예방할 수 있다면, 노화로 인한 질병으로 인한 사망률을 낮출 수 있다.

조직 재생, 세포 재생, 장기 이식 등의 기술적 발전으로 인해 재생 의학 분야가 급속하게 발전하고 있다. 예를 들어, 줄기세포 치료를 통해 노화된 세포를 재생하거나, 유전자 치료를 통해 노화 관련 유전자의 기능을 조절할 수 있다. 또한, 면역 치료를 통해 노화로 인해 손상된 세포를 제거하거나, 노화 관련 단백질을 제거하는 방법을 개발할 수 있다.

이러한 기술들이 개발된다면, 노화로 인한 질병과 신체적, 정신적 기능 저하를 예방하거나 치료할 수 있게 될 것이다. 이는 인간의 수명과 삶의 질을 크게 향상시킬 수 있는 잠재력을 가지고 있다. 또한, 노화제거는 단순히 인간의 수명을 연장하는 것 이상의 의미를 가질 수 있다. 노화는 신체적, 정신적, 사회적으로 다양한 변화를 가져오는 과정으로 노화제거가 이루어진다면, 이러한 변화를 완화하거나 방지할 수 있게 될 것이다. 이는 인간의 삶의 질을 크게 향상시킬 수 있는 잠재력을 가지고 있다.

예를 들어, 노화로 인한 근력 저하, 인지 기능 저하, 치매 등을 예방할 수 있다면, 노년기에도 활기차고 건강한 삶을 살 수 있게 될 것이다. 또한, 노화로 인한 사회적 고립이나 소외를 예방할 수 있다면, 노년기에도 사회에 참여하고 소속감을 느낄 수 있게 될 것이다. 따라서 노화제거는 인간의 삶의 질을 크게 향상시킬 수 있는 잠재력을 가지고 있는 중요한 연구 분야이다. 앞으로 노화 연구와 재생 의학의 발전이 더욱 가속화된다면, 노화제거는 가까운 미래에 현실화될 수 있을 것으로 기대된다.

3) AI와 기술의 적용

AI와 기술의 적용으로 헬스케어 디지털화가 가속화되고 있다. 인공지능과 빅데이터 분석을 이용한 의료 기술의 발전으로 질병 예측, 개인 맞춤형 치료 등이 가능해지고 있다. 휴대폰 앱을 통한 건강 관리, 건강 추적, 웨어러블 기기 등을 이용한 건강 모니터링이 활발히 이루어지고 있다.

분야	기술명
플랫폼 바이오 (Platform Bio)	▸ 생체 내 면역세포 실시간 분석(*In situ* immune cell live imaging/sequencing) ▸ AI 기반 인공 단백질 설계(AI-based artificial protein design) ▸ 세포 역노화(Cell rejuvenation)
레드바이오 (Red Bio)	▸ 개인 맞춤형 암백신(Personalized Cancer Vaccines) ▸ 임상 적용 가능 유전자편집기술(Clinical grade gene editing) ▸ 비침습적 신경조율기술(Non-invasive neuromodulation)
그린바이오 (Green Bio)	▸ 배양육/대체육 고도화(Advanced cultured meat/alternative meat) ▸ 토양 마이크로바이옴(Biocrusts microbiome)
화이트바이오 (White Bio)	▸ 합성생물학 적용 미생물공장(Synthetic microbial factory) ▸ 미세플라스틱의 건강 및 생체영향 평가(Microplastics biomonitoring)

[그림 19] 플랫폼 바이오

출처: 대웅제약

노화의 원인과 진행 과정을 보다 정확히 파악할 수 있게 될 것이다. AI를 이용한 데이터 분석을 통해, 노화와 관련된 유전자, 단백질, 대사 경로 등을 보다 정밀하게 분석할 수 있게 될 것이고, 이를 통해 노화의 원인을 보다 정확히 이해하고, 이를 타깃으로 하는 노화제거 치료법을 개발할 수 있다. AI를 이용한 노화 관련 유전자 분석을 통해, 노화와 관련된 유전자 변이를 가진 사람들을 보다 정확하게 식별할 수 있게 될 것이다. 이를 통해, 이러한 유전자 변이를 가진 사람들을 대상으로 노화 관련 질병의 예방이나 치료를 위한 연구를 진행할 수 있다.

노화 관련 질병의 조기 발견과 치료가 가능해질 것이다. AI를 이용한 영상 분석을 통해, 노화로 인한 질병의 조기 징후를 보다 정확하게 발견할 수 있게 될 것이고, 이를 통해 노화 관련 질병의 치료 시기를 앞당기고, 치료 효과를 높일 수 있다. AI를 이용한 영상 분석을 통해, 노화로 인한 뇌졸중, 심장병, 치매 등의 질병의 조기 징후를 보다 정확하게 발견할 수 있게 될 것이다. 이를 통해, 이러한 질병의 치료 시기를 앞당기고, 치료 효과를 높일 수 있다.

개인 맞춤형 노화제거 치료가 가능해질 것이다. AI를 이용한 빅데이터 분석을 통해, 환자의 유전적 특성, 생활 습관, 건강 상태 등을 고려한 개인 맞춤형 노화

제거 치료를 제공할 수 있게 될 것이다. 이를 통해 환자의 치료 효과를 극대화하고, 부작용을 최소화할 수 있다. AI를 이용한 빅데이터 분석을 통해, 환자의 유전적 특성, 생활 습관, 건강 상태 등을 고려한 개인 맞춤형 노화제거 치료를 제공할 수 있게 될 것이다. 예를 들어, 환자의 유전적 특성에 따라 노화 관련 유전자를 조절하는 약물이나, 환자의 생활 습관에 맞는 건강 관리 프로그램을 제공하는 등의 방법이 가능하다.

이러한 기술들이 개발된다면, 노화로 인한 질병과 신체적, 정신적 기능 저하를 예방하거나 치료할 수 있게 되어, 이는 인간의 수명과 삶의 질을 크게 향상시킬 수 있는 잠재력을 가지고 있다. 특히, AI와 기술의 적용은 노화제거 연구의 속도를 높이고, 보다 효율적인 연구를 가능하게 할 것으로 기대된다. 예를 들어, AI를 이용한 데이터 분석을 통해, 노화 연구에 필요한 데이터를 보다 빠르고 정확하게 수집하고, 분석할 수 있게 될 것이고, 이를 통해, 노화의 원인을 보다 빠르게 규명하고, 효과적인 노화제거 치료법을 개발하는 데 기여할 수 있을 것이다.

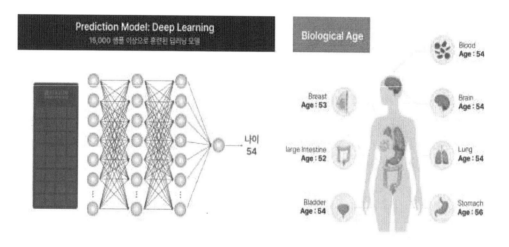

[그림 20] 노화속도 측정

출처: 한국경제, 2023.02.20.

이러한 발전들은 헬스케어와 의학 분야에서 지속적인 혁신이 일어나고 있으며, 앞으로 더 많은 질병의 예방과 치료, 건강한 노화, 수명 연장을 위한 기술적 발전이 기대된다. 하지만, 10~12년 후의 구체적인 수명 연장에 대해서는 정확한 예측을 하기 어렵다.

5. 부(富)의 이동

경제적 부(富)의 이동은 사회적 불평등 문제와 연결되어 있다. 이에 대한 해결책은 정부와 기업이 협력하여 사회적 책임을 다하고 포용적인 경제 모델을 추구하는 데 있다. 부(富)의 이동을 위한 정부와 기업의 협력으로 이루어진다.

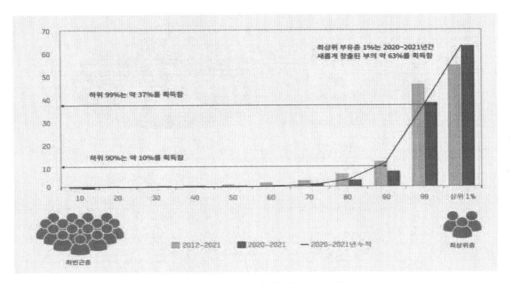

[그림 21] 세계 부 보고서

출처: 크레디트스위스

1) 포용적인 경제 모델 구축

정부와 기업은 사회적 불평등을 해소하기 위해 포용적인 경제 모델을 구축한다. 이를 통해 소득 격차를 축소하고 경제적 부(富)의 이동을 촉진한다. 예를 들어, 중산층의 성장을 촉진하고 사회적 기회의 평등을 확보함으로써 부(富)의 이동을 도모할 수 있다. 포용적인 경제 모델의 구축은 사회적인 불평등을 해소하고 모든 사회 구성원이 더 나은 경제적 기회를 얻을 수 있도록 하는 것을 목표로 한다. 포용적인 경제 모델을 구축하기 위한 정부와 기업의 방안은 다음과 같다.

먼저, 교육 및 직업 훈련 프로그램에서, 정부와 기업은 교육 및 직업 훈련 프로그램을 확대하고 접근성을 향상시켜야 한다. 이를 통해 저소득층 및 기존에 경제적으로 소외된 계층에게 더 많은 기회를 제공할 수 있다. 예를 들어, 저소득 가정의 학생들에게 장학금 및 교육 지원을 제공하고, 산업 요구에 맞는 직업 훈런 프로그램을 제공할 수 있다.

[그림 22] 포용적인 경제 모델

출처:Carnegie UK[1]

둘째, 중소기업 및 초기 창업 지원으로 중소기업 및 초기 창업 기업은 경제적 부(富) 이동을 촉진하는 역할을 한다. 정부는 이러한 기업을 지원하고, 잠재적인 기업가에게 자금, 자원, 및 교육 기회를 제공하여 기업 창업을 촉진해야 한다.

셋째, 노동 시장의 다양성으로 다양한 노동 시장 정책을 통해 노동 시장의 다양성을 확대해야 한다. 이는 여성, 소수민족, 장애인, 노인 및 기타 소외 계층에게 더 많은 기회를 제공하며, 사회적 불평등을 감소시킬 수 있다.

넷째, 세제 정책 개혁으로 세금 정책을 개혁하여 고소득층에 대한 과세를 높이고, 소득 분배를 조절할 수 있다. 이러한 세제 정책 개혁은 사회적 불평등을 완

---

1) 먼저, 스킬 및 스킬 지원에서 아동이나 청년은 교육, 정보, 문화 등 모든 권리를 실현하는 데 필요한 하드웨어와 소프트웨어에 접근하고 사용할 수 있다. 기본적으로, 그들의 기술과 지원은 그들이 콘텐츠를 수동적으로 소비하는 것이 아니라 능동적이고 중요하며 참여하는 디지털 시민으로서 온라인에 참여할 수 있도록 해야 한다. 여기에는 영상 통화를 통해 응답하고 온라인으로 자료를 업로드하고 작성하는 것은 물론 읽기와 듣기를 통해 응답하고 기여할 수 있는 것이 포함되어야 한다. 그들의 나이에 적합하게, 아이들은 온라인에서 친구와 가족들과 의사소통을 할 수 있어야 하고, 온라인 정보와 여가 기회를 안전하고 안전하게 탐색하는 데 필요한 기술을 가져야 한다. 아동의 연령과 발달 단계에 따라 이러한 기술을 개발하고 향상시키기 위해 성인의 지원이 필요할 수 있다. 이러한 지원에 대한 접근(가정 내 또는 가정 밖에서)은 아동이 디지털 세계에 포함되는 데 필수적인 요소이다. 둘째, 안전한 온라인 환경: 기술과 지원은 안전한 온라인 환경, 즉 관리 기관과 디지털 공간을 설계하는 기관의 책임 안에서만 효과적이다. 디지털 환경이 그들에게 안전한 공간이 아니라면, 즉 그들이 온라인에서 왕따나 학대, 사기나 잘못된 정보와 같은 해로운 상호작용을 경험하는 공간이라면 개인은 효과적으로 포함될 수 없다.

화하고 부(富)의 이동을 지원할 수 있다.

다섯째, 지역사회 개발로, 소외된 지역사회에 투자하고 지역사회 개발을 촉진하여 지역 간 부(富) 격차를 축소할 수 있다. 예를 들어, 고용 기회를 창출하고 교육 및 건강 서비스를 개선하는 프로젝트를 실시할 수 있다.

이런 포용적인 경제 모델은 사회적 불평등을 완화하고 경제적 부(富)의 이동을 촉진하여 사회적 안정성을 증대시키는 데 도움을 줄 수 있다.

2) 공정한 조세 제도 구현

정부는 공정하고 투명한 조세 제도를 구현하여 부(富)의 이동을 위한 자금을 확보하고 사회적인 복지 프로그램을 강화한다. 이를 통해 부(富)의 재분배를 촉진하고 사회적인 공정성을 강화할 수 있다. 공정하고 투명한 조세 제도는 부(富)의 이동을 위한 중요한 요소이다. 정부는 다음과 같은 방법으로 공정한 조세 제도를 구현하여 부(富)의 이동을 위한 자금을 확보하고 사회적인 복지 프로그램을 강화할 수 있다.

디지털세 합의안 주요 내용
경제협력개발기구(OECD)/주요 20개국(G20) 포괄적 이행체계(IF) 디지털세 합의안

필라1 매출발생국에 과세권 배분		필라2 글로벌 최저한세 도입	
규모가 크고 이익률이 높은 다국적기업이 얻은 글로벌 초과이익 일부에 대한 과세권을 시장소재국(매출발생국)에 배분		다국적기업의 소득에 대해 특정 국가에서 최저한세율보다 낮은 세율을 적용시 (실효세율 < 최저한세율) 다른 국가에 추가	
적용대상	연결매출액 200억 유로(27조원) 및 이익률 10% 이상 기준을 충족하는 글로벌 다국적기업	적용대상	연결매출액 7억5000만 유로 (1조1000억원) 이상 다국적기업
	※채굴업, 규제 대상 금융업 등 일부 업종 제외 ➡삼성전자·SK하이닉스 해당 전망		※정부기관, 국제기구, 비영리기구, 연금펀드·투자펀드, 국제 해운 소득 등은 제외
과세대상	글로벌 이익 중 통상이익률 10%를 넘는 초과이익의 20~30%에 해당하는 이익	최저한 세율	최소 15% 이상 (구체적인 수치는 10월 합의 시 결정)
도입시기	2023년 발효 목표	도입시기	2023년 시행 목표

[그림 23] 디지털세 합의안

출처: 기획재정부

먼저, 재분배를 위한 세금 정책으로, 정부는 고소득층에 대한 더 높은 세금 부담을 도입하거나 부(富)의 증가에 따라 세금 부담을 늘리는 방식을 채택할 수 있다. 이러한 세금 정책은 부(富)의 재분배를 촉진하고 고소득층과 저소득층 간

의 소득 격차를 축소할 수 있다. 둘째, 세무 조사 강화로 정부는 조세 회피 및 탈세를 감시하고 강화할 수 있도록 세무 조사를 강화할 수 있다. 부(富)의 일부가 세금 회피를 시도하는 경우, 이러한 행위를 감시하고 법적 조치를 취함으로써 공정성을 확보할 수 있다. 셋째, 투명한 재산 선언 및 공개로 부(富)의 재산 선언과 공개는 공정한 조세 체계를 위한 중요한 요소이다. 정부는 고액의 재산 및 자산 보유자에게 재산 선언을 요구하고 이를 투명하게 공개함으로써 부(富)의 이동과 세금 정의를 확보할 수 있다. 넷째, 사회적 복지 프로그램 강화로 정부는 세금 수입을 통해 사회적 복지 프로그램을 강화할 수 있다. 이러한 프로그램은 저소득층 및 경제적으로 취약한 계층을 지원하며, 교육, 건강 보험, 주거, 고용 기회 및 사회 서비스에 대한 접근성을 향상시킬 수 있다. 다섯째, 사회 경제 프로젝트 및 투자로 정부는 부(富)의 재분배를 촉진하기 위해 사회 경제 프로젝트와 투자를 촉진할 수 있다. 이러한 프로젝트는 지역사회와 미래 세대를 위해 인프라, 교육, 일자리 창출 등에 투자하여 부(富)의 이동을 지원할 수 있다.

이러한 조세 제도와 사회적인 복지 프로그램의 강화를 통해 부(富)의 재분배와 사회적 공정성을 실현할 수 있다. 이는 경제적 부(富)의 이동과 사회적인 공정성을 동시에 달성하는 데 중요한 역할을 한다.

3) 사회 보호망 강화

정부는 사회 보호망을 강화하여 취약 계층의 보호를 확대하고 경제적 양극화를 완화해야 한다. 이를 통해 모든 시민이 기본적인 생활 수준을 유지할 수 있도록 지원하며, 부(富)의 이동을 촉진할 수 있다. 사회 보호망을 강화하여 부(富)의 이동을 촉진하고 경제적 양극화를 완화하기 위한 방법을 활용하는 정책을 시행하고 있다.

먼저, 실질적인 최저임금 제공으로 정부는 최저임금을 적정 수준으로 조정하여 취약한 계층 및 저소득 노동자의 생계를 보호한다. 이를 통해 기본적인 생활 비용을 충당하고 가계 소득을 높일 수 있다. 둘째, 실업 보험 및 사회 보장 강화로 정부는 실업 보험과 사회 보장 프로그램을 강화하여 일시적인 소득 손실에 대비하고 사회적인 리스크를 완화한다. 이를 통해 취약한 계층의 경제적 안전망을 보장하고 부(富)의 이동을 촉진한다. 셋째, 무료 또는 저가의 교육 및 의료 서비스로 정부는 교육 및 의료 서비스에 대한 접근성을 향상시키기 위해 무료 또는 저가의 서비스를 제공할 수 있다. 이를 통해 교육을 통한 기회 부(富)의 이동과 건강한 생활을 지원할 수 있다. 넷째, 사회 주택 정책 실시로 정부는 저소득층 및 취약한 계층을 위한 저렴한 주택을 제공하고 주거 문제를 해결하기 위한 정책을 시행할 수 있다. 안정적인 주거 환경을 제공하여 취약 계층의 경제적인 안정성을 향상시키고 부(富)의 이동을 지원한다.

[그림 24] 사회 안전망 강화

출처:뉴스핌

다섯째, 일자리 창출 및 기술 교육으로 정부는 일자리 창출 프로그램과 기술 교육을 통해 저소득층과 취약한 계층에게 고용 기회를 제공한다. 이를 통해 저소득 노동자의 소득을 향상시키고 경제적 양극화를 줄일 수 있다. 여섯째, 소득 부과 및 재분배로 정부는 고소득층에 대한 세금 부과 및 재분배 정책을 통해 사회적인 공정성을 강화하고 부(富)의 이동을 지원한다. 이러한 정책은 취약한 계층에게 지원을 제공하며, 사회 보호망을 강화한다.

그러므로 사회 보호망의 강화를 통해 취약 계층의 보호를 확대하고 경제적 양극화를 완화함으로써 부(富)의 이동을 촉진할 수 있다. 이는 사회적 공정성과 경제적 안정성을 함께 추구하는데 중요한 요소이다.

4) 기업의 사회적 책임 강화

기업은 사회적 책임을 다하고 사회적 불평등 해소를 위한 다양한 사회 공헌 활동을 적극적으로 추진한다. 이를 통해 기업은 사회적 가치 창출에 집중하고 경제적 부(富)의 이동에 기여할 수 있다. 기업의 사회적 책임 강화를 통해 부(富)의 이동을 촉진하기 위한 방안을 법적으로 규제 관리하고 있다.

먼저, 사회적 가치 창출로 기업은 사회적 가치 창출을 목표로 삼아 사회 공헌 활동을 적극적으로 추진한다. 예를 들어, 지역 사회 발전을 위한 기부 및 지원 활동, 교육 기관과의 파트너십 구축, 환경 보호를 위한 노력 등을 통해 사회적 가치를 창출할 수 있다.

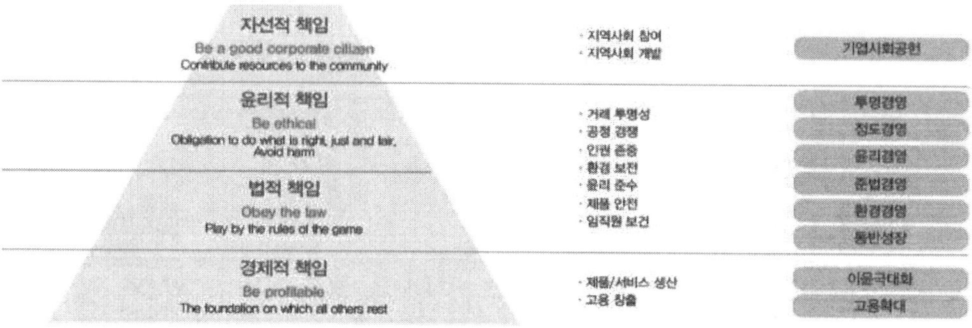

[그림 25] CSR 피라미드

출처: Carroll et al.

둘째, 균형 잡힌 이익 분배로 기업은 이익을 창출하는 과정에서 직원, 주주, 지역 사회 및 환경에 이익을 동시에 제공하는 균형 잡힌 이익 분배를 실천한다. 이를 통해 기업은 사회적 불평등을 해소하고 지속 가능한 경영을 실현할 수 있다. 셋째, 윤리적 경영 원칙 준수로 기업은 윤리적인 경영 원칙을 준수하고 사회적인 가치를 최우선으로 하는 데 중점을 둔다. 이를 통해 기업은 사회적 신뢰를 구축하고 지속 가능한 경영 환경을 조성할 수 있다. 넷째, 다문화 및 다양성 존중에서 기업은 다문화 및 다양성을 존중하고 이를 적극적으로 수용하는 조직 문화를 조성한다. 이를 통해 기업은 사회적인 공정성을 실현하고 사회적인 불평등을 해소하는 데 기여할 수 있다. 다섯째, 투명한 보고 및 커뮤니케이션으로 기업은 투명한 보고와 커뮤니케이션을 통해 사회에 대한 책임을 다하고 사회적 가치 창출 활동을 공유한다. 이를 통해 기업은 사회적인 신뢰를 구축하고 사회적 불평등을 해소하는 데 도움을 줄 수 있다.

이런 기업의 사회적 책임 강화는 사회적인 공정성을 증진하고 지속 가능한 경영을 실현하는 데 중요한 역할을 한다. 이를 통해 사회적 불평등을 해소하고 부(富)의 이동을 촉진할 수 있다.

5) 공정한 임금 정책 시행

정부와 기업은 공정한 임금 정책을 시행하여 노동자들의 생활 수준을 보장하고 근로자의 권리를 보호해야 한다. 이를 통해 노동자들의 생활 질을 향상시키고 경제적 부(富)의 이동을 실현할 수 있다. 공정한 임금 정책을 시행하여 부(富)의 이동을 촉진하는 방안을 여러 각도에서 실시하고 있다.

먼저, 최저임금 기준 설정으로 정부는 최저임금 기준을 설정하여 근로자의 최소 생활 수준을 보장한다. 이를 통해 경제적인 불평등을 완화하고 모든 근로자의 기본적인 권리를 보호할 수 있다. 둘째, 임금 격차 축소로 기업은 임금 격차를 축소하는 데 노력하여 상위 경영진과 하위 직원 간의 임금 격차를 최소화한다. 이를 통해 기업은 사회적 불평등을 완화하고 모든 근로자에 대한 공정한 대우를 실현할 수 있다. 셋째, 보상 체계의 공정성 강화로 기업은 공정한 보상 체계를 구축하여 업무 성과에 따라 적절한 보상을 제공한다. 이를 통해 기업은 노동자들의 동기 부여를 높이고 성과 주도적인 문화를 조성할 수 있다. 넷째, 노동조합의 활성화로 정부는 노동조합을 활성화하여 노동자들의 권리와 이익을 보호하고 사회적인 균형을 유지한다2). 이를 통해 정부는 근로자들에 대한 보호를 강화하고 사회적인 안정을 확보할 수 있다. 다섯째, 임금에 대한 투명성 제고로 기업은 임금에 대한 투명성을 제고하여 근로자들이 공정한 대우를 받을 수 있도록 돕는다. 이를 통해 기업은 노동자들의 신뢰를 구축하고 사회적인 불평등을 완화하는 데 기여할 수 있다.

이런 공정한 임금 정책의 시행은 근로자들의 생활 수준을 보장하고 경제적 부(富)의 이동을 촉진하는 데 중요한 역할을 한다. 이를 통해 사회적 불평등을 완화하고 지속 가능한 경제 성장을 이룰 수 있다.

이런 제반 정책의 실시, 규제와 관리 감독으로 부(富)의 이동을 위한 정부와 기업의 협력은 사회적인 공정성과 경제적인 안정성을 확보하는 데 중요한 역할을 한다. 이를 통해 사회 전반에 걸친 포용적인 발전을 실현할 수 있다.

---

2) 노동조합의 미래모습에서 사라질 수 있는 가능성은 있다. 기술의 발전, 일자리의 변화, 노동자의 변화 등 다양한 요소들이 노동조합의 존재 기반을 위협하고 있기 때문이다. 기술의 발전으로 인해 많은 일자리가 자동화될 것으로 예상되며, 이에 따라 노동조합의 가입자 수가 감소하고, 노동조합의 영향력이 약화될 수 있다. 또한, 일자리의 변화로 인해 기존의 제조업 중심의 일자리에서 서비스업, 창의산업 중심의 일자리로 변화하고 있다. 이러한 일자리들은 노동조합의 전통적인 조직 방식과 운영 방식에 맞지 않을 수 있다. 셋째, 노동자의 변화로 인해 노동자들은 점점 더 다양해지고 있다. 성별, 연령, 국적, 종교, 성적 지향 등 다양한 배경을 가진 노동자들이 노동조합에 가입하고 있다. 이러한 노동자들의 요구를 충족시키기 위해서는 노동조합의 조직 구조와 운영 방식을 근본적으로 변화시켜야 할 수 있다. 물론, 노동조합이 이러한 변화에 대응하고 노동자들의 권리와 이익을 보호하기 위해 노력한다면, 노동조합은 미래에도 노동자들의 중요한 대변자 역할을 할 것이다. 하지만, 노동조합이 이러한 변화에 적극적으로 대응하지 못할 경우, 노동조합의 미래는 불투명할 수 있다.

6. 기업의 지속 가능성

기업의 지속 가능성은 미래에 있어서 가장 중요한 과제 중 하나로, 지속 가능한 경영 전략과 새로운 기술을 활용하여 기업은 급변하는 환경에서 경쟁력을 유지할 수 있다. 기업의 지속 가능성을 확보하기 위한 다양한 전략을 강구하고 있다.

환경(0~10까지 점수 부여)				사회(0~10까지 점수 부여)				지배구조 (0~10까지 점수 부여)	
기후변화	천연자원	오염·쓰레기	환경 관련 기회	인적자원	제품에 대한 책임	이해관계자 관리	사회적 기회	지배구조	기업 형태
이산화탄소 배출	수자원 이용량	독성 물질 배출 및 폐기물	클린테크	노사 관계	제품 안정성과 품질	윤리적 자원 조달	통신 접근성	이사회 구조	기업 윤리
제품의 탄소 발자국	생물 다양성과 토양 사용	포장재 및 쓰레기	친환경 건축	건강과 안전	화학물질로부터의 안전	지역사회와의 관계	금융 접근성	급여	투명한 납세
금융의 환경 영향	원자재 수급	전기 사용량	재생 에너지	인적 자원 개발	소비자에 대한 금융 측면 보호	전기 사용량	헬스케어 접근성	소유와 경영 분리 등 오너십 구조	
기후변화 대응				공급망 내의 근로기본법 준수	개인정보 보안		영양·보건 분야의 기회	회계	
					책임 있는 투자				
					건강 및 인구통계학적 위기에 대한 보험				

[그림 26] MSCI ESG 평가 기준(35개)

출처:삼성전자

CDP 평가 방식	
평가 프로그램	평가 질의서 내용
CDP Climate Change (기후변화 정보)	기후변화 대응 전략, 기후변화 시나리오, 온실가스 감축 목표 등
CDP Water (물 정보)	취수량, 사업상 중요도, 관련 정책 등
CDP Forest (생물다양성 정보)	산림 훼손 관련 원자재, 원자재 생산 지역 등

[그림 27] 탄소정보공개 프로젝트

출처:삼성전자[3)]

3) Carbon Disclosure Project (CDP)는 기업, 도시, 주 및 지역 정부가 기후 변화, 물 안보, 숲과 같은 환경 문제에 대한 자발적인 정보 공개 플랫폼으로 2000년에 설립되었으며 현재 전 세계 60개 이상의 국가에서 활동하고 있다.

1) 환경 보호 및 친환경적 제품 개발

환경 보호 및 친환경적 제품 개발로 기업은 친환경적 생산 과정을 채택하고 환경 보호를 위한 다양한 노력을 기울인다. 또한 친환경 제품 및 서비스의 개발을 통해 소비자들에게 환경에 대한 책임감을 심어준다. 이를 통해 기업은 환경 보호를 통한 지속 가능한 경영을 실현할 수 있다.

[그림 28] 제로 웨이스트

출처:기업은행

먼저, 친환경 생산 과정 채택으로 기업은 친환경적 생산 과정을 채택하여 환경 오염을 최소화하고 자원 효율성을 향상시킨다. 예를 들어, 재활용 가능한 자원 활용과 친환경 에너지를 사용하여 생산 과정에서의 탄소 배출을 감소시키는 노력을 기울일 수 있다.

둘째, 친환경 제품 및 서비스 개발로 기업은 친환경 제품 및 서비스의 개발을 통해 소비자들에게 환경 보호의 중요성을 알리고 친환경적인 소비 문화를 확산시킨다. 예를 들어, 재활용 가능한 제품 설계와 친환경 에너지를 활용한 서비스 제공을 통해 기업은 친환경적인 이미지를 구축할 수 있다.

셋째, 환경 보호를 위한 제도 및 정책 준수로 기업은 환경 보호를 위한 국제적인 제도와 정책을 준수하여 환경 오염을 최소화하고 지속 가능한 경영 환경을 조성한다. 예를 들어, 친환경 제품 규제 및 탄소 배출 규제를 준수하여 기업의 환경적 책임을 강조할 수 있다.

넷째, 사회적 참여 및 환경 캠페인으로 기업은 환경 보호를 위한 다양한 사회 참여 및 환경 캠페인에 참여하여 사회적 책임을 다하고 환경 보호 의식을 고취시킬 수 있다. 예를 들어, 나무 심기 캠페인 및 친환경 홍보 행사를 통해 기업은 사회적인 관심과 참여를 유도할 수 있다.

다섯째, 친환경적인 파트너십 협력으로 기업은 친환경적인 파트너와의 협력을 강화하여 환경 보호를 위한 공동 노력을 기울일 수 있다. 예를 들어, 친환경적인 원자재 공급업체와의 협력을 통해 기업은 환경 보호를 위한 전체적인 공급망을 구축할 수 있다.

이러한 노력을 통해 기업은 환경 보호를 위한 책임을 다하고 친환경적인 경영 모델을 실현할 수 있습니다.

2) 사회적 책임과 윤리적 경영

기업은 사회적 책임을 다하고 윤리적인 경영 원칙을 준수하여 사회적 가치 창출에 기여한다. 이를 통해 기업은 사회적 신뢰를 구축하고 긍정적인 기업 이미지를 형성할 수 있다. 또한 이는 지속 가능한 발전과 사회적인 협력 관계를 유지하는 데 중요한 역할을 한다. 사회적 책임과 윤리적 경영을 통한 사회적 가치 창출을 위한 구체적인 방을 기업을 실천하고 있다.

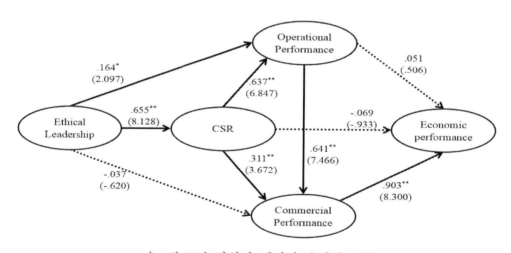

[그림 29] 사회적 책임과 윤리적 경영

출처:김민성 외4)

---

4) 위 연구는 윤리적 리더십 스타일과 CSR 활동을 통해 각 기업의 성과가 어떻게 향상될 수 있는지에 대한 연구로 기존 문헌에서는 CSR의 선행 사례와 결과를 조사했다. 그러나 윤리적 리더십-CSR-운영성과 연관성에 대한 실증적 연구는 부족하였다. 한국 외식 프랜차이즈 산업의 맥락에서 고위 경영진의 윤리적 리더십과 성과의 세 가지 측면 사이의 관계에서 핵심 중재자로서 CSR의 역할에 대한 새로운 연구 결과로 기부 문화가 한국 기업에 가장 효과적인 접근 방식으로 간주되기 때문에 적용 시 유용성을 갖는다. CSR 활동의 시작과 후속 조직의 성과에 대한 역할과 영향력을 고려할 때 고위 경영진에 초점을 맞추는 것이 중요하다. 고위 경영진의 인식과 행동(즉, 최고 경영진 리더십)은 전략 및/또는 정책을 수립하고 시작하는 데 필수적이다. 윤리적 리더십 기반의 CSR 활동은 조직 성과의

먼저, 윤리적 경영 원칙 준수로 기업은 윤리적인 경영 원칙을 정의하고 준수하여 사회적 책임을 강조한다. 이를 통해 기업 내부의 윤리적 행동과 의사 결정을 지원하며 사회적 신뢰를 구축한다. 예를 들어, 윤리적 거래 정책을 수립하고 직원 교육을 통해 윤리적 행동을 강조할 수 있다. 둘째, 사회적 가치 창출 활동으로 기업은 사회적 가치 창출을 위한 다양한 활동에 참여하며 지역 사회와의 긍정적인 관계를 형성한다. 이는 기부, 지역 사회 프로젝트, 봉사활동 등을 통해 실현될 수 있다. 예를 들어, 지역 사회 프로젝트에 참여하여 사회 문제 해결에 기여할 수 있다. 셋째, 사회적 책임형 제품 및 서비스로 기업은 사회적 책임을 반영한 제품 및 서비스를 개발하여 소비자들에게 제공한다. 이를 통해 소비자들의 사회적 가치에 부합하는 제품과 서비스를 제공하며 사회적 책임을 강조한다. 예를 들어, 친환경 제품 개발 및 사회적인 문제 해결을 위한 서비스 제공을 통해 사회적 책임을 실현할 수 있다. 넷째, 직원 참여와 참여적 의사 결정으로 기업은 직원들의 의견을 수렴하고 사회적 가치 창출에 대한 의사 결정에 직원들을 참여시킨다. 이를 통해 직원들의 사회적 책임 의식을 고취시키고 기업 내부의 참여적 문화를 형성한다. 예를 들어, 의견 수렴을 위한 직원 의견 상자 및 회의를 조직할 수 있다. 다섯째, 투명성과 보고로 기업은 사회적 책임과 윤리적 경영에 대한 투명한 보고를 통해 이를 외부에 알리고 사회적 신뢰를 구축한다. 이는 사회보고서 및 지속 가능한 경영 보고서를 통해 이루어질 수 있다.

이러한 노력을 통해 기업은 사회적 책임을 다하고 긍정적인 사회적 가치를 창출할 수 있으며, 이는 기업의 사회적 신뢰와 지속 가능한 발전에 기여한다.

3) 투명한 경영 및 리스크 관리

기업은 투명한 경영 원칙을 준수하고 리스크를 효과적으로 관리하여 기업의 안정성을 확보한다. 이를 통해 기업은 급변하는 환경에서의 위험을 최소화하고 지속 가능한 성장을 실현할 수 있다. 투명한 경영 및 리스크 관리를 통한 지속 가능한 성장을 위한 구체적인 방안을 실천하고 있다.

각 단계를 향상시키는 데 유익한 것으로 나타났다. CSR은 최근 가장 중요한 주제이며, 기업의 장기적인 경쟁력을 확립하고 유지하는 데 중요할 수 있다. 특히 외식산업은 국민건강, 음식물쓰레기 문제 등 사회 문제에 적극적으로 참여해야 한다. 소비자는 식품 서비스 기업이 책임감 있게 운영되기를 기대하며, 소비자, 사회 및 환경의 건강에 미치는 영향은 물론 음식 준비, 생산, 남은 음식에 대한 자세한 정보를 찾는다. CSR 이니셔티브를 통해 식품 서비스 기업은 사회에서 긍정적인 이미지를 관리하고 특히 사회적으로 의식이 있는 이해관계자들 사이에서 더 많은 신뢰와 브랜드 매력을 창출할 수 있다. 결과적으로, 긍정적인 사회적 이미지를 지닌 식품서비스 기업은 새로운 가맹점, 공급업체, 투자자, 고객을 유치하고 경쟁력을 가질 수 있다. 따라서 외식기업은 자연환경, 소비자, 사회에 대한 사회적 책임을 인식하고 성과 제고를 통해 성공할 수 있어야 한다.

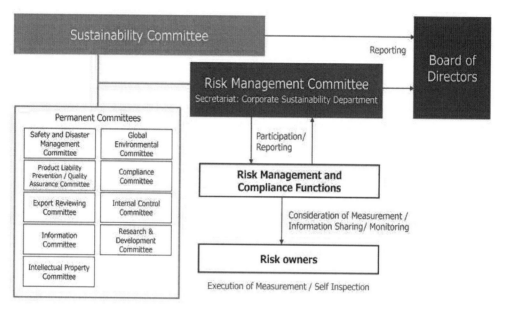

[그림 30] 투명한 경영 및 리스크 관리

출처: TOYOBO

먼저, 투명한 보고 및 정보 공개로 기업은 투명한 보고 원칙을 준수하여 외부 이해관계자들에게 기업의 경영 상황과 재무 정보를 공개한다. 이를 통해 기업은 신뢰를 구축하고 외부 이해관계자들의 신뢰를 얻을 수 있다. 예를 들어, 재무 보고서 및 지속 가능한 경영 보고서를 통해 투명한 정보 공개를 실현할 수 있다. 둘째, 내부 통제 시스템 강화로 기업은 내부 통제 시스템을 강화하여 기업 내부의 리스크를 효과적으로 관리한다. 이를 통해 기업은 내부의 부정행위나 문제를 조기에 발견하고 예방할 수 있다. 예를 들어, 내부 감사 및 모니터링 프로세스를 통해 내부 통제 시스템을 강화할 수 있다.

셋째, 외부 리스크 분석 및 대응으로 기업은 외부 리스크를 분석하고 대응하기 위한 계획을 수립한다. 이를 통해 기업은 급변하는 환경에서의 위험을 최소화하고 사업의 안정성을 확보할 수 있다. 예를 들어, 시장 조사 및 경영 팀의 리스크 분석을 통해 외부 리스크를 대응할 수 있다. 넷째, 지속 가능한 경영 전략 수립으로 기업은 지속 가능한 경영 전략을 수립하여 비즈니스 환경과 사회적인 변화를 고려해야 한다. 이를 통해 기업은 지속 가능한 성장을 위한 방향성을 제시하고 비즈니스의 장기적인 안정성을 확보할 수 있다. 예를 들어, 지속 가능한 경영 계획을 수립하고 관리팀의 협업을 통해 이를 추진할 수 있다. 다섯째, 외부 자문 및 파트너십 구축으로 기업은 외부 자문 및 파트너십을 통해 전문가들의 지식과 경험을 활용하여 리스크를 관리하고 경영 전략을 개선한다. 이를 통해 기업은 산업 전문가들의 지원을 받고 전략적인 파트너십을 구축할 수 있다. 예를 들어, 전문 컨설턴트와의 협력을 통해 전략적 리스크 관리를 강화할 수 있다.

이러한 노력을 통해 기업은 투명한 경영과 효과적인 리스크 관리를 실현하여 안정적인 경영 환경을 구축할 수 있다.

4) 혁신적인 기술 도입과 연구 개발

기업은 혁신적인 기술 도입과 연구 개발을 통해 경쟁력을 강화하고 지속 가능한 경영 모델을 구축한다. 이를 통해 기업은 미래에 대한 대비책을 마련하고 변화하는 시장에서의 경쟁 우위를 유지할 수 있다. 혁신적인 기술 도입과 연구 개발을 통한 경쟁력 강화를 위한 방법으로 다음과 같은 것들이 있다.

먼저, 연구 개발 투자 증가로 기업은 연구 개발에 대한 투자를 증가시켜 기술 혁신을 촉진한다. 이를 통해 기업은 새로운 기술과 제품을 개발하여 시장의 요구에 더욱 잘 부합하는 제품을 제공할 수 있다. 예를 들어, 연구 개발 팀의 확대와 예산 증액을 통해 연구 개발 노력을 강화할 수 있다. 둘째, 새로운 기술 도입으로 기업은 새로운 기술을 도입하여 생산성을 향상시키고 비즈니스 모델을 혁신한다. 이를 통해 기업은 더욱 효율적인 생산 과정을 구축하고 새로운 시장을 개척할 수 있다. 예를 들어, 인공지능, 빅데이터, 자동화 기술 등을 도입하여 생산성을 향상시킬 수 있다.

셋째, 기술 혁신을 위한 파트너십 구축으로 기업은 기술 혁신을 위한 파트너십을 구축하여 전문가들과 협력한다. 이를 통해 기업은 다양한 분야의 전문적인 지식과 기술을 활용하여 혁신적인 제품과 서비스를 개발할 수 있다. 예를 들어, 대학, 연구소, 스타트업 등과의 협력을 통해 새로운 기술 개발에 참여할 수 있다. 넷째, 기술 혁신 문화 조성으로 기업은 기술 혁신을 촉진하기 위한 문화를 조성한다. 이를 통해 기업은 직원들의 창의성과 혁신적인 아이디어를 존중하고 지원함으로써 혁신적인 기술 개발을 촉진할 수 있다. 예를 들어, 내부 창의성 캠페인, 아이디어 공유 플랫폼 등을 구축하여 직원들의 참여를 유도할 수 있다. 다섯째, 기술 전문가 유치 및 인재 관리로 기업은 기술 전문가를 유치하고 우수한 인재를 관리하여 기술 혁신을 지속적으로 추진한다. 이를 통해 기업은 전문적인 인재를 확보하고 기술 개발을 지속적으로 이끌어갈 수 있다. 예를 들어, 전문 기술 인재를 유치하기 위한 인센티브 제도를 구축할 수 있다.

이러한 노력을 통해 기업은 혁신적인 기술 도입과 연구 개발을 통해 경쟁력을 강화하고 지속 가능한 경영 모델을 구축할 수 있다.

5) 인재 육성과 다양성 존중

기업은 인재 육성을 통해 창의적이고 유능한 인재를 육성하고, 다양한 인재들의 능력을 인정하여 조직 내 다양성을 존중한다. 이를 통해 기업은 혁신적인 아이디어를 발굴하고 차별화된 경쟁력을 갖출 수 있다. 다양한 방식으로 인재 육성과 다양성 존중을 통한 기업의 경쟁력 강화에 노력하고 있다.

먼저, 교육 및 훈련 프로그램 제공으로 기업은 교육 및 훈련 프로그램을 제공하여 직원들의 역량을 강화하고 창의성을 육성한다. 이를 통해 기업은 다양한 분야에서 전문적인 지식과 기술을 보유한 인재를 육성할 수 있다. 예를 들어, 내부 교육 세미나, 외부 교육 기회 제공 등을 통해 직원들의 역량 향상을 도모할 수 있다. 둘째, 다양성 존중을 위한 문화 조성으로 기업은 조직 내에서 다양성을 존중하고 포용하는 문화를 조성한다. 이를 통해 기업은 다양한 배경과 경험을 가진 인재들이 참여하는 다양한 팀을 구성하여 차별화된 아이디어를 발굴할 수 있다. 예를 들어, 다양성 및 포용을 강조하는 내부 정책 및 문화를 구축할 수 있다. 셋째, 멘토링 및 코칭 프로그램 운영으로 기업은 멘토링 및 코칭 프로그램을 운영하여 신입사원 및 중간 관리자들의 역량 향상을 지원한다. 이를 통해 기업은 다양한 세대와 경력 단계의 인재들이 상호 협력하고 지식을 공유함으로써 조직 내 지식 전파를 촉진할 수 있다. 예를 들어, 멘토와 멘티를 연결하는 프로그램을 운영할 수 있다. 넷째, 다양성을 반영한 채용 및 승진 제도로 기업은 다양성을 고려한 채용 및 승진 제도를 운영하여 다양한 인재들의 참여와 성장을 촉진한다. 이를 통해 기업은 다양한 배경과 경험을 가진 인재들에게 공정한 기회를 제공하여 조직 내 다양성을 확보할 수 있다. 예를 들어, 다양성을 고려한 채용 절차 및 승진 기준을 마련할 수 있다.

이러한 노력을 통해 기업은 인재 육성과 다양성 존중을 통해 차별화된 경쟁력을 갖추고 혁신적인 아이디어를 발굴할 수 있다. 이런 다양한 활동을 통하여 기업의 지속 가능성과 미래에 대한 대비책을 마련하고 지속적인 성장을 이루는 데 중요한 역할을 한다. 이를 통해 기업은 변화하는 시대에 발맞춰 성공적인 경영을 실현할 수 있다.

7. 초개인화 사회

초개인화 사회란 빅데이터 기술의 발전으로 인해 개인의 취향과 관심사에 맞춤화된 제품과 서비스가 제공되는 사회를 의미한다. 시장조사기관 Gartner에 따르면, 전 세계 초개인화 시장 규모는 2020년 1,200억 달러에서 2023년 2,000억 달러로 성장할 것으로 전망한다. 초개인화사회의 등장 배경에는 빅데이터 기술, 인공지능 기술, 사물인터넷 기술의 발전으로 인해 개인의 취향과 관심사를 보다 정확하게 파악할 수 있게 되었고, 소비자의 소비 패턴이 변화하고 있고, 소비자는 과거의 대중화된 제품과 서비스에서 개인화된 제품과 서비스에 관심을 갖고 있다.

초개인화 사회에서는 개인의 취향과 관심사에 맞춤화된 제품과 서비스가 제공되며이를 통해 소비자는 보다 만족도 높은 경험을 할 수 있다. 초개인화 사회에서는 제품과 서비스의 다양성이 증가하여 이를 통해 소비자는 보다 다양한 선택지를 갖게 된다. 초개인화 사회에서는 새로운 시장이 창출되며, 이를 통해 기업은 새로운 기회를 모색할 수 있다.

1) 1인 가구 증가

연구에 따르면(https://ourworldindata.org/living-alone), 1인 가구의 비율은 근대 초기부터 19세기까지 상당히 안정적으로 유지되었으며, 일반적으로 10% 미만이었다. 그러다가 20세기에 성장이 시작되어 1960년대에 가속화되었으며, 현재 1인 가구의 확산은 역사적으로 유례가 없는 현상으로 아래 그림에 따르면, 기록된 최고점은 2012년 스톡홀름에 해당하며, 가구의 60%가 1인으로 구성되어 있다.

전 세계적으로 1인 가구 증가세를 보인다. 최근 수십 년 동안 인구 조사 데이터는 대규모 국가 간 조사 데이터와 결합하여 1인 가구 비율에 대한 글로벌 관점을 제공할 수 있다. 이는 단독 생활 방식의 확산을 나타내는 지표이다. 여기에는 국가의 통계별 보고서, 인구통계 및 건강 조사와 같은 국가 간 조사 및 발표된 추정치를 결합하여 이 그래프를 제작하였다. 1인 가구의 증가 추세가 전 세계적으로 확대되고 있음을 알 수 있고, 국가별로 큰 차이가 있다. 북유럽 국가의 40% 이상부터 저소득 아시아 국가의 1%까지 분포하고 있다.

1인 가구 등장은 생활 방식과 번성과 연관이 있다고 말한다. 즉, 1인당 국민소득과 1인 가구 비율은 밀접한 상관관계가 있다. 아래 그림에서 볼 수 있듯이 부유한 국가에서는 사람들이 혼자 살 가능성이 더 높다. 1인당 GDP가 더 많이 성장한 국가에서 1인 가구의 증가가 더 큰 경향이 있음을 보여준다.

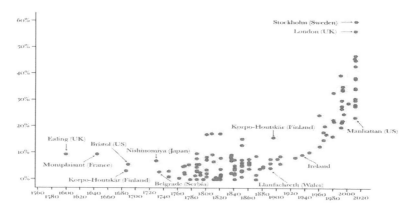

The rise of one-person households

[그림 31] 1인가구 추이

출처: K. D. M. Snell, 2017.

이러한 상관관계는 부분적으로 여유가 있는 사람들이 종종 혼자 살기를 선택한다는 사실에 기인하는 것처럼, 실제로 많은 국가에서 소득 증가는 사람들이 과거보다 오늘날 혼자 살 개연성이 더 높은 이유 중 하나일 확률이 높다.

하지만 같은 소득 수준이라도 지역별로 뚜렷한 차이가 있어 더 많은 다른 요인이 있을 것으로 예상할 수 있다. 특히, 아시아 국가들은 GDP 수준이 비슷한 아프리카 국가들에 비해 체계적으로 1인 가구 수가 더 적다. 예를 들어, 가나와 파키스탄은 1인당 GDP가 비슷하지만, 파키스탄에서는 1인 가구가 극히 드물지만, 가나에서는 흔하다(약 4명 중 1명). 이는 문화와 국가별 요인도 중요한 역할을 한다는 것을 의미한다. 또한, 역할을 할 가능성이 있는 다른 비문화적 국가별 요인도 있다. 특히, 부유한 국가는 더 광범위한 사회적 지원 네트워크를 보유하고 있어 이러한 국가의 사람들은 위험을 감수하기가 더 쉽다. 혼자 사는 것은 빈곤한 국가에서 더 위험하다. 왜냐하면 독방 생활 방식을 지원하기 위한 서비스 및 인프라 공급이 부족한 경우가 많기 때문이다.

마지막으로 인과관계 중 일부가 반대 방향으로 작용할 가능성도 있다. 소득, 문화 또는 복지 국가를 통해 사람들이 혼자 살 수 있게 되었을 뿐만 아니라 오늘날 경제에서 더 높은 소득을 얻으려면 많은 근로자가 생활 방식의 변화를 요구하는 경우가 많다.

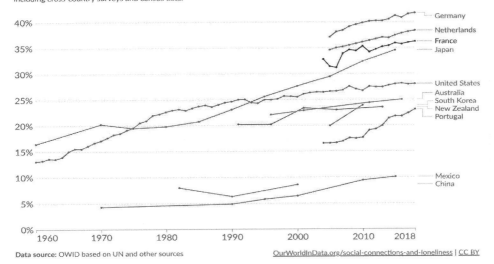

[그림 32] 1인 가구 시계열자료

출처: K. D. M. Snell, 2017.

1인 가구 증가가 문제인가라는 문제가 발생한다. 친구 및 가족과의 접촉을 포함한 사회적 연결은 건강과 정서적 웰빙에 중요하다. 따라서 혼자 생활의 증가가 계속됨에 따라 특히 통신 기술이 덜 발달하고, 국가의 복지가 약한 국가에서는 정서적 연결성을 갖기 위한 새로운 도전과제가 발생한다. 그러나 혼자 사는 것은 외로움을 느끼는 것과 같지 않다. 혼자 사는 것 자체가 외로움을 잘 예측하지 못한다는 증거가 있다. 스스로 보고한 외로움은 최근 수십 년 동안 늘어나지 않았다. 실제로 가족과 친구의 지원을 받을 개연성이 가장 높은 국가인 스칸디나비아에서도 인구의 상당 부분이 혼자 살고 있다.

소득과 선택의 자유만이 혼자 생활의 증가를 이끄는 유일한 동인은 아니지만, 그들이 이러한 경향을 유발한다는 사실을 무시하는 것은 어려울 것 같다. 더 높은 소득, 농촌 지역의 농업에서 제조업과 서비스업으로 이주로 가능하게 된 경제적 전환과 도시의 노동 시장에서 여성 참여 증가 등 세 가지 요인이 혼자 생활 유인의 중요한 역할을 하고 있다. 오늘날 사람들은 과거보다 혼자 생활할 개연성이 더 높아졌다. 그 이유 중 하나는 혼자 생활할 수 있는 역량이 점점 커지고 있기 때문이다.

2) 외로움과 사회적 연결

사회적 관계는 우리의 건강에 얼마나 중요한가라는 주제에 미국의 전 보건의 사인 Vivek Murthy(2017)과 Dan Brennan(2021)은 외로움과 약한 사회적 관계는 하루에 담배 15개비를 피우는 것과 비슷한 수명 단축과 관련이 있다고 썼다5). 이 하루 15개비라는 수치는 외로움은 하루에 담배 15개비를 피우는 것만큼 치명적이다라는 제목으로 뉴스에 여러 번 재생산되어 보도되었다.

매년 전 세계적으로 약 700만 명이 흡연으로 인해 사망하고 있다는 점을 감안하면, 이는 참으로 충격적인 비교이며, 의학 저널에 발표된 봉투 계산(back-of-the- envelope calculation)6)에 따르면 담배 한 개비로 인해 수명이 11분 단축된다고 한다.

사회적 관계와 건강 사이의 연관성에 관한 실증 데이터 연구는 다음과 같은 두 가지 측면에서 더 깊이 파고들어야 한다. 첫째, 외로움과 건강 문제 사이의 인과관계를 보다 확실히 입증하기 위한 연구가 필요하다. 현재까지의 연구는 외로움을 느끼는 개인이 건강 문제를 겪을 가능성이 더 높다는 것을 보여주고 있지만, 외로움이 건강 문제를 일으키는 원인인지, 아니면 건강 문제가 외로움을 유발하는 원인인지에 대해서는 아직 명확하지 않다. 이를 확인하기 위해서는 외로움과 건강 문제 사이의 인과관계를 직접적으로 검증할 수 있는 연구가 필요하다. 예를 들어, 외로움을 느끼는 개인을 대상으로 외로움을 줄이기 위한 개입을 실시하여 건강 문제에 미치는 영향을 조사하는 연구가 가능하다.

둘째, 외로움이 건강에 미치는 영향의 규모를 보다 정확하게 추정하기 위한 연구가 필요하다. 현재까지의 연구는 외로움이 건강에 부정적인 영향을 미친다는 것을 보여주고 있지만, 그 영향의 규모에 대해서는 아직 명확하지 않다. 이를 위해서는 외로움과 건강 문제 사이의 연관성을 보다 세밀하게 분석할 수 있는 연구가 필요하다. 예를 들어, 외로움 정도와 건강 문제의 발생 위험 사이의 관계를 분석하는 연구가 가능하다.

즉, 사회적 관계와 건강 사이의 연관성에 관한 실증 데이터 연구는 아직 초기 단계에 있으며, 더 많은 연구가 필요하다. 이러한 연구를 통해 외로움이 건강에 미치는 영향을 보다 정확하게 이해하고, 외로움을 예방하고 줄이기 위한 효과적인 정책과 프로그램을 개발할 수 있다.

---

5) https://www.dailymail.co.uk/news/article-5181559/, 20171215.; Dan Brennan, MD on October 25, 2021
6) 봉투 뒷면 계산은 대략적인 계산이며 일반적으로 봉투와 같은 사용 가능한 종이조각에 적어서 계산한다는 의미로 대략적인 셈을 의미한다. 그것은 추측 이상이지만 정확한 계산이나 수학적 증명보다는 적다. 봉투 뒷면 계산의 정의 특성은 단순화된 가정을 사용한다는 의미를 나타낸다.

3) 자기 보고된 외로움 측정

자기 보고된 외로움(self-reported loneliness)을 측정하는 방법으로 가장 일반적인 방법은 설문지 또는 인터뷰를 사용하여 사람들에게 외로움에 대한 느낌을 묻는 것이다. 이러한 설문지 또는 인터뷰는 일반적으로 외로움의 다양한 측면을 측정하는 여러 가지 문항으로 구성한다. 예를 들어, 사람들은 외로움, 사회적 고립, 사회적 연결의 부족을 얼마나 느끼는지에 관한 질문을 받을 수 있다.

자기 보고된 외로움을 측정하는 데 사용되는 설문지 또는 인터뷰는 UCLA 외로움 척도(UCLA Loneliness Scale), 데일리 외로움 척도(Daily Loneliness Scale), 로버트슨 외로움 척도(Revised UCLA Loneliness Scale)와 한국형 외로움 척도 등이 존재한다.

UCLA 외로움 척도는 가장 널리 사용되는 척도로 20개의 문항으로 구성된 설문지로 외로움 정도를 측정한다. 각 문항은 1점에서 5점까지의 척도로 평가되며, 점수가 높을수록 외로움 정도가 높다고 평가한다. 데일리 외로움 척도(Daily Loneliness Scale)는 하루 동안 외로움 정도를 측정하는 설문지이다.

로버트슨 외로움 척도(Revised UCLA Loneliness Scale)는 UCLA 외로움 척도의 개정된 버전으로, 외로움의 4가지 하위 요소를 측정한다. 한국에서 사용되는 한국형 외로움 척도로는 10개의 문항으로 구성되어 있으며, UCLA 외로움 척도와 유사한 방식으로 평가한다. 자기 보고된 외로움은 외로움 정도를 측정하는 데 유용한 도구이지만 몇 가지 한계가 있다. 먼저, 자기 보고된 외로움은 사람들이 자신의 외로움을 과소평가하거나 과대평가할 수 있다는 점에서 신뢰할 수 없을 수 있다. 둘째, 자기 보고된 외로움은 외로움의 모든 측면을 포괄하지 않을 수 있다라는 것들이 한계점이다.

위와 같은 자기 보고된 외로움 척도 외에 외로움을 측정하는 방법으로는 사회적 네트워크, 분석생리학적 측정과 행동 관찰 등이 있다. 사람들의 사회적 관계를 측정하는 방법, 또는 심박수, 코르티솔 수치 등과 같은 외로움과 관련된 생리학적 변화를 측정하는 방법과 사람들이 외로움을 표현하는 방식을 관찰하는 방법 등이 있다. 이러한 방법들은 자기 보고된 외로움과 함께 사용하면 외로움의 보다 포괄적인 그림을 제공할 수 있다.

가. 외로움 측정 척도

비슷한 외로움을 측정하는 척도로는 델라웨어 외로움 척도(Depression, Loneliness, and Social Support Scale, DLSS)[7], 사회적 고립 척도(Social

---

7) 델라웨어 외로움 척도는 20개의 문항으로 구성된 자기 보고형 척도로 각 문항은 1~5점의 Likert 척도로 평가되며, 총점은 20~100점으로 구성되며, 점수가 높을수록 외로움 정도가 높다고 해석한다.

Isolation Scale, SIS)[8], 외로움 척도(Loneliness Scale, LS)[9]와 한국형 외로움 척도(Korean Loneliness Scale, KLS)[10] 등이 존재한다.

이들 외로움 척도, 사회적 고립 척도, 델라웨어 외로움 척도, 한국형 외로움 척도는 모두 외로움과 관련된 개념을 측정하는 척도이지만, 측정하는 측면과 문화적 특성 등에 따라 차이점이 있다.

[표 2] 다양한 외로움 척도 비교

측정 대상	외로움 척도	사회적 고립 척도	델라웨어 외로움 척도	한국형 외로움 척도
측정 측면	사회적 관계의 질적 측면	사회적 관계의 양적 측면	사회적 관계의 질적 측면, 우울 증상, 사회적 관계의 양적 측면	사회적 관계의 질적 측면, 사회적 관계의 양적 측면
문화적 특성	고려하지 않음	고려하지 않음	고려하지 않음	고려함
측정 대상	모든 연령층을 대상으로 사용	성인 이상을 대상	모든 연령층을 대상으로 사용	성인 이상을 대상
측정 방법	Likert 척도를 사용	Likert 척도와 5점 척도를 사용	Likert 척도를 사용	Likert 척도와 5점 척도를 사용
문항의 내용	외로움의 주관적 경험을 측정하기 위해, 외로움과 관련된 다양한 문항	사회적 고립의 정도를 측정하기 위해, 사회적 관계와 관련된 문항	외로움의 주관적 경험을 측정하기 위해, 외로움과 관련된 다양한 문항	사회적 고립의 정도를 측정하기 위해, 사회적 관계와 관련된 문항

델라웨어 외로움 척도는 외로움, 우울, 사회적 지지를 측정하는 척도로, 델라웨어 외로움 척도는 외로움, 우울과 사회적 지지와 같은 측면을 포함한다. 외로움은 사회적 관계의 질적 측면으로, 우울은 우울 증상의 정도를, 사회적 지지는 사회적 관계의 양적 측면을 측정한다.

8) 사회적 고립 척도는 10개의 문항으로 구성된 자기 보고형 척도로 각 문항은 1~5점의 Likert 척도로 평가되며, 총점은 10~50점으로 구성된다. 점수가 높을수록 사회적 고립의 정도가 높다고 해석한다. 사회적 고립 척도는 사회적 고립의 정도를 측정하는 척도이며, 사회적 고립은 사회적 관계의 양적 측면을 강조한다. 사회적 고립 척도는 사회적 관계의 빈도와 사회적 관계의 밀접성과 같은 측면을 포함하여 사회적 고립을 측정한다. 사회적 관계의 빈도에서 사회적 활동의 빈도와 사회적 관계의 빈도를, 사회적 관계의 밀접성에서 사회적 관계의 친밀성 등을 측정한다.

9) 외로움 척도는 20개의 문항으로 구성된 자기 보고형 척도로 각 문항은 1~5점의 Likert 척도로 평가되며, 총점은 20~100점으로 구성됩니다. 점수가 높을수록 외로움 정도가 높다고 해석한다. 외로움 척도는 외로움 정도를 측정하는 척도로 외로움은 사회적 고립과는 구별되는 개념으로, 사회적 관계의 질적 측면을 강조한다. 외로움 척도는 다음과 같은 측면을 포함하여 외로움을 측정한다. 사회적 관계의 양적 측면에서 사회적 관계의 빈도, 밀접성, 친밀성을 측정하고, 사회적 관계의 질적 측면에서 사회적 관계의 만족도, 사회적 관계에서의 소속감, 사회적 관계에서의 가치를 측정한다.

10) 한국형 외로움 척도는 한국인의 문화적 특성을 고려하여 개발된 외로움 척도로 사회적 관계의 양적 측면과 사회적 관계의 질적 측면과 같은 측면을 포함하여 외로움을 측정한다. 사회적 관계의 양적 측면에서 사회적 관계의 빈도, 밀접성, 친밀성을, 사회적 관계의 질적 측면에서 사회적 관계의 만족도, 사회적 관계에서의 소속감, 사회적 관계에서의 가치 등을 측정한다.

활용 목적	외로움 정도를 측정	사회적 고립의 정도를 측정	외로움 정도를 측정	한국인의 외로움 수준을 측정

　외로움 척도는 사회적 관계의 질적 측면에 중점을 두고 있으며, 사회적 고립 척도는 사회적 관계의 양적 측면에 중점을 두고 있다. 델라웨어 외로움 척도는 외로움, 우울, 사회적 지지를 종합적으로 측정하고 있으며, 한국형 외로움 척도는 한국인의 문화적 특성을 고려하여 개발되었다.

　심리학자와 사회 신경과학자들은 외로움을 고통스러운 고립이라고 부르는 이유는 첫째, 외로움은 단순히 혼자 있는 상태를 의미하는 것이 아니라, 사회적 관계의 결핍으로 인한 고통스러운 감정을 의미한다. 외로운 사람은 타인과 연결되고 싶은 욕구가 강하지만, 그 욕구가 충족되지 못하여 고통을 느낀다. 둘째, 외로움은 단순한 감정이 아니라, 신체적, 정신적 건강에 부정적인 영향을 미치는 심리적 상태이다. 외로움은 면역 체계의 약화, 우울증, 불안, 심장 질환, 뇌졸중 등의 위험을 증가시킨다.

　고독과 주관적인 외로움은 혼자 있는 상태라는 측면에서는 유사하지만, 고통의 유무라는 측면에서 차이가 있다. 고독은 단순히 혼자 있는 상태를 의미하는 반면, 주관적인 외로움은 사회적 관계의 결핍으로 인한 고통스러운 감정을 의미한다.

　따라서 심리학자와 사회 신경과학자들은 외로움과 고독을 명확하게 구분하기 위해 외로움을 고통스러운 고립이라고 부르고, 이는 외로움이 단순한 감정이 아니라, 심각한 심리적 상태라는 점을 강조하기 위한 것이다.

　고독과 외로움을 측정하기 위해 여러 종류의 데이터를 사용한다. 연구원들은 설문조사, 면담, 심리 테스트 등 다양한 방법을 사용한다. 설문조사는 가장 일반적인 방법으로, 사람들에게 혼자 사는지, 다른 사람들과 얼마나 많은 시간을 보내는지, 외로움을 느끼는지 여부 등을 묻는 질문을 한다. 연구자들은 이러한 설문조사 응답을 개별적으로 분석하기도 하지만, 종종 종합 지수로 집계하여 고독과 외로움을 보다 정확하게 측정한다[11]. 아래 그림에서 막대그래프 위의 숫자인 2005 또는 2018은 조사한 연도를 의미하고, 46과 같은 숫자는 고독과 외로움을 측정한 종합지수에 해당한다.

　주관적인 외로움과 신체적 사회적 고립은 서로 다른 측면을 측정한다. 주관적인 외로움은 사회적 관계의 질과 만족도를 측정하는 반면, 신체적 사회적 고립은 사회적 관계의 양을 측정한다. 사람들은 이 두 가지 문제를 별개의 문제로 인식한다. 설문조사에 따르면 사람들은 주관적인 외로움과 신체적 사회적 고립에 대

---

11) Russell, D , Peplau, L. A.. & Ferguson, M. L. (1978). Developing a measure of loneliness. Journal of Personality Assessment, 42, 290-294.

해 다른 방식으로 응답한다. 예를 들어, 혼자 사는 사람들은 주관적인 외로움을 느끼지 않을 수도 있고, 많은 친구를 가진 사람들은 신체적 사회적 고립을 느낄 수도 있다.

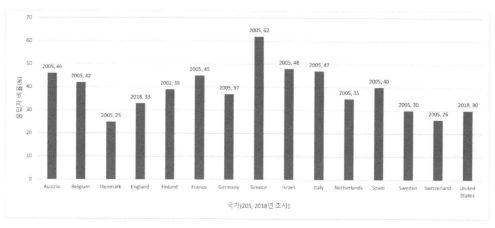

[그림 33] 외로움을 경험한 비율

출처: Sundström et al. (2009), Savikko et al (2005), ONS (2019) and CIGNA (2018)

전 세계적으로 외로움 문제가 심각하다. 다양한 출처에 따르면 전 세계적으로 10명 중 1명 이상이 외로움을 느낀다. 특히 고령자, 빈곤층, 장애인, 이주민 등 사회적 소외 계층에서 외로움 문제가 심각하다. 외로움은 건강에 부정적인 영향을 미친다. 외로움은 우울증, 불안, 자살 위험 증가, 면역 체계 약화, 심장 질환, 뇌졸중 등의 위험을 증가시킨다.

나. 자기 보고된 외로움

외로움은 주관적인(subjective) 느낌을 나타내며, 이는 객관적인 물리적 격리 (objective physical isolation)와 개념적으로 구별된다.

다음 그래프는 노인들의 자기 보고된 외로움에 대한 추정치를 보여준다. 이 데이터는 다양한 설문조사에서 수집되었으며, 사람들에게 외로움을 자주 느끼는지 직접 묻는 질문을 포함한다. 예를 들어, 중요한 문제를 논의할 수 있는 사람이 없습니다와 같은 질문이다. 국가별로 외로움의 발생률 차이는 매우 크다. 목록 최하위의 덴마크, 스위스, 스웨덴, 미국은 모두 비율이 30% 미만인 반면, 목록 상단의 그리스, 이스라엘, 이탈리아는 모두 비율이 50%에 가깝거나 그 이상이다.

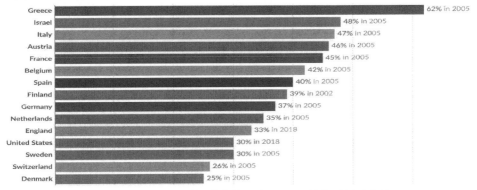

Self-reported loneliness among older adults

Share of survey respondents who report feeling lonely at least some of the time. For all countries estimates correspond to population ages 65+, except in the following cases: US (ages 72+); UK (ages 65-74); and Finland (ages 75+).

Our World in Data

Greece	62% in 2005
Israel	48% in 2005
Italy	47% in 2005
Austria	46% in 2005
France	45% in 2005
Belgium	42% in 2005
Spain	40% in 2005
Finland	39% in 2002
Germany	37% in 2005
Netherlands	35% in 2005
England	33% in 2018
United States	30% in 2018
Sweden	30% in 2005
Switzerland	26% in 2005
Denmark	25% in 2005

Data source: Our World in Data based on Sundström et al. (2009). Savikko et al (2005), ONS (2019) and CIGNA (2018)
Note: Estimates correspond to people who report feeling lonely "some of the time", "most of the time", or "almost all the time". This is in contrast to those that report feeling lonely "rarely", "almost none of the time", or "never".
OurWorldInData.org/social-connections-and-loneliness | CC BY

[그림 34] 국가별 자기보고된 외로움

출처: K. D. M. Snell, 2017.

이 데이터는 15개 국가에 대해서만 제공되지만, 이 표본은 풍부한 개인주의 사회(individualistic culture)[12]가 다른 국가보다 더 외롭다는 것을 시사하지 않는다. 실제로 목록 최하위에는 혼자 사는 사람의 비율이 세계에서 가장 높은 두 나라가 있다.

4) 하버드 중년 종단 연구

하버드 중년 연구는 1938년 하버드 대학교의 연구원 그로버 웰스(Grove S.

---

12) 개인주의 문화는 전체 집단 보다 개인을 우선시하거나 강조하는 개인주의를 특징으로 한다. 개인주의 문화에서 사람들은 자신의 선호와 관점에 따라 동기를 부여받는다. 개인주의 문화는 추상적 사고, 프라이버시, 자립, 독창성, 개인적 목표에 중점을 둔다. 개인주의 문화라는 용어는 1980년대 네덜란드 사회 심리학자 Geert Hofstede가 집단주의적이지 않은 국가와 문화를 설명하기 위해 처음 사용했다. Hofstede는 문화적 가치의 5가지 차원에 대한 측정을 만들면서 개인주의 문화라는 용어를 만들었다. 개인주의 문화에 속한 사람들은 서로 느슨하게 연결되어 있고 다양한 인종, 민족, 언어 및 문화로 구성된 다양한 인구를 갖고 있다고 생각한다. 개인은 개인적 만족, 내적 행복, 가족 만족이라는 세 가지 핵심 요소에서 가장 큰 행복을 얻는다. 개인주의 문화에 사는 사람들은 직접적인 의사소통, 저전력 거리 의사소통, 감정의 자기 표현, 다양한 갈등 해결 전략을 사용한다. 최근 몇 년간 전 세계적으로 개인주의가 증가하고 있으며, 부와 도시화로 인해 세계 여러 나라에서 개인주의 문화가 증가하고 있다. 개인주의가 강한 국가는 호주, 캐나다, 독일, 네덜란드, 미국과 같은 서구 국가인 경우가 많다.

Wells) 교수와 랜돌프 보스(Randolph B. Boyce) 박사가 시작한 종단 연구13)로 시작했으며, 20세기 중반에 태어난 268명의 남성의 삶을 추적하고 있다. 이 연구는 2022년 현재까지 진행 중이며, 1930년대에 하버드 대학에 입학한 268명의 남성을 대상으로 삶의 모든 단계에서 건강과 웰빙을 추적하고 있다.

연구원은 십대 소년들의 발달을 추적하기 위해 정기적인 인터뷰와 건강 검진을 실시했으며, 성장하면서 그들의 건강과 웰빙이 어떻게 진화했는지 이해하는 것을 목표로 했다. 이 연구는 1940년대와 1950년대에 군 복무와 전쟁 경험을 포함하여 참가자들의 삶의 중요한 사건을 추적했다. 1960년대와 1970년대에 연구는 참가자들의 직업 생활과 결혼 생활을 조사했다. 1980년대와 1990년대에 연구는 참가자들의 건강과 웰빙에 대한 장기적인 영향을 조사했다.

연구의 몇 가지 중요한 발견은 먼저, 사회적 관계는 건강과 웰빙에 필수적이다. 연구에 따르면 외로운 남성은 덜 건강하고 사망 위험이 더 높다. 둘째, 스트레스는 건강에 해롭다. 연구에 따르면 스트레스가 많은 삶을 사는 남성은 덜 건강하고 사망 위험이 더 높다. 셋째, 건강한 생활 방식은 건강을 증진한다. 연구에 따르면 건강한 식단을 섭취하고 규칙적으로 운동하는 남성은 덜 건강하고 사망 위험이 더 낮다. 하버드 중년 연구는 사회적 관계, 스트레스, 건강한 생활 방식의 중요성에 대한 우리의 이해를 형성하는 데 도움이 된 중요한 연구이고, 종단 연구의 가치를 보여주었다.

현재 연구 책임자인 Robert Waldinger에 따르면, 사회적 연결이 사람들의 행복과 건강에 가장 중요한 요소 중 하나라는 결론을 내렸다. 그는 따뜻한 관계를 유지한 사람은 더 오래, 더 행복하게 살 수 있었고, 외로운 사람은 더 일찍 죽는 경우가 많았다고 말했다. 대부분 사람들이 개인적인 경험을 통해 입증할 수 있듯이 행복을 위해 노력하는 것은 쉽지 않다. 실제로 행복에 대한 추구는 불행의 원인이 될 수 있다. 적극적으로 행복을 추구하면 행복이 줄어들 수 있다는 연구 결과가 있다.

데이터는 소득과 행복이 분명히 연관되어 있음을 보여준다. 그러나 또한 사람들이 소득이 행복에 미치는 영향을 과대평가하는 경우가 많다는 사실을 설문조사를 통해 알 수 있다. 사회적 관계가 누락된 고리일 수 있다14). 최소한의 물질

---

13) 종단 연구는 시간이 지남에 따라 사람들의 삶을 추적함으로써 중요한 인과관계를 밝혀낼 수 있다.

14) 사회적 관계가 누락된 고리일 수 있다는 말은 사회적 관계가 어떤 문제의 해결에 있어서 중요한 역할을 하지만, 그 중요성이 간과되거나 무시되고 있다는 의미이다. 예를 들어, 소외된 청소년의 문제는 사회적 관계의 결핍과 밀접한 관련이 있다. 소외된 청소년은 친구나 가족과 같은 사회적 관계를 형성하지 못함으로써, 정서적 안정과 사회적 지지를 얻지 못하게 된다. 이는 학업 부진, 비행, 자살 등의 문제로 이어질 수 있다. 또한, 지역 공동체의 활성화도 사회적 관계의 중요성을 보여주는 예이다. 지역 공동체는 주민들 간의 상호 작용을 통해 형성된다. 지역 공동체가 활성화되면, 주민들 간의 유대감과 협력이 강화되고, 이는 지역의 발전으로 이어진다. 그러나 사회적 관계의 중요성은 종종 간과되

적 생활 조건이 충족되는 경우가 많은 부유한 국가에서는 사람들이 사회적 목표보다는 물질적 목표를 목표로 하기 때문에 더 행복해지는 데 어려움을 겪을 수 있다.

가. 유전 내력이 건강과 웰빙에 영향을 미치는 요인

하버드 중년 남성 연구에서 십대, 성인, 노인의 건강과 웰빙을 이해하기 위해 정기적인 인터뷰와 건강 검진을 통해 참가자의 발달을 추적했다. 먼저, 건강과 웰빙은 삶의 초기 경험에 영향을 미친다. 연구에 따르면 어린 시절에 건강하고 행복한 환경에서 자란 사람들은 성인기에 더 건강하고 행복할 가능성이 높다. 둘째, 성격은 변할 수 있다. 연구에 따르면 어린 시절에 소심하거나 내성적인 사람들은 성인기에 더 외향적이거나 자신감 있는 사람이 될 수 있다. 셋째, 삶의 선택은 건강에 영향을 미친다. 연구에 따르면 건강한 식단, 규칙적인 운동, 금연은 성인기의 건강을 개선하는 데 도움이 될 수 있다.

하버드 중년 남성 연구는 또한 유전학이 건강과 웰빙에 중요한 역할을 한다는 것을 보여주었다. 연구에 따르면 참가자들의 건강과 웰빙은 유전적 요인에 의해 약 50% 정도 설명될 수 있다. 예를 들어, 연구는 참가자들의 IQ가 유전적 요인에 의해 크게 영향을 받는다는 것을 발견했다. 또한, 참가자들의 성격 특성, 심혈관 질환 발병 위험, 노화 속도 등도 유전적 요인에 의해 영향을 받는 것으로 나타났다.

연구 결과는 유전학이 건강과 웰빙에 중요한 역할을 한다는 것을 보여준다. 그러나, 유전적 요인뿐만 아니라 삶의 환경과 선택도 건강과 웰빙에 중요한 영향을 미친다는 점을 기억하는 것이 중요하다. 예를 들어, 연구에 따르면 참가자들의 IQ는 유전적 요인에 의해 크게 영향을 받는 것으로 나타났다. 연구원들은 참가자들의 부모와 형제 자매의 IQ를 조사한 결과, 참가자들의 IQ는 부모의 IQ와 유전적 유사도와 밀접한 관련이 있음을 발견했다. 이 연구 결과는 IQ가 유전적 요인에 의해 영향을 받는다는 것을 보여준다. 따라서, IQ가 높은 사람은 유전적으로 건강에 유리한 조건을 가지고 있다고 할 수 있다.

둘째, 연구에 따르면 참가자들의 성격 특성, 특히 외향성, 내향성, 신경성 등은 유전적 요인에 의해 영향을 받는 것으로 나타났다. 연구원들은 참가자들의 부모와 형제 자매의 성격 특성을 조사한 결과, 참가자들의 성격 특성은 부모의 성격 특성과 유전적 유사도와 밀접한 관련이 있음을 발견했다. 이 연구 결과는 성격 특성이 유전적 요인에 의해 영향을 받는다는 것을 보여준다. 따라서, 외향적인

거나 무시된다. 특히, 현대 사회는 개인주의가 강조되고, 기술의 발전으로 인해 온라인에서의 만남이 증가하면서, 사회적 관계의 중요성이 더욱 낮아지고 있다.

사람은 유전적으로 건강에 유리한 조건을 가지고 있다고 할 수 있다.

셋째, 연구에 따르면 참가자들의 심혈관 질환 발병 위험은 유전적 요인에 의해 영향을 받는 것으로 나타났다. 연구원들은 참가자들의 부모와 형제 자매의 심혈관 질환 병력을 조사한 결과, 참가자들의 심혈관 질환 발병 위험은 부모의 심혈관 질환 병력과 유전적 유사도와 밀접한 관련이 있음을 발견했다. 이 연구 결과는 심혈관 질환 발병 위험이 유전적 요인에 의해 영향을 받는다는 것을 보여준다. 따라서, 심혈관 질환 가족력이 있는 사람은 유전적으로 건강에 불리한 조건을 가지고 있다고 할 수 있다.

넷째, 연구에 따르면 참가자들의 노화 속도는 유전적 요인에 의해 영향을 받는 것으로 나타났다. 연구원들은 참가자들의 부모와 형제 자매의 노화 속도를 조사한 결과, 참가자들의 노화 속도는 부모의 노화 속도와 유전적 유사도와 밀접한 관련이 있음을 발견했다. 이 연구 결과는 노화 속도가 유전적 요인에 의해 영향을 받는다는 것을 보여준다. 따라서, 빠르게 늙는 사람은 유전적으로 건강에 불리한 조건을 가지고 있다고 할 수 있다.

5) 외로움과 혼자있음

외로움(loneliness)과 혼자 있음(aloneness)은 같지 않다. loneliness는 외로움으로 aloneness는 혼자 있음을 번역할 수 있다. 하지만 이 두 단어는 완전히 동일한 의미를 가지지 않는다. 먼저, 외로움(loneliness)은 단순히 혼자 있는 상태가 아니라, 사회적 관계의 결핍으로 인해 느끼는 고통스러운 감정을 말한다. 외로운 사람은 타인과 연결되고 싶은 욕구가 강하지만, 그 욕구가 충족되지 못하여 고통을 느낀다. 외로움은 고독, 사회적 고립, 단절, 소외 등과 연관이 있는 부정적인 단어에 해당한다. 둘째, 혼자 있음(aloneness)은 물리적으로 또는 사회적으로 다른 사람과 떨어져 있는 상태를 말한다. 반드시 고통스러운 감정을 동반하지 않으며, 일부 사람들은 혼자 있는 것을 즐길 수도 있다. 혼자 있음은 독립, 개인 시간, 홀로 있음, 고요 등과 같은 긍정적인 의미와 연관되는 단어이다.

[표 3] 외로움과 혼자있음 특징

특징(Feature)	외로움(Loneliness)	혼자있음(Aloneness)
감정 상태 (Emotional state)	고립감과 연결 부족을 특징으로 하는 불쾌감(Unpleasant, characterized by isolation and lack of connection)	중립적이고 감정적인 요소가 없음(Neutral, no emotional component)
사회적 연결	의미 있는 사회적 연결 부족(Lack	사회적 연결의 의미 없음

(Social connection)	of meaningful social connections)	(No implication of social connection)
타인의 신체적 존재 (Physical presence of others)	타인에게 둘러싸여 있을 때도 발생할 수 있다(Can occur even when surrounded by others).	단순히 혼자 있는 상태 (Simply the state of being alone)
건강에 미치는 영향 (Impact on health)	신체적, 정신적 건강에 부정적인 결과를 초래할 수 있음(Can have negative consequences for physical and mental health)	건강에 대한 고유한 영향은 없음(No inherent impact on health)

북유럽 국가들은 개인주의가 강한 것으로 알려져 있어, 이로 인해 이 사회의 사람들이 훨씬 더 외로움을 느끼는 경향이 있다는 대중적인 인식이 있다. 그러나 데이터는 이러한 주장을 뒷받침하지 않는다. 실제로 덴마크나 스위스와 같은 북유럽 국가에서는 혼자 사는 경우가 매우 흔하다. 그러나 많은 사람들이 믿는 것과는 달리, 이것이 더 높은 수준의 자기 보고된 외로움으로 해석되지는 않는다.

가. 사회적 지지(social support)에 대한 인식

외로움과 마찬가지로, 사회적 지지에 대한 인식은 사람들에게 직접 질문하여 측정할 수 있다. 여론 조사 기관인 Gallup은 주요 World Poll 설문조사에서 이를 수행하였다. 특히 그들은 곤경에 처했을 때 필요할 때마다 도움을 줄 수 있는 친척이나 친구가 있는가, 아니면 없는가라는 질문을 하였다.

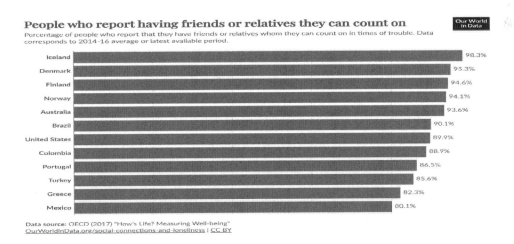

[그림 35] 의지할 친구나 친척이 있는 사람들

출처: K. D. M. Snell, 2017.

위의 그래프는 이번 설문조사 결과를 보여준다. 이 질문에 예라고 응답한 사람들의 비율을 표시한다. 국가별 차이는 그리 크지 않다. 평균 지지율이 가장 낮은 국가와 가장 높은 국가는 멕시코와 아이슬란드로 각각 80%와 98%이다. 두 번째로 눈에 띄는 점은 더 개인주의적인 것으로 간주되는 부유한 국가인 북유럽 국가가 가족 및 우정 지원 수준이 낮다는 주장에 대한 지지가 없다는 것이다.

나. 혼자 있음과 외로움 구별

혼자 사는 사람들이 외로움을 느낀다고 말할 가능성이 더 높는가라는 질문에 관해서 연구원 Caitlin Coyle과 Elizabeth Dugan은 미국의 건강 및 은퇴 연구 데이터를 사용하여 이 질문을 조사하였다[15]. 2006년부터 2008년까지 거의 12,000명의 응답자를 대상으로 한 분석에서 그들은 외로움과 사회적 고립이 개인 수준에서 높은 상관관계가 없다는 것을 발견하였다.

정확하게 말하면, Coyle과 Dugan은 0.2의 상관계수를 발견하였다. 이는 상관관계가 양수이고 통계적으로 0보다 크다는 것을 의미하지만, 절대적으로 보면 그리 큰 규모는 아니다. 그들의 연구는 원시 데이터를 제공하지 않지만, 일반적으로 상관관계가 0.2인 산점도에 불과하다. 이는 관찰된 생활 방식의 차이로 외로움의 변동성을 예측할 수 없다는 것을 의미한다. 혼자 사는 사람 중에는 외로운 사람도 있지만 그렇지 않은 사람도 많다. 혼자 사는 사람이 외로움을 느낄 것이라는 결론은 잘못된 경우가 많다.

혼자 있는 것과 외로움을 느끼는 것은 다르다. 전통적으로 개인주의적이라는 꼬리표가 붙은 사회에서 사람들은 그다지 외롭지 않은 것처럼 보인다. 사실은 이러한 사회에서는 사람들이 혼자 사는 것이 특히 흔하다는 것이다. 하지만 혼자 있는 것과 외로움을 느끼는 것이 항상 병행되는 것은 아니다. 많은 사람들은 육체적으로 고립되어 있지 않더라도 외로움을 느끼며, 육체적으로 고립된 많은 사람들은 외로움을 느끼지 않는다. 집계된 통계가 이를 확인한다. 사람들에게 생활 방식, 시간 사용, 외로움에 대해 묻는 설문 조사에서는 고독 자체가 외로움을 예측하지 못한다는 사실을 발견했다.

개인주의 국가의 사람들이 외로움을 느낄 가능성이 더 낮다는 사실은 물론 사회적 관계에 대한 기대의 차이를 포착할 수도 있다. 그러나 외로움이 주관적인 경험인 만큼 국가 간 차이는 웰빙을 이해하는 데 여전히 중요하다. 즉, 외로움과 고독은 모두 주목할 가치가 있지만, 둘을 혼동하지 않는 것이 중요하다.

---

15) Coyle, C. E., & Dugan, E. (2012). Social Isolation, Loneliness and Health Among Older Adults. Journal of Aging and Health, 24(8), 1346-1363. https://doi.org/10.1177/08982643 12460275

다. 시간에 따른 외로움의 변화: 외로움이 유행하는가?

언론은 부유한 국가들이 외로움 전염병을 겪고 있다는 데 동의한 것처럼 보인다. 정확하게 이런 표현을 사용하는 신문 기사는 말 그대로 수천 개에 달한다. 전염병이라는 단어는 상황이 훨씬 더 악화되고 외로움이 급속히 증가하고 있음을 암시한다. 하지만 실제로 데이터는 사회가 점점 더 외로워지고 있음을 보여주고 있는가?

이러한 주장이 널리 알려져 있음에도 불구하고 외로움이 증가하고 있다는 사실을 뒷받침하는 실증적 뒷받침은 놀랍게도 없다. 전 세계적으로 혼자 사는 사람들이 늘어나고 있는 것은 사실이다. 하지만 외로움과 혼자 있음은 같지 않다. 위에서 설명했듯이 혼자 시간을 보내는 것은 사람들이 외로움을 느끼는지 또는 사회적 지원이 약한지를 예측하는 좋은 지표는 아니다.

오늘날 미국의 청소년들은 수십 년 전의 청소년들보다 외로움을 느낀다고 보고할 가능성이 더 높지 않다. 마찬가지로 오늘날 미국의 노인들은 과거 노인들보다 더 높은 외로움을 보고하지 않는다. 핀란드, 독일, 영국, 스웨덴을 포함한 다른 부유한 국가의 노인을 대상으로 한 설문 조사도 같은 방향을 가리키고 있다. 즉, 이들 국가에서 세대에 걸쳐 외로움이 증가하는 것은 아니다.

친구 및 가족과의 접촉을 포함한 사회적 연결은 물질적 복지뿐만 아니라 건강 및 정서적 복지에도 중요하다. 외로움은 참으로 중요한 문제이지만, 사실에 근거하여 미묘한 차이로 대화를 나누는 것이 중요하다. 우리가 외로움 전염병을 목격하고 있다고 주장하는 헤드라인은 잘못되었으며 도움이 되지 않는다.

라. 젊은이들은 노인들보다 더 외로울까?

외로움은 현대 사회의 주요 문제 중 하나로 인식되고 있다. 외로움은 신체적, 정신적 건강에 부정적인 영향을 미칠 수 있으며, 심지어 사망률을 증가시킬 수도 있다. 외로움이 증가하고 있다는 주장에 자주 사용되는 통계 중 하나는 오늘날 젊은이들이 노인보다 더 외롭다는 것이다. 이는 두 가지 질문을 불러일으킨다. 먼저, 젊은 사람들이 더 외롭다는 것이 사실일까?, 그리고 둘째, 이것이 외로움이 증가하고 있음을 보여주는 것일까?

첫 번째 질문에 대한 답은 영국의 통계청(Office for National Statistics)의 지역사회 생활 조사(Community Life Survey)에 따르면 16세에서 24세 사이의 사람들은 외로움을 가장 많이 느끼는 그룹으로, 10%가 자주 또는 항상 외로움을 느낀다고 한다. 이와 대조적으로 65세 이상 노인은 외로움을 가장 적게 느끼는 그룹으로, 3%가 자주 또는 항상 외로움을 느낀다고 한다.

이러한 패턴은 놀랍게 보일 수 있다. 왜냐하면 많은 사람들이 외로움을 노년기와 연관시키는 경향이 있기 때문이다. 그러나 다른 몇몇 선진국 국가들의 조사에서도 같은 결과가 나왔다. 뉴질랜드, 일본, 미국에서도 젊은 성인이 노인보다 외로움을 더 자주 느낀다고 보고했다. 두 번째 질문에 대한 답은 아니오이다. 외로움은 생애주기 전반에 걸쳐 일정하지 않기 때문에 단면적 비교는 시간에 따른 변화에 대한 정보를 제공하지 않는다. 시간이 지남에 따라 외로움의 변화에 대해 의미 있는 말을 할 수 있으려면 시간이 지남에 따라 개인의 변화와 세대에 따른 변화를 구별해야 한다.

개인의 변화는 사람들이 나이가 들수록 더 외로워지는지 여부를 의미한다. 세대에 따른 변화는 동일한 사람들이 오늘날보다 과거에 더 외로웠는지 여부를 의미한다. 이러한 질문에 대한 답은 아직 명확하지 않다. 일부 연구에 따르면 사람들은 나이가 들수록 더 외로워지는 경향이 있다. 그러나 다른 연구에 따르면 세대 간의 외로움의 차이는 미미하거나 전혀 없다.

더 많은 연구가 필요하지만, 현재의 데이터는 젊은이들이 노인들보다 더 외로울 수 있지만, 이것이 외로움이 증가하고 있다는 것을 의미하지는 않는다는 것을 시사한다.

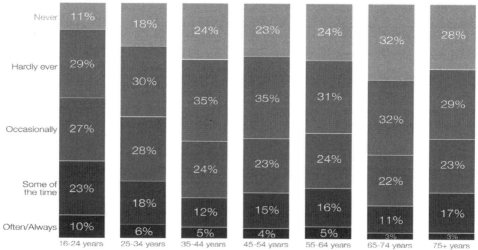

[그림 36] 영국의 연령별 보고된 외로움 빈도수, 2017

출처: K. D. M. Snell, 2017.

마. 나이가 들수록 외로워지는가?

외로움은 현대 사회의 주요 문제 중 하나로 인식되고 있다. 외로움은 신체적, 정신적 건강에 부정적인 영향을 미칠 수 있으며, 심지어 사망률을 증가시킬 수도 있다. 나이가 들수록 외로워진다는 주장은 흔히 제기되는 주장 중 하나이다. 그러나 이러한 주장은 단면적 비교에 근거한 것이기 때문에 오해의 소지가 있다.

실제로, 나이와 외로움 사이의 관계는 복잡하다. 일부 연구에 따르면 나이가 들수록 외로움이 감소하는 경향이 있는 것으로 나타났다. 반면, 다른 연구에 따르면 나이가 들수록 외로움이 증가하는 경향이 있는 것으로 나타났다. 이러한 차이는 연구 방법의 차이로 인한 것일 수 있다. 단면적 연구는 특정 시점에서 노인과 젊은이를 비교하는 반면, 종단 연구는 동일한 개인을 시간이 지남에 따라 추적한다.

종단 연구에 따르면, 중년기에는 외로움이 감소하는 경향이 있는 것으로 나타났다. 이는 사회적 기대가 적응함에 따라 나이가 들수록 외로움이 감소하고 긍정적인 감정을 가져오는 접촉과의 관계에 대해 더 선택적으로 변하게 되기 때문으로 설명된다.

그러나 노년기에 들어서면 외로움이 다시 증가하기 시작한다. 이는 건강이 악화되고 친척과 친구를 잃기 때문으로 설명된다. 즉, 나이와 외로움 사이의 관계는 직접적인 관계와 간접적인 관계의 두 가지 힘이 작용하고 있음을 보여준다. 중년기에는 직접효과가 지배적이지만, 노년기에 들어서면 부정적인 간접효과가 지배하기 시작한다.

따라서, 나이가 들수록 외로워진다는 주장은 단면적 비교에 근거한 것이기 때문에 오해의 소지가 있다. 외로움은 생애주기 전반에 걸쳐 일정하지 않기 때문에, 나이와 외로움 사이의 관계를 이해하기 위해서는 종단 연구를 통해 시간에 따른 변화를 살펴보는 것이 필요하다.

바. 오늘날 사람들은 과거보다 더 외로울까?

시간에 따른 외로움 추세로 오늘날 사람들은 과거보다 더 외로울까? 외로움 전염병 이야기에서는 같은 나이의 두 사람, 즉 오늘날의 사람과 한 세대 전의 사람을 비교하면 오늘날의 사람이 외로움을 느낄 개연성이 더 높다는 것을 암시한다. 이는 혼자 사는 사람의 증가 등 사회적 변화로 인해 새로운 세대가 외로움을 느낄 가능성이 높아졌다는 생각에 근거한 것이다.

Louise Hawkley와 공동 연구에서 저자들은 미국에서 이러한 코호트 경향16)에

---

16) 코호트 경향은 특정 시기에 태어나고 자란 사람들의 집단이 시간이 지남에 따라 공통된 경험이나 특성을 공유하는 경향을 말한다. 이러한 특성은 생물학적, 사회적, 문화적 요인에 의해 형성될 수 있

대한 증거를 검색했지만, 아무것도 찾지 못했다. 서로 다른 세대에 태어난 사람들의 자기보고 외로움에는 거의 차이가 없었다. 1920~1947년에 태어난 사람들은 1948~1965년에 태어난 사람들과 평생 동안 똑같은 외로움의 변화를 경험했다. 세대를 거쳐 외로움이 늘어나는 것은 아니다.

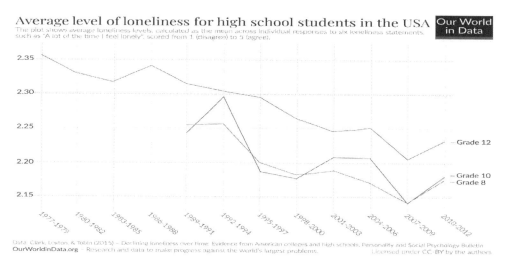

[그림 37] 미국 고등학생의 평균 외로움 레벨

출처: K. D. M. Snell, 2017.

Tom Chivers의 연구 결과가 이런 현상을 매우 잘 설명한다. Hawkley와 공동연구는 새로운 노인(1948-1965년에 태어난 베이비 붐 세대)이 나이가 많은 노인보다 자신을 외롭다고 생각할 가능성이 더 높지 않다는 것을 발견했다. 노인

다. 코호트 경향은 다양한 분야에서 연구되고 있다. 예를 들어, 사회학에서는 코호트 경향을 사용하여 사회 변화를 이해하고, 마케팅에서는 코호트 경향을 사용하여 소비자 행동을 예측하고, 인구학에서는 코호트 경향을 사용하여 인구 구조의 변화를 추적하고 있다. 예를 들면, 베이비붐 세대는 1946년에서 1964년 사이에 태어난 사람들로, 전 세계적으로 인구의 급증을 가져온 세대이다. 이 세대는 일반적으로 경제적 안정과 사회적 기회를 누렸지만, 은퇴와 노후 보장에 대한 우려도 가지고 있다. 밀레니얼 세대는 1981년에서 1996년 사이에 태어난 사람들로, 디지털 기술에 능숙하고 사회적으로 진보적인 세대로 이 세대는 일반적으로 취업과 결혼을 늦추는 경향이 있으며, 환경과 사회적 문제에 대한 관심이 높다. Z세대는 1997년부터 2012년 사이에 태어난 사람들로, 디지털 네이티브로 불리는 세대로 이 세대는 일반적으로 모바일 기기에 익숙하고, 다양한 소셜 미디어를 사용하는 경향이 있다. 코호트 경향은 특정 시기에 태어나고 자란 사람들의 집단을 대상으로 하는 연구이기 때문에, 다른 집단과 비교할 때 오해의 소지가 있을 수 있다. 예를 들어, 베이비붐 세대는 전 세계적으로 인구의 급증을 가져온 세대이지만, 다른 나라의 베이비붐 세대는 문화적 차이로 인해 다른 경험을 할 수도 있다. 또한, 코호트 경향은 시간이 지남에 따라 변화할 수 있다. 예를 들어, 밀레니얼 세대는 디지털 기술에 능숙하다는 코호트 경향이 있지만, 시간이 지남에 따라 다른 세대도 디지털 기술에 익숙해지면서 이러한 경향이 약화될 수 있다.

(1920~1947년 출생), 그리고 지난 10년(2005~2016년) 동안 노인들이 자신을 외롭다고 생각할 가능성은 더 이상 줄어들지 않았다. 평균적으로 노인은 10년 전보다 더 이상 외롭지 않은 것으로 보인다.

다른 부유한 국가의 데이터도 같은 방향을 가리키는 연구가 있다. 스웨덴에서는 85세, 90세, 95세 성인을 대상으로 한 반복적인 단면 조사에서 10년 동안 외로움이 증가하지 않은 것으로 나타났다. 이들 연구에서는 노인들에게 코호트 효과가 있다는 증거를 찾지 못했다. 그러면, 청소년에 대한 증거는 어떤가?

나의 세대에 대한 제고－1976~2006년 코호트 효과에 대한 연구에서 심리학자 Kali Trzesniewski와 Brent Donnellan은 반복적인 코호트 설문조사를 사용하여 고등학교 졸업자의 연속 그룹이 1976년부터 2006년까지 더 외로워졌는지 여부를 조사했다. 그들은 코호트 경향에 대한 어떠한 증거도 발견하지 못했다. 새로운 세대의 고등학생들은 이전 세대보다 외로움을 느끼는 경향이 더 크지 않았다.

심리학자 Matthew Clark, Natalie Loxton 및 Stephanie Tobin은 동일한 설문조사를 사용하여 이 분석을 재현했지만, 고등학생뿐만 아니라 모든 연령대에 초점을 맞췄다. 아래 그래프는 위의 결과를 보여준다. 그들은 모든 연령대에서 외로움이 증가하는 징후를 발견하지 못했다. 실제로 그들은 미국 고등학생들의 외로움이 매우 작지만, 통계적으로 유의하게 감소한 것을 발견했다. y축은 외로움 정도를 나타내고, x축은 시간의 흐름을 보여준다.

8. Death Tech와 디지털 죽음

디지털 죽음이라는 주제가 등장하게 된다. 물리적 죽음을 맞이한 후에 디지털 죽음을 결정할 수 있느냐? 또는 디지털 자산과 사후 개인 정보 등에 대한 적절한 보호 입법 등은 준비가 되어 있는가? 등의 문제가 제기된다. 디지털 죽음은 물리적 죽음 이후에도 디지털 세계에 남아 있는 개인의 정보를 의미한다. 디지털 세계에는 개인의 이메일, 소셜 미디어, 블로그, 온라인 계정 등이 포함된다. 이러한 정보는 개인의 정체성, 관계, 경험 등을 반영하는 중요한 자산이다.

디지털 죽음은 아직까지 새로운 개념으로, 이에 대한 사회적 합의가 이루어지지 않았다. 앞으로 디지털 기술의 발전에 따라 디지털 죽음과 관련된 문제들이 더욱 심각해질 것으로 예상된다. 따라서 디지털 죽음에 대한 사회적 합의를 이루고, 이를 위한 법과 제도를 마련하는 것이 중요하다.

실례를 들어보면, 디지털 자산과 사망에 대한 문제가 언론에서 처음 논의된 지 거의 20년이 지났다. 그럼에도 불구하고, 대부분 장소에서 여전히 법에 명확성이 거의 없다. 2005년에, 이라크에서 사망한 미 해병대의 가족인 저스틴 엘스워스(Justin Ellsworth)가 자신의 야후 계정에 저장된 이메일에 대한 접근을 요청하는 판결이 미국에서 내려졌다. 야후는 사망에 대한 모든 제 3자에 대한 접근을 금지하는 서비스 약관을 언급하며 거부했다. 야후는 법이 법원의 명령 없이 사망한 사용자의 개인 통신을 공개하는 것을 금지한다고 주장했다. 가족은 그의 상속인으로서 저스틴의 이메일과 그가 보내고 받았던 이메일에 대한 접근이 그의 마지막 말로서 주어져야 한다고 주장했다.

반면에 야후는 비생존자 정책을 폈고, 엘스워스의 계정이 영원히 삭제될 수 있는 위험이 있었다. 판사는 야후가 개인정보 보호 정책을 시행하도록 허용했고, 계정 자격 증명의 전송을 명령하지 않았다. 대신에, 그는 이메일 사본이 들어 있는 CD를 가족에게 제공함으로써 야후가 사망자의 계정 내용에 대한 접근을 가능하게 하는 명령을 내렸다. 언론은 야후가 처음에 저스틴 엘스워스가 받은 이메일을 CD로 제공했고, 가족이 다시 항의하자 이메일의 종이 사본을 그 후에 보냈다고 보도했다.

이와 달리 디지털 죽음과 애도는 우리의 디지털 사회에서 개인적이거나 단일한 시간적 사건이 아닐 수 있다. 현재의 애도와 죽음의 디지털화는 사회에 많은 영향을 미친다. 예를 들면, 애도 과정에 새로운, 더 긴 시간을 제공한다. 디지털 플랫폼의 이용 가능성으로 인해 사람들은 죽은 사람의 디지털 자아와 계속해서 상호 작용할 수 있다. 이를 통해 사람들은 죽은 사람과 연결을 유지하고, 애도 과정을 더 길고 느리게 진행할 수 있다. 예를 들어, 소셜 미디어를 통해 죽은 사람의 사진과 동영상을 볼 수 있고, 죽은 사람의 글과 생각을 읽을 수 있다. 또한, 온라인 커뮤니티를 통해 죽은 사람에 대한 기억을 공유하고, 다른 사람들과 애도를 나눌 수 있다. A씨는 자신의 아버지가 돌아가셨다. A씨는 아버지와 함께 찍은 사진과 동영상을 소셜 미디어에 올리며 아버지를 추억할 수 있다. 또한, 아버지의 친구들이 운영하는 온라인 커뮤니티에 가입하여 아버지에 대한 기억을 공유할 수 있다. A씨는 이러한 활동을 통해 아버지와의 연결을 유지하고, 애도 과정을 더 길고 느리게 진행할 수 있다.

남아있는 사람들과 경계 없는 가상 공간에서의 생존한 사람들 간의 새로운 의미와 사회적 관계를 만들 가능성을 제공한다. 디지털 플랫폼은 죽은 사람과 남아있는 사람들 사이의 새로운 관계를 형성할 수 있는 기회를 제공한다. 이를 통해 사람들은 죽은 사람과 지속적으로 연결을 유지하고, 새로운 의미를 찾을 수 있다. 예를 들어, 죽은 사람의 친구들은 소셜 미디어를 통해 죽은 사람의 추모 페이지를 만들고, 죽은 사람의 기억을 기리는 활동을 할 수 있다. 또한, 죽은 사람의 가족은 온라인 커뮤니티를 통해 다른 사람들과 죽음을 공유하고, 위로를 받을수 있다. 또 다른 A씨는 자신의 친구가 죽었다. A씨는 친구의 추모 페이지를 만들고, 친구의 사진을 올리며 친구를 추억할 수 있다. 또한, 친구의 친구들이 만든 추모 페이지를 방문하여 친구의 기억을 공유할 수도 있다. A씨는 이러한 활동을 통해 친구와 지속적으로 연결을 유지하고, 새로운 의미를 찾을 수 있다.

이처럼 디지털 죽음과 애도는 개인적이고 단일한 시간적 사건이 아니라, 새로운 의미와 사회적 관계를 창출할 수 있는 가능성을 가지고 있다. 디지털 죽음과 애도는 아직까지 연구가 진행 중인 분야이다. 앞으로 디지털 기술의 발전에 따라 디지털 죽음과 애도의 의미와 영향이 더욱 다양해질 것으로 예상할 수 있다.

1) Death Tech

죽음은 확실한 것 중 하나이다. 그러나 만일 죽음 이후에도 디지털 방식으로 삶이 계속된다면 어떨까요? 아마존, 스토리파일, Here After AI, Forever Identity, 그리고 LifeNaut와 같은 기업들과 계획들은 정확히 이 목표에 힘쓰고 있다. 이들은 아바타, 기록, 그리고 고인들의 다른 디지털 콘텐츠를 활용하여, 디지털 방식으로 삶을 이어갈 수 있도록 노력하고 있다. 고인들은 디지털 방식으로 살아가며, 때로는 심지어 매우 살아있는 것처럼 보일 수도 있다. 아마도 너무 현실적일 수도 있다.

이런 내용은 흔히 데스테크(Death Tech)라고 알려진 이러한 기술들이 가지는 윤리적인 의미를 탐구한다. 인공지능의 발전으로 인해, 데스테크는 애도 관행, 죽음에 대한 우리의 인식, 그리고 앞으로의 현실에 어떻게 대응할지에 변화를 가져올 것이다. 데스테크가 개인의 슬픔을 지원하고, 교육을 제공하며, 활기찬 기억문화에 기여할 수 있다는 점을 보여줄 수 있다. 그러나 디지털 사후 세계가 낙원이 아닌, 적극적인 디자인과 윤리적인 고찰이 필요하다는 점을 인식하는 것이 중요하다.

디지털 죽음은 두 가지 측면에서 고려할 수 있다. 먼저, 개인의 정보에 대한 접근과 관리에서 디지털 죽음 이후에도 개인의 정보에 대한 접근과 관리가 가능해야 한다. 이를 위해서는 개인이 생전에 자신의 정보를 어떻게 관리할 것인지에 대한 계획을 세우는 것이 중요하다. 개인의 디지털 자산과 정보를 사후에도 관리하고 이용할 수 있도록 제도적인 정비가 필요하다. 개인이 디지털 유산 관리에 대한 계획을 세우고 관리하면, 디지털 죽음 이후에도 개인의 정보가 안전하게 보호되고 관리될 수 있다.

가. 디지털 유언장(Digital Will)

온라인 계정 목록을 작성한다. 생전에 사용 중이었던 모든 온라인 계정(은행, 이메일, 소셜 미디어, 온라인 쇼핑 등)을 명시하는 목록을 작성한다. 계정 관리자 및 비밀번호를 기록하고 알려준다. 각 계정에 대한 관리자 정보와 비밀번호를 안전하게 기록하고, 필요한 경우 이를 신뢰할 수 있는 사람에게 알려줄 계획을 세운다. 디지털 유언장 문서를 남긴다. 디지털 유언장을 작성하여 원하는 경우 유언장에 명시된 지시에 따라 계정을 처리하도록 하는 것이 중요하다.

나. 온라인 서비스의 계정 관리 설정

계정 유산 계획을 설정한다. 일부 온라인 서비스는 사망 시 계정을 관리하는 방법을 설정할 수 있는 옵션을 제공한다. 이러한 옵션을 확인하고 적절히 설정하는 것이 필요하다. 계정 삭제 또는 기능 제한 요청한다. 생전에 원치 않는 경우 온라인 서비스 제공업체에 계정을 삭제하거나 특정 기능을 제한해 달라는 요청을 해야 한다.

다. 데이터 보호 및 접근 계획

클라우드 서비스 및 파일 공유의 방법을 결정한다. 생전에 사용 중이었던 클라우드 서비스나 파일 공유 플랫폼에 대한 데이터 관리 및 접근 방법을 결정한다. 개인 파일의 백업 및 공유 여부를 결정한다. 중요한 파일에 대한 백업을 지속적으로 관리하고, 생전에 공유할 의향이 있는 경우 이를 명확히 해둘 필요가 있다.

라. 신뢰할 수 있는 관리자나 서비스 이용

디지털 유산 관리 서비스 이용한다. 몇몇 회사들은 디지털 유산 관리 서비스를 제공하여 사망 후 디지털 자산을 관리해주는 서비스를 제공한다. 이러한 서비스를 활용할 수도 있다.

마. 디지털 유무권 계획

디지털 유무권 계획(digital estate plan)을 세운다. 디지털 유무권 계획(digital estate plan)은 사람이 사망한 후에도 그 사람의 디지털 자산을 관리하고, 그 사람의 유언을 이행하기 위한 계획이다. 생전에 개인이 디지털 유무권 계획을 수립하여, 디지털 자산과 정보에 대한 접근 권한과 관리 방법을 명시할 수 있다. 예를 들어, 디지털 자산에는 소셜 미디어 계정, 이메일 계정, 사진과 동영상, 온라인 계좌, 비밀번호 관리, 온라인 계정 접근 권한, 디지털 자산의 처리 방법 등을 기술하여 후손들이 그 정보를 관리할 수 있도록 안내할 수 있다. 디지털 자산은 누구에게 관리를 맡기고, 어떤 방식으로 관리할 것인지 결정할 수 있다. 부적절한 내용이 포함되어 있거나, 개인의 사생활을 침해하는 디지털 자산을 삭제할 수 있다. 디지털 자산을 자선 단체나 다른 사람에게 기부할 수 있다.

디지털 유무권 계획을 작성하기 위해서는 고려할 사항을 보면, 디지털 자산의 종류와 내용, 디지털 자산의 관리자를 지정, 디지털 자산의 삭제 또는 기부를 결정 등을 한다. 어떤 디지털 자산을 가지고 있는지, 그 자산에는 어떤 내용이 포함되어 있는지 파악해야 한다. 디지털 자산을 관리할 사람을 지정해야 한다. 디지털 자산을 삭제하거나, 기부할 것인지 결정해야 한다.

디지털 유무권 계획을 작성할 때에는 사용할 수 있는 방법으로는 온라인 템플릿을 이용, 전문가의 도움을 받기 등을 할 수 있다. 인터넷에는 디지털 유무권 계획을 작성할 수 있는 다양한 템플릿이 있다. 템플릿을 이용하면 쉽게 디지털 유무권 계획을 작성할 수 있다. 변호사나 재무 전문가의 도움을 받아 디지털 유무권 계획을 작성할 수 있다. 전문가는 개인의 상황에 맞는 디지털 유무권 계획을 작성할 수 있도록 도와준다. 디지털 유무권 계획을 종이 문서로 작성하고, 안전한 장소에 보관할 수 있거나, 디지털 유무권 계획을 전자 문서로 작성하고, 컴퓨터나 클라우드에 보관할 수 있다.

바. 디지털 유산 관리 서비스

디지털 유산 관리 서비스를 이용한다. 몇몇 기업들은 사망 후 디지털 자산을 관리하고 전달하는 서비스를 제공한다. 이러한 서비스는 생전에 개인이 지정한 사람들에게 비밀번호와 디지털 자산에 대한 접근을 허용하도록 설정할 수 있다.

사. 비밀번호 관리 도구

비밀번호 관리 도구를 활용한다. 생전에 비밀번호 관리 도구를 활용하여 모든 온라인 계정과 비밀번호를 안전하게 저장하고, 지정된 사람들이 접근할 수 있도록 설정할 수 있다. 이를 통해 디지털 자산에 대한 접근 권한을 관리할 수 있다.

아. 유언장에 디지털 정보 포함

유언장에 디지털 정보를 포함해야 한다. 유언장에 디지털 정보와 관련된 사항을 명시하여 디지털 자산과 온라인 계정에 대한 처리 방법을 지시할 수 있다. 생전에 유언장을 작성하고, 디지털 자산에 대한 명확한 지시사항을 포함할 수 있다. 이러한 방법들은 생전에 개인이 디지털 정보와 자산에 대한 관리 방법을 고려하고 정리하여 디지털 죽음 이후에도 원활한 관리를 가능케 한다. 이는 유산 관리나 개인 정보 보호를 위해 중요한 부분이 될 수 있다.

실례를 들어 보면, 미국의 또 다른 사건인 In re Scandalios에서 Ric Swezey가 2017년에 예기치 않게 사망했다. 그의 유언은 그의 남편 Nicholas Scandalios가 그의 애플 계정에 있는 많은 가족 사진을 포함하여 그의 디지털 자산에 접근하는 것을 명시적으로 허가하지 않았다. 당연히 애플 아이클라우드의 이용약관에는 당신의 애플 ID 또는 계정 내의 콘텐츠에 대한 모든 권리는 법이 요구하지 않는 한 종료된다고 명시되어 있다. 그러나 뉴욕 카운티 대리인 법원은 애플에게 고인의 남편과 유산의 실행자에게 고인의 애플 계정에 대한 접근권을 주라고 명령했다.

2015년 Rachel Thompson은 비슷한 영국 사건에서 고인이 된 남편의 전화기에 대한 접근을 거부당하여 가족 사진과 비디오가 잠겨진 채로 남겨졌다. Rachel은 그녀의 남편의 계정에 대한 접근권을 얻고 싶어했고 그들의 딸과 사진과 비디오를 공유했다. 애플은 이 요청을 거부하고 그녀가 그러한 취지의 법원 명령을 받은 경우에만 그녀의 접근을 허가할 것이라고 말했다. 센트럴 런던 카운티 법원 판사는 2019년에 빈번할 가능성이 있는 미래의 사건에서 명확성을 제공하기 위해 법이 개혁되어야 한다고 말했다.

2) ChatGPT-3 맞춤형 챗봇

2022년과 2023년 사이, ChatGPT는 미디어와 공공 영역에서 상당한 주목을 받아 널리 논의되었다. 그러나 ChatGPT-3에 대한 관심과 미래 기능에 대한 추측 속에서 사만다와 윌리엄이라는 챗봇의 존재에는 거의 주목되지 않았다. 사만다와 윌리엄은 프로젝트 12월 웹사이트에서 호스팅되는 챗봇으로, 각각 자신만의 독특한 개성을 가지고 있다. 2020년에 제이슨 로러(Jason Rohrer)가 GPT-3 프레임워크를 사용하여 만든 이러한 개인화된 챗봇은 사용자가 자신의 선호에 맞춘 개인적인 대화에 참여할 수 있도록 한다.

프로젝트 12월은 이후 GPT-3에서 벗어나 현재는 GPT-3 개발팀의 지침을 준수하지 않고 다른 AI 언어 모델을 채용하고 있다. 그러나 사용자인 조슈아 바보(Joshua Barbeau)라는 사람이 사만다와 윌리엄과 같은 챗봇에 불만을 품으면서 상황이 변화했다. 조슈아는 사망한 여자친구의 모델을 기반으로 자신만의 맞춤형 챗봇을 개발했다. 이 맞춤형 챗봇을 통해 조슈아는 고인이 된 여자친구 제시카(Jessica)와 광범위한 대화를 나누며 슬픔을 극복하고 기술에서 위안과 지원을 찾을 수 있었다(cf. The Decoder 2021; Project Decoder 2023).

[그림 38] storyfile

출처: storyfile.com.

이러한 기술은 데스테크와 개인화된 ChatGPT의 아이디어에 해당한다. 이러한 기술은 죽음, 죽음, 슬픔에 대처하는 주제와 관련된 기술인 데스테크(death tech)의 범주에 속한다. 이것들은 장례 조직과 관료적인 문제들을 돕는 앱들을 포함할 수 있다. 그러나, 그것들은 또한 고인의 모습으로 플랫폼에 업로드되는 아바타들을 포함할 수 있어 사후에도 의사소통이 계속될 수 있게 한다. 이러한 아바타들은 사람들을 닮고 움직임, 웃음, 심지어 눈물을 보여주는 인간과 같은 특징들을 가질 수 있다.

디지털 애프터라이프는 한 개인이 죽은 후에 디지털 방식으로 존재하는 것을 말한다. 누군가가 사후에 디지털 방식으로 살아갈 수 있도록 하기 위해, 사진, 비디오, 오디오 레코딩, 소셜 미디어 포스트 및 메시지와 같은 다양한 형태의 정보와 데이터가 그 개인에 의해 업로드된다. 이러한 과정을 통해, 아바타는 디지털 영역에서 사망한 사람을 가깝게 닮는 것을 목표로 한다.

또 하나의 주목할 만한 예는 개인화된 이야기의 기록을 가능하게 하는 회사 Storyfile(웹사이트, 2023)이다. 개인은 촬영되는 동안 자신의 삶에 대한 일련의 질문에 응답한다. 그들의 죽음 이후, 사랑하는 사람들은 이 질문들에 기초하여 AI-동력 아바타와 대화에 참여하고, 고인의 실물과 같은 재현을 마주할 수 있다. 이것은 떠나간 개인과 실제적인 대화라는 인상을 만들어낸다. 이 애플리케이션은 죽음의 맥락에서의 관련성을 찾을 뿐만 아니라 비즈니스 부문 내에서 스토리텔링과 고객 관리에 잠재적인 적용을 가지고 있다.

또 다른 예는 개인이 오디오와 이미지를 통해 자신의 삶의 기억을 공유할 수 있는 Here After AI(2023)이다. 그들이 죽은 후, 친척들은 이러한 기억들을 매우 현실적인 방식으로 들을 수 있어 연결감과 기억력을 길러준다. 게다가 Amazon(2022)은 re:MARS 2022 컨퍼런스에서 Alexa가 고인의 목소리로 말할 수 있을 것이라고 발표했다. Amazon의 홍보물은 사망한 할머니가 잠들기 전에 그녀의 손주에게 책을 읽어주는 시나리오를 보여주었다. 이 분야에서 수많은 다른 스타트업들이 등장하고 있고, Microsoft 또한 Death Tech 산업 내에서 유사한 노력을 하고 있다. 나아가, 메타버스에서, 고인을 위한 공간이 창출될 것이라는 것은 자명하다(cf. 웹사이트 VYVYT 2023).

3) 디지털 코르세어쉽

개인의 정보에 대한 보안과 보호에서 디지털 죽음 이후에도 개인의 정보가 안전하게 보호되어야 한다. 이를 위해서는 개인의 정보에 대한 접근 권한을 제한하거나, 암호화 등의 보안 조치를 취하는 것이 필요하다.

가. 디지털 트러스트

디지털 유산 관리 서비스나 법적인 대리인을 통해 디지털 트러스트를 구성할 수 있다. 이를 통해 개인의 사망 이후에도 정보에 대한 접근 권한을 신뢰할 수 있는 사람에게 제공할 수 있다. 디지털 트러스트는 개인의 디지털 기록을 관리하고, 사망 이후에 해당 기록에 대한 접근 권한을 부여하기 위해 설정하는 계약이다. 디지털 트러스트를 구성하면, 개인은 사망 전에 디지털 기록에 대한 접근 권한을 신뢰할 수 있는 사람에게 위임할 수 있다. 이렇게 하면, 사망 이후에도 개인의 디지털 기록이 안전하게 관리되고, 개인의 유산으로 활용될 수 있다.

디지털 유산 관리 서비스는 디지털 트러스트를 구성하는 데 도움을 주는 서비스이다. 디지털 유산 관리 서비스를 이용하면, 개인은 디지털 기록을 한 곳에서 관리하고, 접근 권한을 위임할 수 있다. 또한, 디지털 유산 관리 서비스는 개인의 사망 이후에도 디지털 기록을 관리하고, 유산으로 활용할 수 있도록 지원한다.

법적인 대리인은 개인의 사망 이후에 개인의 재산을 관리하는 사람을 말한다. 법적인 대리인은 재산뿐만 아니라, 개인의 디지털 기록도 관리할 수 있다. 따라서 법적인 대리인을 지정하면, 사망 이후에도 개인의 디지털 기록에 대한 접근 권한을 부여할 수 있다.

디지털 트러스트를 구성할 때에는 고려할 사항은 다음과 같다. 디지털 트러스트를 구성할 사람을 신중하게 선택해야 한다. 디지털 트러스트는 개인의 사망 이후에도 개인의 디지털 자산을 관리하고, 개인의 유언을 이행하기 위한 중요한 역할을 한다. 따라서 디지털 트러스트를 구성할 사람은 개인이 신뢰할 수 있는 사람을 선택해야 한다.

[그림 39] digital trust

출처: 다보스 2023. 기술에 대해 알아야 할 사항.

디지털 트러스트의 내용을 구체적으로 작성해야 한다. 디지털 트러스트에는 개인의 디지털 자산의 종류, 개인의 유언, 디지털 트러스트를 구성한 이유 등이 포함되어야 한다. 따라서 디지털 트러스트의 내용을 구체적으로 작성해야 한다. 디지털 트러스트는 법적으로 유효해야만 효력이 발생한다. 따라서 디지털 트러스트를 작성할 때에는 법률 전문가의 도움을 받는 것이 좋다.

나. 디지털 코르세어쉽(Digital Executor)

디지털 코르세어쉽(digital corsairship)을 지정한다. 디지털 코르세어쉽은 개인이 사망한 후 디지털 자산과 정보에 대한 관리를 책임질 사람을 지정하는 것이다. 이 사람은 중요한 정보와 자산에 접근하여 관리하거나 삭제하는 권한을 가질 수 있다. 디지털 코르세어를 신중하게 선택해야 한다. 그 이유는 디지털 코르세어는 개인이 신뢰할 수 있는 사람을 선택해야 한다.

디지털 코르세어에게 부여할 권한을 명확하게 해야 한다. 디지털 코르세어는 어떤 권한을 가질 것인지를 명확하게 해야 한다. 예를 들어, 디지털 코르세어는 디지털 자산을 삭제할 권한을 가질 것인지, 아니면 디지털 자산을 가족이나 친구에게 전달할 권한을 가질 것인지를 결정해야 한다.

디지털 코르세어쉽을 설정하는 경우, 개인 A가 B를 디지털 코르세어쉽으로 지정했다는 상황을 가정하면, 이것은 A가 B에게 디지털 자산과 정보에 대한 관리를 위임한다는 것을 의미한다.

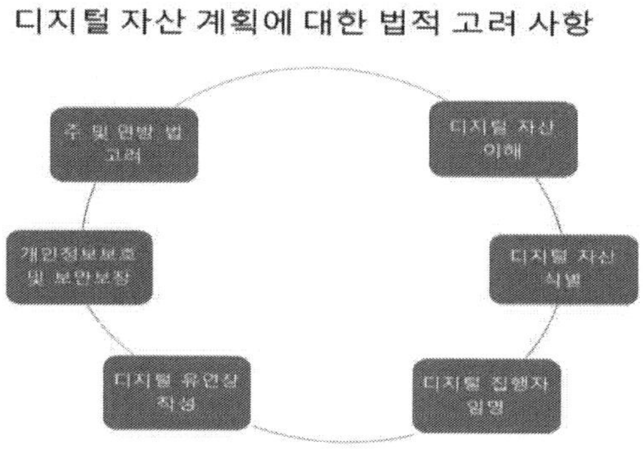

디지털 자산 계획에 대한 법적 고려 사항

[그림 40] 법적 고려사항

출처:https://fastercapital.com/keyword/digital-executor.html

B가 디지털 코르세어쉽으로 지정되었으므로, 다음과 같은 책임과 권한이 부여될 수 있다. 디지털 자산 및 정보 접근 권한을 가진다. A의 사망 이후, B는 A의 디지털 자산 및 정보에 접근할 수 있는 권한을 가진다. 이는 온라인 계정, 파일, 문서, 사진 등을 포함할 수 있다. 둘째, 디지털 자산 관리를 한다. B는 A의 지시에 따라 디지털 자산을 관리하거나, 삭제, 이전, 보관하는 등의 조치를 취할 수 있다. 이는 중요한 파일 백업, 온라인 계정의 처리, 소셜 미디어 프로필 관리 등을 포함할 수 있다. 셋째, 암호 및 보안 정보 관리를 한다. A가 B에게 중요한 암호, 보안 키, 접근 권한 등을 제공하여 디지털 자산에 접근할 수 있는 키를 전달할 수 있다. 이러한 정보는 안전하게 보관되어야 하며, A가 결정한 명시적인 지시에 따라 사용된다. 넷째, 법적 측면과 유언장을 고려한다. 디지털 코르세어쉽은 법적인 측면을 고려해야 한다. A는 디지털 코르세어쉽을 설정함에 있어 유언장

등의 법적 문서에 명확한 지시를 남겨야 한다. 이러한 설정은 디지털 유산 관리의 일환으로, 개인의 의지와 지시에 따라 사망 이후의 디지털 자산과 정보를 관리하는 중요한 수단이다. 생전에 명확하게 계획하고 문서화하여 이행될 수 있도록 하는 것이 중요하다.

다음은 디지털 코르세어쉽을 지정하는 예시이다. 먼저, A씨는 사망한 후 자신의 소셜 미디어 계정에 부적절한 내용이 포함되어 있는 것을 원하지 않는다. 따라서 A씨는 자신의 친구인 B씨를 디지털 코르세어로 지정하고, B씨에게 A씨의 소셜 미디어 계정을 삭제할 권한을 부여한다.

C씨는 사망한 후 자신의 이메일에 민감한 정보가 유출되는 것을 원하지 않는다. 따라서 C씨는 자신의 가족인 D씨를 디지털 코르세어로 지정하고, D씨에게 C씨의 이메일을 삭제하거나, 해당 정보를 암호화할 권한을 부여한다.

[그림 41] 디지털 죽음

출처: https://fastercapital.com/keyword/digital-executor.html

디지털 죽음과 관련된 윤리적 문제로는 먼저, 개인의 정보에 대한 소유권으로 디지털 세계에 남아 있는 개인의 정보는 개인의 소유권에 속하는 것인지 여부가 논의된다. 둘째, 개인의 정보에 대한 접근 권한에서 디지털 죽음 이후에도 개인의 정보에 대한 접근 권한은 누구에게 부여되어야 하는지 여부가 논의된다. 셋째, 개인의 정보에 대한 보안과 보호에서 디지털 죽음 이후에도 개인의 정보가 안전하게 보호될 수 있는 방법이 무엇인지 여부가 논의된다.

4) 아바타와 페르소나

디지털 유산은 소셜 미디어의 맥락에서 논의된 바 있다. 누군가의 죽음 이후의 데이터는 누가 책임지고, 디지털 사후세계에서 어떻게 그 존재를 감독해야 하는가 등의 문제가 발생한다. 즉, 다양한 형태의 남용이 가능하다. 사망한 개인의 정서적 중요성을 감안할 때, 기업은 이러한 관계와 그와 관련된 감정(예: 죄책감, 그리움, 사랑)을 이용하여 가격을 상승시킬 수 있다. 따라서 관련된 기업들의 관심사와 사업 전략을 성찰하는 것이 중요하다. 사망한 개인만을 위해 데스테크가 사용되는 것이 아니라는 점도 생각해 볼 수 있다.

데스테크는 실제 살아있는 사람을 사망자로 거짓 선언함으로써 사이버 폭력에 악용될 수 있다. 비탄에 빠진 경우, 개인은 과거의 파트너를 디지털 방식으로 업로드하여 실패한 열애를 지속하려고 시도할 수 있다. 사망한 개인의 아바타를 구체적인 진술이나 목표를 위해 도구화하는 것도 가능하며, 이는 사망자의 권리를 보호하는 것이 필요로 인해 사망한 개인의 아바타를 구체적인 진술이나 목표를 위해 도구화하는 것도 가능하며, 이를 위해서는 사망자의 권리 보호가 필요하다.

또한, 데스테크에서는 아바타와 페르소나를 구분한다. 아바타는 사람이 죽기 전에 많은 물질로 풍부하게 구성되어 있어, 고인을 닮았으나 대화 능력은 제한되어 있고 개인적 성장은 미미하다. 반면, 가상의 페르소나는 시간이 지남에 따라 학습하고, 더욱 발전하며, 자신의 환경과 더욱 강하게 상호 작용한다. 살아있는 사람으로 더 쉽게 오인될 수 있다(Savin-Baden/Mason-Robbie, 2020). 이렇게 고인과 강한 유사성은 조작적이고 기만적일 수 있다. 이런 점에서 취약한 집단은 물론 심리적 성향으로 인해 가상 아바타/페르소나를 사망자와 구분하는 데 어려움을 겪을 수 있는 집단도 보호받을 필요가 있다.

예를 들어, 데스테크는 나이에 적합할 필요가 있다. 특정 연령대의 아이들은 매일 밤 잠자리 이야기를 읽어주는 가상의 할머니가 살아있지 않다는 것을 이해하지 못할 것이다. 다양한 형태의 기만이 존재하며, 이들 모두가 반대할 수 있는 것은 아니다. 기만은 근본적으로 사회적 상호 작용의 정상적인 부분이다(Dana-her, 2020). 아이들이 디즈니 캐릭터와 장난감에 속았을 때 덜 신경을 쓴다. 기만은 얼마나 숨겨져 있으며, 그렇게 인식될 수 있는가? 어떤 목적으로 행해지는가? 감정적인 아바타, 예를 들어 우리를 울리고 특정 행동으로 조종하는 인간과 같은 아바타는 문제가 될 수 있다. 교육 및 라벨링 요구와 더불어 처음부터 윤리적 설계가 필요하다

죽음이 데스테크와 관련된 종교적, 문화적 신념과 얽혀 있다는 점은 주목할 만하다. 특히 죽음의 경우 사람들은 종교적 의식(예를 들어 장례식)에 의존하는 경우가 많다. 문화와 종교는 죽음과 비탄에 대처하는 다양한 방식을 확립하며 상당

한 변형을 보여주고 있다. 한편으로 문화적, 종교적 다양성을 존중할 필요가 있다. 다른 한편으로 데스테크는 이러한 다양성을 대변하고 탐구할 수 있는 기회를 제공하며 이해를 위한 새로운 통로를 제공한다(Puzio, Kunkel, & Klinge, 2023). 기독교적 관점에서 사후세계는 구원과 연관되고 신성한 근접성에 의해 특징지어지는 반면, 디지털 세계는 우리 스스로 형성되고 통제되며 현재의 삶에서 이용 가능하고 접근 가능하다. 그러나 다른 종교들은 현재와 현재 고인의 존재에 대해 다른 개념들을 가지고 있다. 예를 들어 신도에서 사물들도 살아 있고 정신을 가질 수 있어 이 종교들에 대한 데스테크에 대해 전혀 다른 해석을 하게 된다. 만일 이러한 가상의 플랫폼에서 디지털 영역에서 비탄 과정이 일어난다면 종교적 사별 지원도 이러한 공간에 도달하는 것이 중요해질 것이다.

플랫폼 E-Memoria(2023)는 묘지를 활기찬 추모 장소로 변화시키기 위해 노력한다. 묘지에 설치된 QR 코드는 정보, 사진 및 고인에 대한 기억이 업로드 될 수 있는 온라인 플랫폼에 대한 접근을 허용한다. 기술을 통해 고별 의식을 위한 다양한 가능성을 만들 수 있다. 차갑고 당당한 묘비로 멀게 느껴질 수 있는 전통적인 묘지에 비해 디지털로 연결된 이러한 매장 장소는 추모와 애도를 위한 활기찬 공간이 될 수 있다.

5) 종교별 죽음관

디지털 죽음은 아직까지 새로운 개념이지만, 앞으로 디지털 기술의 발전에 따라 더욱 중요해질 것으로 예상된다. 따라서 디지털 죽음에 대한 사회적 합의를 이루고, 이를 위한 법과 제도를 마련하는 것이 중요하다.

과거에는 죽음은 자연스럽고 친숙한 관점이었다. 사람들은 죽음을 삶의 자연스러운 한 부분으로 받아들였고, 죽음 이후의 삶에 대해 다양한 믿음을 가지고 있었다. 그러나 현대 사회에서는 죽음이 부자연스럽고 기계적인 것으로 변모했다. 의학의 발달로 죽음의 시점이 연장되고, 죽음의 과정이 의료기관에서 이루어지는 경우가 많아졌다. 또한, 죽음의 원인이 질병이나 사고로 인한 경우, 죽음은 부정적인 의미로 인식되기도 한다.

높은 자살률과 그에 따른 낮은 삶의 질은 죽음관에 왜곡을 가져왔다. 자살은 죽음을 선택하는 행위이기 때문에, 자살률이 높은 사회에서는 죽음이 인위적이고 부정적인 것으로 인식될 수 있다. 또한, 삶의 질이 낮은 사회에서는 죽음이 삶의 해방으로 인식될 수도 있다.

종교별 죽음관은 각 종교의 세계관과 가치관에 따라 달라진다. 불교는 죽음을 오온의 해체로 보며, 죽음과 삶이 연기적 관계에 있다고 믿는다. 따라서 불교에서는 죽음을 극복하기 위해 윤회를 벗어나는 것을 목표로 한다. 유교는 죽음을 자연현상으로 보며, 죽음은 삶을 완성하는 도구로 삼는다. 따라서 유교에서는 죽음을 애도하고, 조상에게 제사를 지내는 등의 전통을 통해 죽음을 의미 있게 받아들이고자 한다.

불교와 유교의 죽음관을 비교하면, 죽음의 본질에 대한 관점에서 불교는 죽음을 오온의 해체로 보며, 유교는 죽음을 자연현상으로 본다. 죽음과 삶의 관계에 대한 관점에서 불교는 죽음과 삶이 연기적 관계에 있다고 믿으며, 유교는 죽음은 삶을 완성하는 도구로 삼는다. 죽음 극복에 대한 관점에서 불교는 윤회를 벗어나는 것을 목표로 하며, 유교는 애도와 제사를 통해 죽음을 의미 있게 받아들이고자 한다.

이렇듯이 현대 사회에서 죽음관은 다양한 요인에 의해 변화하고 있다. 이러한 변화 속에서도 종교는 죽음에 대한 의미를 찾고, 죽음을 바르게 이해하는 데 중요한 역할을 할 수 있다.

현대 사회에서는 의학과 과학의 발달로 죽음의 관리가 이전과는 달라졌다. 연명치료, 장기이식, 존엄사, 안락사 등 다양한 방법을 통해 죽음의 시점을 조절하고, 죽음을 맞이하는 방식을 선택할 수 있게 되었다.

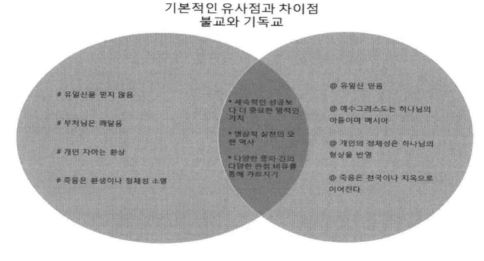

[그림 42] 불교와 기독교

출처: https://fastercapital.com/keyword/digital-executor.html

그러나 이러한 변화는 죽음에 대한 인식에도 변화를 가져왔다. 죽음을 단순히 몸의 부재나 헤어짐으로만 보지 않고, 의료 행위의 대상으로 인식하는 경향이 나타나고 있다. 또한, 죽음은 금전적인 의미로 변질되는 경우도 있다. 장례식의 비용이 증가하고, 장례식 업체의 마케팅이 활발해지면서, 죽음을 하나의 상품으로 인식하는 사람들이 늘어나고 있다.

유교의 죽음관은 내세를 인정하지 않고, 영혼을 부정한다. 따라서 유교에서는 죽음을 자연스러운 현상으로 받아들이고, 죽음을 통해 삶의 의미를 찾고자 한다. 유교의 대표적인 죽음 의례인 제사는 산자와 죽은 자의 만남을 통해 죽음을 의미 있게 받아들이고자 하는 노력의 일환이라고 할 수 있다.

불교의 죽음관은 죽음도 삶도 연기적 관계에 있다고 보며, 죽음은 삶을 완성하는 과정으로 이해한다. 불교에서는 죽음을 통해 윤회에서 벗어나는 것이 목표이며, 이를 위해 인과응보의 도덕적 규범을 실천한다.

기독교의 죽음관은 육체의 죽음과 영혼의 부활에 초점을 맞춘 관점이고, 다른 하나는 죽음 이후에 대한 구원을 강조하는 관점이다. 육체의 죽음과 영혼의 부활에 초점을 맞춘 관점은 성경의 창세기 3장 19절에 나오는 너는 흙이니 흙으로 돌아갈지니라는 말씀을 근거로 한다. 이 말씀은 인간은 육체와 영혼으로 이루어져 있으며, 죽음은 육체의 죽음을 의미하지만, 영혼은 살아남아 하나님께로 돌아간다는 것을 의미한다.

기독교에서 죽음은 단순한 삶의 끝이 아니라 새로운 시작을 의미한다. 육체의 죽음 이후 영혼은 하나님께로 돌아가 영생을 얻게 되며, 이는 구원받은 자의 최종적인 목표이다. 따라서 기독교에서는 죽음을 두려워하거나 슬퍼하기보다는, 구원을 위한 삶을 살아가는 것이 중요하다고 강조한다.

구체적인 죽음관에 대한 내용은 교파에 따라 다소 차이가 있다. 예를 들어, 개신교에서는 죽음 이후의 심판을 강조하는 경향이 있는 반면, 천주교에서는 연옥의 개념을 인정하고 있다. 또한, 정교회에서는 사후의 삶을 중생으로 이해하고, 구원에 이르는 과정으로 보고 있다.

현대 사회에서는 의학의 발달로 죽음의 시점이 연장되고, 죽음의 과정이 의료 기관에서 이루어지는 경우가 많아졌다. 이러한 변화는 죽음에 대한 인식에도 변화를 가져왔다. 기존에는 죽음을 삶의 자연스러운 한 부분으로 받아들이는 경향이 있었지만, 현대 사회에서는 죽음을 두려워하거나 슬퍼하는 경향이 나타나고 있다. 이는 죽음이 단순히 육체의 죽음을 의미하는 것이 아니라, 삶의 의미와 가치를 성찰하는 기회로 인식되기 때문이다.

기독교는 이러한 변화 속에서도 죽음에 대한 의미와 가치를 찾고, 죽음을 바르게 이해하는 데 중요한 역할을 할 수 있다. 기독교의 죽음관은 죽음을 두려워하거나 슬퍼하기보다는, 구원을 위한 삶을 살아가는 것이 중요하다는 것을 강조한다. 또한, 죽음은 단순한 삶의 끝이 아니라 새로운 시작을 의미한다는 것을 알려준다.

먼저, 신앙생활을 통해 하나님과 친밀한 관계를 맺는다. 하나님과 친밀한 관계를 맺으면, 죽음을 두려워하지 않고, 구원에 대한 소망을 갖게 된다. 성경을 통해 하나님의 말씀을 묵상한다. 성경을 통해 하나님의 말씀을 묵상하면, 죽음의 의미와 가치를 깨닫게 된다. 교회 공동체를 통해 다른 사람들과 교제한다. 교회 공동체를 통해 다른 사람들과 교제하면, 죽음을 맞이하는 데 필요한 힘과 위로를 얻을 수 있다.

기독교는 죽음을 단순한 삶의 끝이 아니라 새로운 시작을 의미한다는 것을 알려준다. 육체의 죽음 이후 영혼은 하나님께로 돌아가 영생을 얻게 되며, 이는 구원받은 자의 최종적인 목표이다. 따라서 기독교에서는 죽음을 두려워하거나 슬퍼하기보다는, 구원을 위한 삶을 살아가고, 죽음을 새로운 시작으로 받아들이는 것이 중요하다.

그러므로 현재, 디지털 죽음이라는 개념은 사회적인 관심보다는 물리적인 죽음과 죽음에 집중되어 있다. 사람들은 어떻게 죽음을 맞이할지에 대한 개인적인 결정에 초점을 맞추고 있다. 그러나 이러한 결정은 단순히 개인의 의지에 의해 결정되는 것이 아니며, 사회적, 윤리적, 과학적인 요소들과 연관되어 있다.

사회적인 측면에서, 죽음은 문화적, 종교적, 윤리적 배경에 따라 다양한 의미와 관행을 지니고 있다. 예를 들어, 장례의 형태나 장례식의 의미는 문화에 따라 다르며, 사회적 관습과 관계되어 있다. 또한, 생명의 연장과 관련된 과학기술의 발전은 인간 수명을 연장하고 삶의 질을 향상시킬 수 있는 가능성을 제공하지만, 이는 죽음과의 관계에서 사회적 논쟁을 불러일으킬 수 있다.

사회적 혜택이나 사회적 이익을 고려할 때, 누가 언제, 어떻게 죽을지에 대한 사회적 결정이 개인적 결정보다 더 중요하게 여겨질 수 있다. 예를 들어, 의료기술의 발전으로 인해 생명을 연장하는 것이 사회적 자원에 대한 부담을 야기할 수 있으며, 이는 누가 어떤 종류의 의료 치료를 받을지 결정하는 데 영향을 미칠 수 있다. 이러한 사회적 고려사항은 죽음과 삶의 연장에 대한 윤리적, 정책적 논의를 초래할 수 있다.

결론적으로, 디지털 죽음은 개인의 생명과 사회적, 과학적 문제들 사이의 복잡한 관계를 논의하는 데 중요한 요소로 간주될 수 있다. 개인적인 결정뿐만 아니라 사회적 이익과 윤리적 고려사항을 고려하는 데 있어서 죽음의 관점은 다양한 측면을 고려해야 할 필요가 있다.

Ⅱ. 미래 기술

미래 기술은 우리 삶을 크게 변화시킬 잠재력을 가지고 있다. 미래 기술로는 인공 지능, 인공지능 기반 로봇 공학, 나노 유전공학 기술, Disease X, 핵융합로, 가상자산과 배출가스 규제, 메타 버스와 가상현실, 유전자 편집기술, 디지털 헬스와 3D 프린팅 등 다양한 미래 기술은 우리의 일상, 직업, 사회를 근본적으로 바꿀 것으로 예상된다.

미래 기술은 서로 다른 기술이 결합하여 새로운 기술을 창출하는 경향이 있다. 예를 들어, 인공 지능과 로봇 공학은 결합하여 자율주행 자동차와 같은 새로운 제품과 서비스를 탄생시킬 것이다. 미래 기술은 점점 더 지능화되며, 인공 지능은 우리의 일상 생활에 더욱 깊이 침투하여, 우리의 삶을 보다 편리하고 효율적으로 만들어줄 것이다. 미래 기술은 점점 더 개인화되며, 빅 데이터와 인공 지능을 활용하여 우리의 개인적인 필요와 요구에 맞춤화된 제품과 서비스를 제공할 것이다.

기회 측면에서 보면, 미래 기술은 우리의 삶을 보다 편리하고 풍요롭게 만들어줄 수 있다.

첫째, AI(인공지능) 기술의 발전은 다양한 산업 분야에서 혁신을 이끌고 있다. 자동화, 예측 분석, 자율 주행 등의 영역에서 인공지능은 더욱 중요한 역할을 할 것으로 예상한다. 또한, 인공 지능은 우리 삶의 모든 영역에 영향을 미칠 잠재력을 가지고 있다. 의료, 제조, 운송, 교육 등 다양한 분야에서 활용되어, 우리의 삶을 보다 편리하고 효율적으로 만들어줄 것이다. 인공 지능은 인간의 지능을 뛰어넘는 초지능을 달성할 것으로 예상되며, 초지능은 인간이 할 수 없는 일을 할 수 있을 것이며, 사회 전반에 걸쳐 큰 변화를 가져올 것이다. 예를 들어, 초지능은 질병을 치료하고, 환경 문제를 해결하고, 새로운 예술 작품을 창작하는 등의 일을 할 수 있을 것이다.

또한, 인공 지능은 다른 기술과 융합하여 더욱 강력한 힘을 발휘할 것으로 예상된다. 예를 들어, 인공 지능과 로봇 공학은 결합하여 자율주행 자동차, 로봇 의사 등 새로운 제품과 서비스를 탄생시킬 것이다. 인공 지능은 개인의 필요와 요구에 맞춤화된 서비스를 제공할 것으로 예상된다. 예를 들어, 인공 지능은 개인의 건강 상태를 관리하고, 개인의 학습 성향을 분석하여 맞춤형 교육을 제공할 것이다. 그러나 미래의 인공지능은 우리에게 새로운 도전과 과제도 제공한다. 예를 들어, 인공 지능의 발전으로 인해 일자리 감소가 발생할 수 있고, 인공 지능의 윤리적 문제와 사회적 갈등이 야기될 수도 있다. 이러한 기회와 도전을 잘 활용하여, 미래 사회를 보다 지속 가능하고 공정한 사회로 만들어야 할 것이다.

둘째, 탄소 중립으로 기후 변화 문제의 심각성으로 인해 기업들은 탄소 배출을 줄이고 친환경적인 사업 모델을 채택하는 것이 필수적이다. 탄소 중립을 향한 노력은 기업의 사회적 책임을 강조하는 중요한 요소가 된다. 화석 연료에서 재생에너지로의 전환이 가속화될 것이다. 재생 에너지는 태양광, 풍력, 수력, 지열 등과 같은 자연에서 얻을 수 있는 에너지이며, 온실 가스를 배출하지 않기 때문에, 탄소 중립을 달성하기 위한 핵심 수단이다. 또한, 에너지 사용 효율성이 향상될 것이다. 에너지 효율성은 에너지를 사용하면서 생산되는 결과물의 양을 의미한다. 에너지 효율성이 향상되면, 같은 양의 에너지를 사용하면서 더 많은 결과물을 생산할 수 있기 때문에, 탄소 중립을 달성하는 데 도움이 된다. 그리고 탄소 포집 및 저장 기술은 대기 중의 이산화탄소를 포집하여 저장하는 기술이다. 탄소 포집 및 저장 기술은 화석 연료 사용을 완전히 중단하기 어려운 상황에서 탄소 중립을 달성하기 위한 중요한 수단이 될 수 있다.

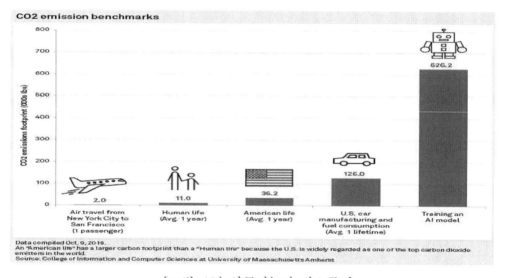

[그림 43] 인공지능과 탄소중립

출처: https://www.spglobal.com/marketintelligence

미래의 탄소 중립은 우리 삶에 다양한 기회와 도전을 제공할 것이다. 기회 측면에서 보면, 탄소 중립은 지구 온난화와 기후 변화를 막고, 지속 가능한 사회를 만드는 데 도움이 될 것이다. 또한, 탄소 중립을 달성하기 위한 과정에서 새로운 기술과 산업이 발전할 것이다. 그러나 미래의 탄소 중립은 탄소 중립을 달성하기 위해서는 막대한 비용이 소요될 수 있고, 일자리 감소가 발생할 수도 있고, 탄소 중립을 달성하기 위한 정책은 사회 갈등을 야기할 수도 있다. 우리에게 이런 새로운 도전과 과제도 제공할 것이다.

셋째, 3D 프린팅으로 3D 프린팅은 3차원 물체를 만드는 데 사용되는 제조 기술이며, 이 기술은 컴퓨터 모델을 사용하여 재료를 층층이 쌓아서 물체를 만든다. 3D 프린팅은 다양한 재료를 사용하여 다양한 종류의 물체를 만들 수 있고, 일반적으로 사용되는 재료에는 플라스틱, 금속, 석재, 유리 등이 있다. 3D 프린팅은 제조, 의료, 교육 등 다양한 분야에서 사용되며, 제조 분야에서는 맞춤형 제품, 소형 부품, 복잡한 구조의 제품 등을 생산하는 데 사용된다. 의료 분야에서는 인체 조직, 수술용 의료기기 등을 제작하는 데 사용되며, 교육 분야에서는 학생들이 3D 모델링과 제조 기술을 배우는 데 사용된다.

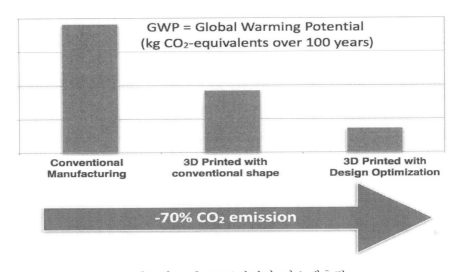

[그림 44] 3D프린팅과 탄소배출량

출처: https://aidro.it/sustainability-service/

미래에는 3D 프린팅 속도가 더욱 빨라질 것이고, 3D 프린팅 속도가 빨라지면, 생산 시간이 단축되고, 생산 비용이 절감될 것이다. 예를 들면, 의료 분야에서 3D 프린팅을 활용한 수술용 의료기기의 제작이 더욱 활발해질 것이다. 또한, 제조 분야에서 3D 프린팅을 활용한 맞춤형 제품의 생산이 더욱 확대될 것이다.

또한, 3D 프린팅의 정밀도가 더욱 높아질 것이며, 이로 인해 복잡한 구조의 제품을 제작할 수 있고, 제품의 품질이 향상될 것이다. 예를 들면, 자동차, 항공기 등과 같은 고부가가치 제품의 제작이 더욱 용이해질 것이고, 또한, 의료 분야에서 3D 프린팅을 활용한 인체 조직의 제작이 더욱 발전할 것이다.

그리고 3D 프린팅으로 제작할 수 있는 제품의 종류가 더욱 다양해질 것이다.

3D 프린팅의 다양화가 진행되면, 다양한 분야에서 3D 프린팅이 활용될 것이다. 예를 들면, 제품의 종류가 다양해지면, 3D 프린팅이 예술, 패션, 디자인 등과 같은 분야에서도 더욱 활발하게 활용될 것이고, 또한, 3D 프린팅을 활용한 새로운 산업이 창출될 수도 있다.

그러나 미래의 3D 프린팅은 예를 들어, 3D 프린팅 기술이 발전함에 따라, 3D 프린터의 보급이 확대될 수 있고, 이를 악용한 불법 제조가 증가할 수도 있고, 또한, 3D 프린팅으로 제작된 제품의 안전성 문제가 제기될 수도 있다.

넷째, Disease X 기술로 Disease X는 세계보건기구(WHO)에서 제시한 미래의 전염병 유행 가능성을 나타내는 플레이스 홀더[17] 이름이다. Disease X는 실제 존재하는 질병이 아니며, 아직 발견되지 않은 미지의 바이러스나 기타 병원체에 의해 발생할 수 있는 전염병을 가리킨다. WHO는 Disease X에 대한 정의를 보면, Disease X는 현재 알려지지 않은 또는 예상되지 않은 질병을 나타내는 자리 표시자 이름으로 이러한 질병은 야생 동물에서 유래하거나 이미 인간에게 알려져 있는 질병의 새로운 변종일 수 있다.

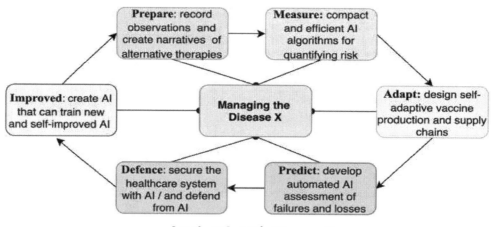

[그림 45] AI와 Disease X

출처: Radanliev, et al. 2022.

WHO는 Disease X를 포함한 우선순위 질병에 대한 연구를 지원하고 있고, 이러한 연구는 새로운 병원체의 특성, 전파 경로, 치료법 등을 밝히는 데 도움이

---

17) 플레이스 홀더(placeholder)는 디자인에서 사용되는 용어로, 아직 내용이 결정되지 않은 입력 필드에 임시로 표시되는 내용을 의미한다. 플레이스 홀더는 사용자에게 입력 필드의 용도를 알려주고, 입력할 내용을 유추하도록 도와주는 역할을 한다. 또한, 입력 필드가 비어 있는 상태를 방지하여 시각적으로 안정감을 주는 효과도 있다.

된다. 또한, WHO는 전염병 감시 체계를 강화하여, 새로운 전염병의 발생을 조기에 발견하고 대응할 수 있도록 노력하고 있다. 이러한 감시 체계는 새로운 병원체의 출현을 빠르게 파악하고, 전파를 차단하기 위한 조치를 취하는 데 도움이 된다. 그리고 WHO는 국제 협력을 강화하여, Disease X에 대한 대응력을 높이기 위해 노력하고 있다. 이러한 협력은 새로운 병원체의 출현 시, 각국이 공동으로 대응하는 데 도움이 된다.

Disease X는 아직 발생하지 않았지만, 언제든지 발생할 수 있는 잠재적 위협으로 Disease X에 대비하기 위해 노력하고 있지만, Disease X의 발생을 완전히 예방하는 것은 불가능하다. 따라서 Disease X에 대한 경각심을 가지고, 전 세계적으로 협력하여 Disease X의 발생에 대응할 수 있는 준비를 해야 한다.

새로운 병원체의 출현을 조기에 발견하기 위해서는 신속 진단 기술이 중요하며, 신속 진단 기술은 기존의 검사보다 빠르고 간편하게 검사를 수행할 수 있어, 새로운 병원체의 출현을 빠르게 파악하는 데 도움이 된다. 새로운 병원체에 대한 백신이나 치료제는 기존의 백신이나 치료제와 달리, 개인의 유전적 특성을 고려하여 개발될 필요가 있다. 이러한 개인 맞춤형 백신 및 치료제는 기존의 백신이나 치료제보다 효과적이고 안전할 것으로 기대된다. 인공지능은 방대한 데이터를 빠르고 효율적으로 분석할 수 있는 능력을 가지고 있어 이러한 인공지능 기술을 활용하여, 전염병의 발생 및 확산을 모니터링하고, 예측할 수 있다.

다섯째, 핵융합로(nuclear fusion reactor)는 핵융합 반응을 이용하여 전력을 생산하는 장치를 말한다. 핵융합 반응은 두 개의 원자핵이 합쳐져 하나의 무거운 원자핵으로 바뀌는 반응으로, 이 과정에서 질량 결손이 발생하여 엄청난 에너지가 방출된다. 즉, 고진공 용기 안에 중수소와 삼중수소를 주입하고, 고온과 고압 상태로 가열하여 플라즈마 상태로 만들고, 플라즈마 상태의 중수소와 삼중수소를 자기장으로 가두어 핵융합 반응을 일으켜서 핵융합 반응으로 발생한 에너지를 전기로 변환하는 과정이다.

무한한 연료 공급이 가능하며, 중수소는 바닷물에 풍부하게 존재하며, 삼중수소는 리튬을 이용하여 생산할 수 있다. 폐기물이 적으며, 핵융합 반응의 폐기물은 핵분열 반응의 폐기물에 비해 양이 적고, 생성 기간도 짧다. 환경 친화적이며, 핵융합 반응은 온실 가스를 배출하지 않는다. 그러나 핵융합 반응을 안정적으로 유지하기 어렵다. 플라즈마는 고온과 고압 상태에서 안정적으로 유지되기 어렵기 때문에, 핵융합 반응을 안정적으로 유지하기 위해서는 고도의 기술이 필요하다. 건설 비용이 많이 든다.핵융합로는 대규모의 시설이 필요하기 때문에, 건설 비용이 많이 든다.

핵융합로는 아직까지 실용화되지 않은 기술이지만, 무한한 연료 공급과 환경 친화성 등의 장점으로 인해 미래의 에너지원으로 주목받고 있다. 현재 핵융합로는 미국, 유럽, 일본, 중국 등에서 연구 개발이 활발히 이루어지고 있다. 미국에서는 ITER(International Thermonuclear Experimental Reactor) 프로젝트를 통해 2025년까지 실증 핵융합로를 건설할 계획이며, 유럽에서는 JET(Joint European Torus) 프로젝트를 통해 핵융합 반응을 안정적으로 유지하는 기술을 개발하고 있다. 일본에서는 JT-60SA 프로젝트를 통해 핵융합 반응의 효율을 높이는 기술을 개발하고 있다. 중국에서는 CFETR(China Fusion Engineering Test Reactor) 프로젝트를 통해 핵융합로의 핵심 기술을 개발하고 있다.

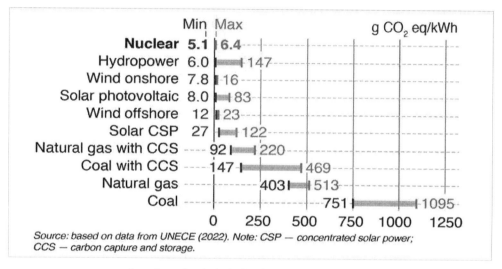

[그림 46] 전기발전 기술과 온실가스 배출

출처: https://www.iaca.org

여섯째, 메타버스(Metaverse)는 초월을 의미하는 메타(meta)와 세계를 의미하는 유니버스(universe)의 합성어로, 현실과 가상의 세계가 연결된 3차원 가상 세계를 의미한다. 메타버스에서는 현실의 사람들이 가상의 아바타를 통해 소통하고, 게임, 업무, 교육, 쇼핑 등 다양한 활동을 할 수 있다. 반면에 가상현실(Virtual Reality, VR)은 컴퓨터 시스템 등을 사용해 인공적인 기술로 만들어 낸, 실제와 유사하지만, 실제가 아닌 어떤 특정한 환경이나 상황 혹은 그 기술 자체를 의미한다.

메타버스와 가상현실은 모두 현실과 가상의 경계를 허무는 기술이지만, 그 개념과 구현 방식에는 차이가 있다. 먼저, 메타버스는 현실의 사람들이 가상의 아바타를 통해 게임, 업무 및 교육을 하는 것처럼 현실과 가상의 세계가 연결된 3차원 가상 세계를 의미한다. 메타버스에서는 가상의 아바타를 통해 다른 사람들과 소통하고, 협력하여 게임을 즐길 수 있고, 또한, 가상의 세계에서 새로운 경험을 할 수도 있다. 메타버스의 대표적인 예로는 로블록스, 포트나이트, 제페토 등이 있으며, 현실에서는 불가능한 비행을 하거나, 다른 나라의 문화를 체험할 수도 있다.

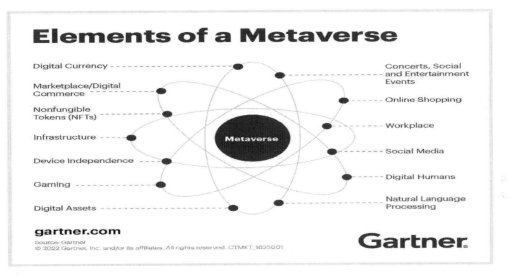

[그림 47] 메타버스의 요소

출처: https://www.gartner.co.uk

가상현실은 현실과 구분되는 독립된 가상의 세계를 의미한다. 가상현실에서는 사용자는 가상현실 기기를 착용하여 가상의 세계에 몰입할 수 있기 때문에, 현실에서는 느낄 수 없는 생생한 경험을 할 수 있다. 또한, 가상현실 기기를 활용하여 교육이나 쇼핑 등 다양한 분야에서 새로운 경험을 할 수 있다. 가상현실의 대표적인 예로는 VR 게임, VR 교육, VR 쇼핑 등이 있고, 가상현실 기기를 활용하여 화학 실험을 배울 수도 있고, 가상의 매장에서 옷을 입어볼 수도 있다.

가상현실은 크게 시각 기반 가상현실(Vision-Based VR)과 전체 몰입형 가상현실(immersive VR))로 구분한다. 시각 기반 가상현실은 사용자의 시각만을 가상 세계에 몰입시키는 기술이다. 시각 기반 가상현실의 대표적인 장치로는 가상현실 헤드셋이 있고, 가상현실 헤드셋을 착용하면, 사용자가 보는 모든 것이 가상 세계로 바뀐다. 전체 몰입형 가상현실은 사용자의 시각, 청각, 촉각, 후각, 미각 등 모든 감각을 가상 세계에 몰입시키는 기술이다. 전체 몰입형 가상현실의 대표적인 장치로는 햅틱(haptic) 장치[18]가 있다. 햅틱 장치는 사용자가 가상 세계에서 물체를 만지는 느낌을 전달해주는 장치이다.

메타버스와 가상현실은 아직까지 초기 단계에 있지만, 그 잠재력은 매우 높다. 앞으로 메타버스와 가상현실이 더욱 발전한다면, 우리의 삶을 크게 변화시킬 수 있을 것으로 기대된다.

일곱째, 유전자 편집기술 또는 유전체 편집(genome editing)으로 유전자 편집 기술은 세포의 DNA를 원하는 대로 바꾸는 기술이다. 유전체 편집 또는 조작된 핵산분해효소를 이용한 유전체 편집(genome editing with engineered nuclease, genome engineering)은 인공적으로 조작된 핵산분해효소 혹은 유전자 가위를 이용해 유전체로부터 DNA가 삽입, 대체 혹은 결실되는 유전공학의 일종이다.

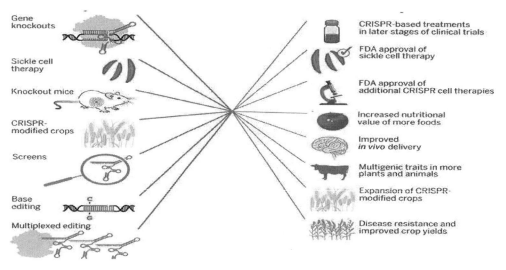

[그림 48] 유전체 편집

출처: https://www.science.org/doi/10.1126/science.add8643

핵산분해효소는 유전체 상의 원하는 위치에 특정한 이중가닥절단 (double-stranded break, DSB)을 일으키게 되고, 그 절단은 세포의 자체적인 기작에 의해 상동재조합(homologous recombination, HR) 또는 비상동 말단연결 (non-homologous end joining, NHEJ)의 방식으로 수선된다. 최근 주로 이용되고 있는 조작된 핵산분해효소는 크게 4가지로 ZFNs(zinc finger nucleases), TALENs (transcription activator-like effector nucleases), the CRISPR/Cas system과 메가핵산분해효소(meganucleases)가 있다.

---

18) 햅틱 기술(haptic)은 사용자에게 힘, 진동, 모션을 적용함으로써 터치의 느낌을 구현하는 기술이다. 즉, 컴퓨터의 기능 가운데 사용자의 입력 장치인 키보드, 마우스, 조이스틱, 터치 스크린에서 힘과 운동감을 촉각을 통해 느끼게 한다. 햅틱 폰과 비디오 게임기 컨트롤러 등에 사용된다.

크리스퍼-카스9(CRISPR-Cas9) 기술이 개발되면서 유전자 편집 기술은 급속도로 발전하고 있다. 이 편집 기술은 유전 질환의 원인이 되는 유전자를 교정하여 질병을 치료하는 데 활용될 수 있다. 예를 들어, 겸상 적혈구병, 혈우병, 낭포성 섬유증 등은 유전 질환으로, 유전자 편집 기술을 통해 치료될 수 있다. 또한, 이 기술을 활용하여, 영양가가 높거나 병충해에 강한 작물을 개발할 수 있다. 또한, 동물의 성장 속도를 높이거나 육질을 개선할 수 있다. 환경 오염을 줄이거나 기후 변화에 대응할 수 있다. 예를 들어, 유전자 편집 기술을 활용하여, 탄소를 흡수하는 식물을 개발하거나, 환경 오염 물질을 분해하는 미생물을 개발할 수 있다.

유전자 편집 기술의 전망은 밝지만, 윤리적 문제도 함께 제기되고 있다. 유전자 편집 기술을 활용하여, 인간의 능력을 향상시키거나, 원하는 유전자를 가진 인간을 탄생시킬 수 있다는 우려가 있다. 또한, 유전자 편집 기술이 남용될 경우, 인종 차별이나 사회적 불평등을 심화시킬 수 있다는 우려도 있다. 그러므로 유전자 편집 기술이 안전하고 윤리적으로 사용되기 위해서는 사회적 합의가 필요하며, 유전자 편집 기술의 개발과 활용에 대한 논의를 활발하게 진행하고, 사회적 합의를 이루어 나가야 한다.

여덟째, 디지털 헬스로 정의를 보면, 산업통상자원부는 디지털 헬스를 정보통신기술(ICT)을 활용하여 고도화된 환자 맞춤 의료 서비스와 환자·일반인의 건강을 증진시키기 위한 건강관리 제품·서비스를 제공하는 산업으로 정의하고, 세계보건기구(WHO)는 디지털 헬스를 건강 증진, 질병 예방, 질병 진단, 치료, 돌봄 및 보건 관리의 모든 측면에서 정보와 통신 기술(ICT)을 사용하는 것으로 정의하고 있다.

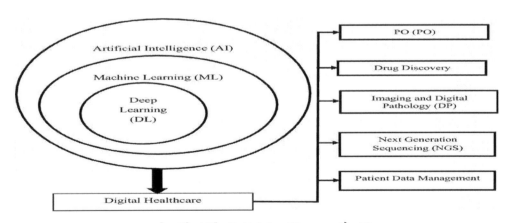

[그림 49] digital healthcare 와 AI

출처: Shastry, K Aditya & Sanjay, H.. (2022).

디지털 헬스(디지털 헬스케어)는 개인의 건강과 의료에 관한 정보, 기기, 시스템, 플랫폼을 다루는 산업 분야로서 건강관련 서비스와 의료 IT가 융합된 종합 의료서비스이다. 그리고 개인 맞춤형 건강 관리서비스를 제공, 개인이 소유한 휴대형, 착용형 기기나 클라우드병원 정보시스템 등에서 확보된 생활 습관, 신체검진, 의료이용정보, 인공지능, 가상현실, 유전체 정보 등의 분석을 바탕으로 제공되는 개인중심의 건강관리 생태계이다.

디지털 헬스케어는 데이터 기반으로 질병 예방과 더불어 전반적인 건강관리 서비스 분야로 확장되고 있으며 굉장히 빠른 속도로 성장하고 있다. 미래 헬스케어의 핵심기술로는 빅데이터, 인공지능, 가상현실, 정밀의료, 유전체분석, 재생의료 등이 거론되고 있다. 아직까지는 다양한 분야에서 기존의 규제, 기술 문제로 인해 활용이 더디지만, 가까운 미래에는 규제가 개선되고 기술이 보다 발전함으로써 예측의학, 맞춤의학이 의료의 핵심영역으로 자리잡게 될 것으로 보인다.

주요 분야로는 디지털 헬스는 ICT를 활용하여 건강 관리 및 의료 서비스를 제공할 것이다. 예를 들어, 모바일 헬스 앱을 통해 환자는 자신의 건강 상태를 모니터링하고, 의사는 원격으로 환자를 진료할 수 있다. 또한, 디지털 헬스는 데이터 기반의 개인 맞춤형 서비스를 제공할 것이다. 예를 들어, 빅데이터를 분석하여 환자의 질병 위험을 예측하거나, 환자의 건강 상태에 맞는 치료 계획을 수립할 수 있다. 그리고 디지털 헬스는 장소와 시간에 구애받지 않는 서비스를 제공한다. 예를 들어, 환자는 모바일 헬스 앱을 통해 언제 어디서나 자신의 건강 상태를 모니터링할 수 있다. 디지털 헬스는 아직까지 초기 단계에 있지만, 그 잠재력은 매우 높다. 앞으로 디지털 헬스 기술이 더욱 발전한다면, 헬스케어 산업과 환자의 삶을 크게 변화시킬 수 있을 것으로 기대된다.

아홉째, 가상자산과 배출가스 규제로 가상자산은 블록체인 기술을 기반으로 만들어진 디지털 자산으로, 화폐, 투자, 자산의 다양한 목적으로 사용되고 있다. 가상자산은 기존의 화폐와 달리, 중앙은행의 통제 없이 발행되고 거래되기 때문에, 높은 투명성과 효율성을 특징으로 한다. 그러나 가상자산의 채굴 과정에서 발생하는 전력 소비와 탄소 배출은 환경 문제로 지적되고 있다. 가상자산 채굴은 컴퓨터를 사용하여 복잡한 수학 문제를 풀어 블록을 생성하는 방식으로 이루어지는데, 이 과정에서 많은 전력이 소모된다. 또한, 국제에너지기구(IEA)에 따르면, 전 세계 가상자산 채굴의 전력 소비량은 2021년 기준으로 약 200TWh로, 이는 스페인의 연간 전력 소비량에 해당하는 수준이다. 또한, 가상자산 채굴은 약 100만 톤의 탄소를 배출하는 것으로 추정된다.

이러한 환경 문제를 해결하기 위해, 각국 정부와 국제기구는 가상자산 채굴에 대한 규제를 강화하고 있다. 중국은 2021년 5월부터 가상자산 채굴을 전면 금지했으며, 미국은 2022년 6월, 가상자산 채굴에 대한 연방 규제를 마련하기 위한 법안을 발의했다. 유럽연합(EU)은 2022년 7월, 가상자산 채굴에 대한 탄소 배출량 상한제를 도입하기로 결정했다. 영국과 한국19) 등도 가상자산 채굴에 대한 규제 강화를 검토하고 있다.

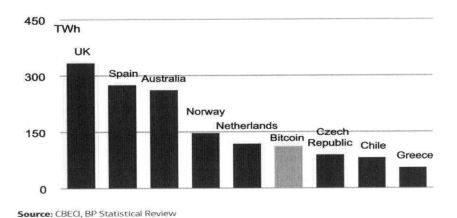

[그림 50] 비트코인 탄소소비량

출처: https://fortune.com/2021/05/13/

가상자산 채굴에 대한 규제는 크게 두 가지 방식으로 이루어지고 있다. 하나는 가상자산 채굴에 사용되는 전력의 원천과 효율성을 규제하는 것이다. 예를 들어, 재생에너지 사용을 의무화하거나, 전력 효율 기준을 강화하는 등의 방식이 있다. 다른 하나는 가상자산 채굴에 대한 허가제를 도입하는 것이다. 허가제를 도입하면, 정부가 가상자산 채굴 업체의 환경 영향을 평가하고, 적합한 업체에만 채굴을 허가할 수 있다.

그러나 가상자산 채굴에 대한 규제는 가상자산 산업의 발전을 저해할 수 있다는 우려도 있지만, 환경 오염과 기후 변화에 대한 우려를 해소하기 위해서는, 가상자산 채굴에 대한 합리적인 규제가 필요하다는 의견이 지배적이다. 가상자산 채굴에 대한 규제는 아직까지 초기 단계에 있지만, 앞으로 더욱 강화될 것으로 예상된다. 가상자산이 환경 문제와의 조화를 이루며 지속 가능한 발전을 위해서는, 가상자산 채굴에 대한 기술적, 정책적 노력이 필요하다.

이런 미래 기술들은 우리에게 다양한 기회와 도전을 제공한다. 우리는 이러한 기회와 도전을 잘 활용하여, 미래 사회를 보다 지속 가능하고 공정한 사회로 만들어야 한다.

---

19) 2023년 8월, 국회는 가상자산 채굴에 대한 탄소 배출량 상한제를 도입하는 내용의 법안을 통과시켰다.

1. AI (인공지능)

인공지능 기술의 발전은 다양한 산업 분야에서 혁신을 이끌고 있다. 자동화, 예측 분석, 자율 주행 등의 영역에서 인공지능은 더욱 중요한 역할을 할 것으로 예상한다. AI 기술의 발전은 다양한 산업 분야에 혁신을 가져오고 있다. 특히, 생산성 향상, 새로운 시장 창출, 비용 절감 등의 경제적 파급 효과와 삶의 질 향상, 사회 문제 해결, 일자리 변화 등의 사회적 파급 효과의 긍정적인 면과 AI의 편향성, AI의 악용 가능성, AI에 의한 실업 등의 윤리적 파급 효과 등이 발생할 수 있다. 이에 따라 여러 분야에서의 예상되는 긍정과 부정적인 영향을 살펴볼 수 있다.

1) 자동화된 생산 시스템

제조업에서는 AI가 생산 과정을 자동화하고 최적화하는 데 활용된다. 자동화된 생산 시스템은 생산성을 향상시키고 비용을 절감하는 데 도움이 된다. 자동화된 생산 시스템은 제조업에서의 다양한 과정을 자동화하고 최적화하여 생산성과 효율성을 향상시키는 데 중요한 역할을 한다. 예를 들어 자동화된 제조 시스템이 어떻게 작동하는지 살펴보면, 다음과 같다.

먼저 로봇화와 자동화 설비로, 로봇과 자동화 설비는 제조업에서 특히 중요한 역할을 한다. 로봇은 반복적이고 노동 집약적인 작업을 수행하고, 자동화 설비는 생산 라인을 관리하고 제어한다. 예를 들어 자동차 조립 라인에서 로봇은 차체 부품을 조립하거나 용접하는 작업을 수행할 수 있다. 둘째, IoT (사물인터넷) 및 센서 기술로, 제조업에서는 IoT 기기와 센서가 사용되어 생산 프로세스를 실시간으로 모니터링하고 데이터를 수집한다. 이 데이터는 생산 프로세스를 최적화하고 유지보수 스케줄을 개선하는 데 사용한다. 예를 들어 센서는 기계의 작동 상태를 모니터링하고 필요할 때 예방 정비를 수행할 수 있도록 도와준다. 셋째, 머신 러닝 및 예측 분석으로, 머신 러닝 및 예측 분석은 생산 데이터를 분석하여 불량률을 줄이고 장애 예측을 수행하는 데 사용된다. 예를 들어, 머신 러닝 알고리즘은 생산 라인에서의 문제를 사전에 감지하고 예측하여 생산 중단을 최소화한다. 넷째, 자동 창고 및 물류 시스템으로 자동화된 생산은 물류 및 창고 시스템과도 밀접하게 연관되어 있다. 로봇 및 자동화 장비를 사용하여 제품의 저장, 이동 및 출하 과정을 자동화하고 최적화한다. 이로써 재고 관리 및 주문 처리가 효율적으로 이루어진다. 다섯째, 유연한 생산 라인으로 자동화된 생산 시스템은 유연성을 제공하여 제품 라인을 쉽게 변경하고 새로운 제품을 도입할 수 있다.

이로써 기업은 시장 변화에 대응하고 다양한 제품을 생산할 수 있다.

자동화된 생산 시스템은 제조업에서 생산성을 향상시키고 경쟁력을 강화하는 데 중요한 역할을 한다. 이를 통해 기업은 더 효율적이고 경제적인 생산 프로세스를 구축할 수 있으며, 제품 품질을 향상시킬 수 있다.

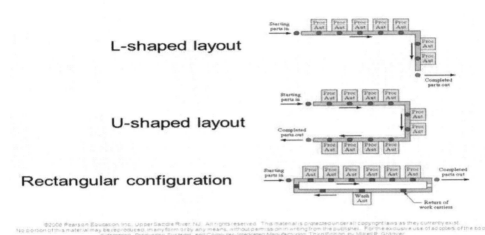

[그림 51] 분절 인라인 시스템

출처: Groover(2008)

2) 예측 분석 및 패턴 인식

AI는 데이터를 분석하여 패턴을 식별하고 향후 동향을 예측하는 데 사용된다. 이를 통해 기업은 비즈니스 전략을 개선하고 의사 결정을 지원받을 수 있다. 예측 분석 및 패턴 인식은 AI가 데이터를 분석하여 향후 동향을 예측하고 비즈니스 전략을 개선하는 데 사용되는 중요한 기술이다. 이를 통해 기업은 다양한 분야에서 다음과 같은 방식으로 이점을 얻을 수 있다.

먼저, 맞춤형 마케팅 전략으로 고객의 구매 패턴과 행동을 분석하여 맞춤형 마케팅 전략을 수립할 수 있다. 예를 들어, 고객의 선호도에 따라 제품을 추천하거나 적절한 타이밍에 타겟팅된 광고를 전달할 수 있다. 둘째, 재고 및 수요 예측으로 패턴 인식과 예측 분석은 제품 수요와 재고를 관리하는 데 도움이 된다. 이를 통해 기업은 제품 생산과 유통을 최적화하고 비용을 절감할 수 있다. 셋째, 금융 시장 예측으로 금융 기관은 AI를 활용하여 주식 시장 및 금융 시장의 변동성을 예측할 수 있다. 이를 통해 투자 결정을 지원하고 리스크를 관리할 수 있다. 넷째, 고객 서비스 개선으로, 고객의 불만이나 요구 사항을 미리 예측하여 고객 서비스를 개선할 수 있다. 이를 통해 고객 만족도를 높이고 충성도를 향상시킬 수 있다. 다섯째, 제조 및 생산 최적화로, 생산 과정의 데이터를 분석하여 생산량을 예측하고 생산 라인을 최적화할 수 있다. 이를 통해 생산 효율성을 향상시키고 생산 비용을 절감할 수 있다.

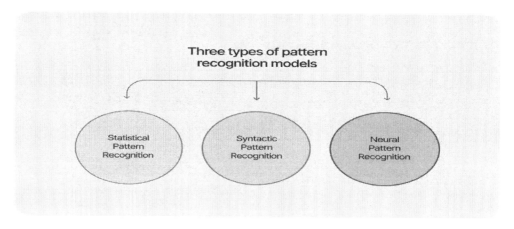

[그림 52] 패턴 인식

출처: v7labs

위와 같이 AI를 활용한 예측 분석과 패턴 인식은 기업이 더 빠르고 효과적으로 의사 결정을 내리고 비즈니스 전략을 개선할 수 있도록 도와준다.

3) 자율 주행 기술

운송 및 운송 관련 산업에서는 AI가 자율 주행 차량 및 드론과 같은 기술의 발전에 중요한 역할을 한다. 이는 운송의 효율성을 높이고 안전성을 향상시킨다. 자율 주행 기술은 운송 및 운송 관련 산업에서의 혁신과 발전을 이끌어내고 있다. 이를 통해 운송의 효율성과 안전성을 개선할 수 있다.

먼저, 자율 주행 차량으로 자율 주행 차량은 센서와 AI 기술을 사용하여 도로에서 안전하고 자율적으로 운전할 수 있다. 예를 들어, 자율 주행 기술은 운전자의 주행 습관을 분석하고 교통 상황을 예측하여 사고를 방지하고 교통 체증을 완화할 수 있다. 둘째, 자율 드론으로 자율 드론은 배송 및 물류 산업에서 사용되어 제품 및 물품을 자동으로 운반하고 배송할 수 있다. 예를 들어, 자율 드론은 긴 배송 시간을 단축하고 배송 비용을 절감하는 데 도움이 된다. 셋째, 무인 항공기로, 무인 항공기는 항공 운송 및 인프라 감시에 사용될 수 있다. 이는 인력을 절감하고 위험 요소를 감소시키며, 효율적인 운송 시스템을 구축하는 데 도움이 된다.

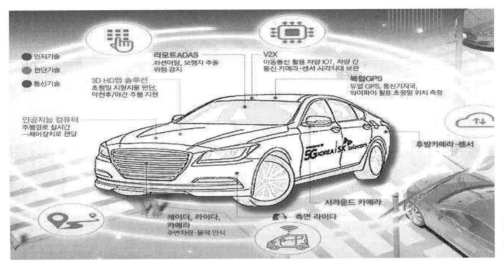

[그림 53] 자율 주행

출처: 서울신문

넷째, 스마트 시티 인프라로, 자율 주행 기술은 스마트 시티 인프라를 구현하는 데 중요한 역할을 한다. 이를 통해 교통 혼잡을 완화하고 환경 친화적인 교통 시스템을 구축할 수 있다. 다섯째, 운송 안전성 향상으로 자율 주행 기술은 운송의 안전성을 향상시키는 데 도움이 된다. 센서와 AI 기술은 주변 환경을 모니터링하고 위험을 감지하여 사고를 예방하는 데 중요한 역할을 한다.

이처럼 자율 주행 기술은 운송 산업을 혁신시키고 효율성을 높이는 데 중요한 역할을 한다. 이를 통해 운송 시스템은 보다 안전하고 효율적으로 운영될 수 있으며, 환경 문제에 대한 해결책을 제공할 수 있다.

4) 의료 진단 및 치료

의료 분야에서 AI는 의료 이미지 분석, 질병 진단 및 치료 방법에 활용된다. AI를 통해 정확한 진단이나 개인 맞춤형 치료 방법을 제공할 수 있다.

먼저, 의료 이미지 분석으로 AI는 X-ray, MRI, CT 스캔 등의 의료 이미지를 분석하여 의사들에게 정확한 진단 정보를 제공한다. 이를 통해 의료 영상의 해석을 향상시키고 이질적인 구조나 병변을 감지할 수 있다. 둘째, 질병 진단으로 AI

는 환자의 의료 기록과 증상 데이터를 분석하여 다양한 질병의 조기 진단을 돕는 데 사용된다. 예를 들어, 암, 당뇨병, 심혈관 질환 등의 진단에서 AI는 정확도를 향상시키고 환자의 생존율을 향상시킬 수 있다. 셋째, 치료 방법 개인화로 AI는 환자의 유전자 정보와 의료 기록을 기반으로 맞춤형 치료 방법을 개발한다. 이는 의약품 및 치료 계획을 최적화하고 부작용을 최소화하는 데 도움이 된다. 넷째, 의료 로봇 및 자동화로 AI 기술을 탑재한 의료 로봇은 수술 보조, 환자 간호, 의약품 분배 등 다양한 의료 작업을 수행할 수 있다. 이는 의료 직종의 부담을 줄이고 의료 서비스 품질을 향상시키는 데 도움이 된다. 다섯째, 감염병 및 바이러스 예측에서 AI는 대규모 데이터 분석을 통해 감염병 및 바이러스의 확산 패턴을 예측하고 대응책을 마련하는 데 사용된다. 이를 통해 전염병의 확산을 억제하고 대응 속도를 향상시킨다.

이처럼 AI를 활용한 의료 진단 및 치료는 환자들에게 더 나은 의료 서비스를 제공하고 의료 전문가들에게 의사 결정을 지원하는 데 큰 도움을 준다. 이로써 의료 분야에서 질병 예방과 치료의 효율성을 향상시킬 수 있다.

5) 개인화된 고객 서비스

판매 및 마케팅 분야에서 AI는 고객 데이터를 분석하여 개인화된 제품 및 서비스를 제공하는 데 활용된다. 이를 통해 기업은 고객 만족도를 향상시키고 매출을 증가시킬 수 있다. 개인화된 고객 서비스를 제공하기 위해 AI는 다양한 방식으로 활용되고 있다.

먼저, 고객 데이터 분석에서, AI는 고객의 구매 이력, 선호도, 행동 패턴 등을 분석하여 개인의 취향과 요구를 이해한다. 이를 통해 기업은 개개인에 맞춤화된 추천 제품 및 서비스를 제공할 수 있다. 둘째, 맞춤형 마케팅 전략으로 AI는 고객의 관심사와 선호도를 기반으로 맞춤형 마케팅 전략을 수립한다. 이를 통해 기업은 정확한 타겟팅을 통해 마케팅 효율성을 극대화하고 고객 유치율을 향상시킬 수 있다. 셋째, 실시간 상호 작용으로 AI 기술은 실시간으로 고객과 상호 작용하여 문의 응답, 제품 추천, 구매 안내 등 다양한 고객 서비스를 제공한다. 이를 통해 기업은 고객들과의 소통을 강화하고 고객 만족도를 높일 수 있다. 넷째, 개인화된 제품 및 서비스 제공으로 AI는 고객의 선호도와 요구에 맞추어 제품 및 서비스를 개인화하여 제공한다. 이를 통해 기업은 고객들에게 최적화된 경험을 제공하고 고객 충성도를 향상시킬 수 있다. 다섯째, 고객 경험의 지속적 개선으로 AI는 고객의 피드백을 분석하여 서비스나 제품에 대한 개선점을 파악하고 이를 반영하여 고객 경험을 끊임없이 개선한다. 이를 통해 기업은 고객 충성도를 유지하고 고객 이탈을 방지할 수 있다.

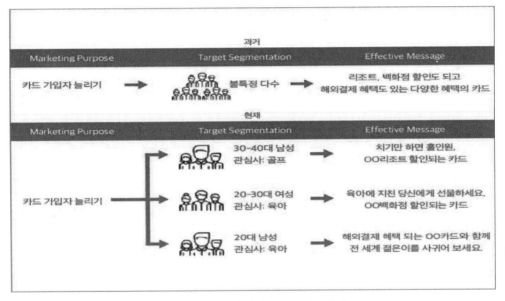

[그림 54] 개인화된 고객 서비스
출처: ditoday

이처럼 AI를 활용한 개인화된 고객 서비스는 기업이 고객과의 관계를 강화하고 고객 경험을 향상시키는 데 큰 역할을 한다. 이를 통해 기업은 경쟁력을 강화하고 지속적인 성장을 이끌어낼 수 있다. AI 기술은 다양한 산업 분야에서 혁신과 발전을 이끌어내며, 미래의 기업과 산업의 경쟁력을 향상시키는 데 중요한 역할을 할 것으로 기대된다.

2. 탄소 중립

 기후 변화 문제의 심각성으로 인해 기업들은 탄소 배출을 줄이고 친환경적인 사업 모델을 채택하는 것이 필수적이다. 탄소 중립을 향한 노력은 기업의 사회적 책임을 강조하는 중요한 요소가 된다. 탄소 중립을 달성하기 위한 기업의 노력은 다양하다.

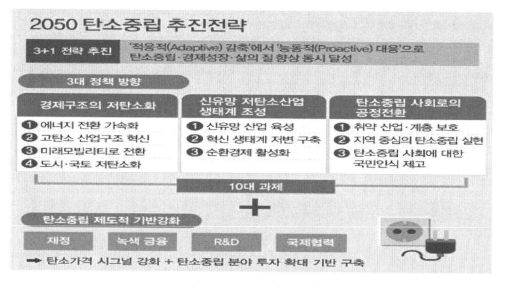

[그림 55] 탄소중립

출처: 기획재정부

1) 재생 에너지 전환

 기업은 화석 연료 사용을 줄이고 재생 가능 에너지 소스인 태양광, 풍력, 수력 등을 채택하여 탄소 중립을 달성한다. 이를 통해 기업은 친환경적인 생산 방식을 채택하고 에너지 효율성을 높일 수 있다. 재생 에너지 전환을 통해 기업은 탄소 중립을 달성할 수 있다.
 먼저, 태양광 발전소 구축으로 기업은 태양광 발전소를 구축하여 재생 가능한 에너지 소스를 활용한다. 태양광 발전은 친환경적이며 에너지 비용을 절감하는 효과를 가져온다. 예를 들어, 공장이나 사무실의 전력 공급을 태양광 발전으로 전환함으로써 탄소 배출을 줄일 수 있다. 둘째, 풍력 발전 시스템 도입으로 기업은 풍력 발전 시스템을 도입하여 재생 가능한 에너지를 생성한다. 풍력 발전은 지속 가능한 전력 생산을 가능하게 하며, 지역사회의 환경 보호에 기여할 수 있다. 예를 들어, 공장이나 시설 주변에 풍력 발전 시스템을 설치하여 전력 공급을 보장할 수 있다.

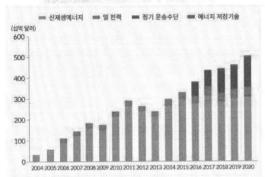

[그림 56] 재생에너지

출처: 홍국증권

셋째, 수력 발전소 확장으로 기업은 수력 발전소를 확장하여 재생 가능한 수력 에너지를 보다 활용한다. 수력 발전은 친환경적이고 안정적인 전력 공급을 제공하여 환경에 미치는 영향을 최소화할 수 있다. 예를 들어, 수력 발전소를 이용하여 생산 시설의 전력을 공급함으로써 탄소 배출을 줄일 수 있다. 넷째, 에너지 효율성 증진으로 기업은 에너지 효율성을 증진하여 에너지 소비를 최적화하고 에너지 낭비를 줄인다. 이를 통해 기업은 에너지 비용을 절감하고 환경 보호에 기여할 수 있다. 예를 들어, 공장이나 사무실의 전력 소비를 모니터링하고 효율적인 에너지 관리 시스템을 도입함으로써 에너지 효율성을 높일 수 있다.

이런 재생 에너지 전환을 통해 기업은 탄소 중립을 달성하고 친환경적인 생산 활동을 실현할 수 있다. 이는 기업의 사회적 책임과 경쟁력을 강화하는 데 중요한 역할을 한다.

2) 친환경 제품 및 서비스 개발

기업은 환경 친화적 제품 및 서비스를 개발하여 소비자들에게 제공함으로써 탄소 배출을 줄이고 친환경적인 소비 문화를 조성한다. 이를 통해 기업은 친환경적인 이미지를 구축하고 시장 경쟁력을 강화할 수 있다. 친환경 제품 및 서비스를 개발하려는 기업들은 다양한 탄소 중립활동을 하고 있다.

[그림 57] 환경 친화적 제품 및 서비스 개발

출처: 코웨이

먼저, 친환경 제품 라인 개발로, 기업은 기존 제품 대신 친환경 제품 라인을 개발하고 소비자에게 제공한다. 이러한 제품은 재활용 가능한 재료를 사용하거나 에너지 효율적인 기술을 적용하여 탄소 배출을 줄이는 효과를 가져온다. 예를 들어, 친환경 재료를 사용하여 제품을 제조하거나 탄소 배출을 최소화하는 제품을 출시할 수 있다. 둘째, 친환경 서비스 제공으로 기업은 친환경 서비스를 제공하여 소비자들의 친환경적인 선택을 장려한다. 이는 탄소 배출을 줄이는 서비스, 재활용 및 환경 보호를 강조하는 서비스를 포함한다. 예를 들어, 환경에 더 민감한 고객을 대상으로 친환경 운송 옵션을 제공하거나 재활용 프로그램을 운영할 수 있다. 셋째, 제품 생애 주기 고려로, 친환경 제품 및 서비스 개발에서 제품의 생애 주기를 고려한다. 이는 제품 생산, 사용, 폐기 단계에서 환경 영향을 최소화하기 위한 노력을 의미한다. 예를 들어, 재활용 가능한 소재를 사용하거나 에너지 효율적인 설계를 채택하여 생산 및 사용 단계에서의 환경 부담을 감소시킬 수 있다. 넷째, 친환경 브랜딩 및 마케팅으로 친환경 제품 및 서비스를 소비자들에게 홍보하고 브랜드 이미지를 구축한다. 이를 통해 소비자들은 환경을 고려한 구매 결정을 내릴 가능성이 높아지며, 친환경 제품과 서비스에 대한 수요가 증가한다. 예를 들어, 친환경 브랜드 마케팅 캠페인을 통해 친환경 제품을 강조하고 소비자들에게 환경적 이점을 전달할 수 있다.

이런 친환경 제품 및 서비스의 개발과 제공은 기업의 탄소 중립을 실현하고 친환경적인 비즈니스 모델을 구축하는 데 도움이 된다. 이는 환경 보호와 시장에서의 경쟁력을 동시에 강화하는 데 기여한다.

3) 재활용 및 폐기물 관리

기업은 재활용과 폐기물 관리를 효과적으로 진행하여 자원의 재이용을 촉진하고 환경 오염을 줄인다. 이를 통해 기업은 지속 가능한 생산과 경영을 실현하며 친환경적인 경영 모델을 구축할 수 있다. 기업이 재활용 및 폐기물 관리를 통해 탄소 중립을 달성하는 방법은 다음과 같다.

먼저, 재활용 프로그램 운영으로 기업은 제품 생산 및 운영 과정에서 발생하는 폐기물을 분리수거하고 재활용하는 프로그램을 운영할 수 있다. 이를 통해 자원의 재이용을 촉진하고 자체적인 생태계를 유지할 수 있다. 예를 들어, 재활용 가능한 자원을 분리하여 재활용센터로 운반하는 프로그램을 구축할 수 있다. 둘째, 환경 친화적인 폐기물 처리 시스템으로 기업은 환경 친화적인 폐기물 처리 시스템을 도입하여 환경 오염을 최소화할 수 있다. 이를 통해 폐기물 처리 과정에서 발생하는 탄소 배출을 줄이고 환경 보호를 강화할 수 있다. 예를 들어, 친환경 폐기물 처리 시설을 구축하여 폐기물 처리 과정에서 에너지를 절약하고 환경 오염을 최소화할 수 있다. 셋째, 제품 설계 시 환경 친화성 고려로 기업은 제품을 설계할 때 환경 친화적인 재료를 사용하여 제품의 수명 주기 동안 환경 오염을 최소화할 수 있다. 이를 통해 제품의 수명 주기를 연장하고 환경적 영향을 최소화할 수 있다. 예를 들어, 재활용 가능한 재료를 사용하여 제품을 설계하거나 제품 수명 주기를 연장할 수 있는 방법을 채택할 수 있다. 넷째, 환경 보호 교육 및 인센티브 제도로, 기업은 재활용 및 폐기물 관리에 대한 교육 프로그램을 도입하고 직원들에게 환경 보호에 대한 인식을 높일 수 있는 인센티브 제도를 마련할 수 있다. 이를 통해 조직 전체적으로 환경 관리에 대한 의식을 고취시키고 환경 보호에 대한 참여를 유도할 수 있다.

4) 탄소 배출 감소와 오프셋

기업은 탄소 배출량을 감소시키는 노력을 기울이고, 남은 배출량에 대해 탄소 오프셋 프로젝트에 투자하여 탄소 중립을 달성한다. 이를 통해 기업은 탄소 중립을 실현하고 기후 변화에 대한 긍정적인 영향을 미칠 수 있다. 기업이 탄소 배출 감소와 오프셋을 통해 탄소 중립을 달성하는 접근 방법에는 몇 가지가 있다.

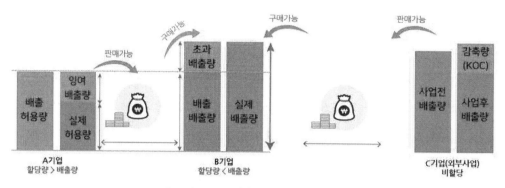

[그림 58] 배출권거래제 (ETS)

출처: 서울에너지공사

먼저, 탄소 배출량 감소 프로그램 운영으로, 기업은 생산 및 운영 과정에서 발생하는 탄소 배출을 감소시키기 위한 프로그램을 운영할 수 있다. 이를 통해 화석 연료 사용을 줄이고 친환경적인 에너지 소스를 도입하여 탄소 배출량을 감소시킬 수 있다. 예를 들어, 재생 에너지를 활용하거나 효율적인 에너지 관리 시스템을 도입하여 에너지 소비를 줄일 수 있다. 둘째, 탄소 오프셋 프로젝트 투자로 기업은 남은 탄소 배출량에 대해 탄소 오프셋 프로젝트에 투자하여 환경 보호 활동을 지원할 수 있다. 이를 통해 기업은 탄소 중립을 달성하고 환경 보호에 기여할 수 있다. 예를 들어, 탄소 포집 및 보존 프로젝트, 재식립 프로젝트, 태양광 발전소 구축 등에 투자하여 환경 보호 활동을 지원할 수 있다. 셋째, 친환경 제품 및 서비스 개발 및 홍보로 기업은 친환경 제품 및 서비스를 개발하고 홍보하여 소비자들에게 친환경적인 선택을 유도할 수 있다. 이를 통해 소비자들의 환경 의식을 높이고 탄소 중립에 동참할 수 있다. 예를 들어, 친환경 제품의 개발과 홍보를 통해 소비자들의 환경적 선택을 유도할 수 있다. 넷째, 환경 보호 단체와의 파트너십 구축으로 기업은 환경 보호 단체와의 파트너십을 구축하여 환경 보호 활동을 지원할 수 있다. 이를 통해 기업은 탄소 중립을 달성하고 환경 보호에 대한 사회적 책임을 실천할 수 있다. 예를 들어, 환경 보호 단체와의 협력을 통해 지속 가능한 환경 보호 활동을 추진할 수 있다.

5) 환경 보호를 위한 정책 및 제도 준수

기업은 환경 보호를 위한 국제적인 정책과 제도를 준수하고 이를 적극적으로 추진함으로써 탄소 중립을 실현한다. 이를 통해 기업은 사회적 책임을 다하고 지속 가능한 경영 환경을 조성할 수 있다. 기업이 환경 보호를 위한 정책 및 제도를 준수하고 이를 적극적으로 추진하여 탄소 중립을 실현하는 방법에는 다음과 같은 접근 방법이 있다.

[그림 59] 환경 보호를 위한 정책 및 제도 준수

출처: KISO

먼저, 국제 환경 규제 준수로, 기업은 국제적인 환경 규제와 협약을 준수하고 이를 충족시키기 위한 노력을 기울인다. 이를 통해 탄소 배출을 줄이고 자원을 효율적으로 활용할 수 있다. 예를 들어, 기후 협약에 따른 탄소 배출 규제를 준수하고 온실 가스 감축 목표를 달성할 수 있다. 둘째, 환경 보호 인증 및 인증서 획득으로, 기업은 환경 보호 인증 및 인증서를 획득하여 환경 보호에 대한 공공적으로 인정받는 노력을 기울인다. 이를 통해 기업은 환경 보호 노력을 강조하고 소비자들에게 신뢰를 제공할 수 있다. 예를 들어, 친환경 제품 및 서비스에 대한 환경 인증을 획득할 수 있다. 셋째, 환경 보호를 위한 연구 및 개발로 기업은 환경 보호를 위한 연구 및 개발 활동을 적극적으로 추진하고 환경에 친화적인 기술 및 솔루션을 개발한다. 이를 통해 기업은 친환경적인 제품 및 서비스를 제공하고 환경 보호에 기여할 수 있다. 예를 들어, 재생 에너지 기술의 연구 및 개발을 통해 친환경 에너지 솔루션을 개발할 수 있다. 넷째, 환경 교육 및 홍보로 기업은 환경 보호에 대한 교육 및 홍보 활동을 실시하여 직원 및 이해 관계자들의 환경 의식을 높이고 환경 보호를 촉진한다. 이를 통해 기업은 환경 보호에 대한 사회적 인식을 확대하고 환경 보호 활동을 지원할 수 있다. 예를 들어, 환경 교육 프로그램을 진행하고 환경에 관한 정보를 홍보할 수 있다.

이와 같이 기업의 탄소 중립은 환경 보호와 지속 가능한 발전을 위한 중요한 요소로 인식되고 있으며, 이를 통해 기업은 환경 문제에 대한 적극적인 대응을 통해 사회적 신뢰를 확보할 수 있다.

3. 3D 프린팅 기술

미래사회는 경험 중시 사회로의 전환의 촉진제 역할을 하는 3D 프린팅 기술이 현재 주목받고 있다. 이 기술은 주문 즉시 생산·배송을 가능케 한다고 하여 소매업자와 고객을 연결하고, 재고와 쓰레기를 줄이는 혁신을 만들 수 있다.

1) 3D 프린팅 기술

3D 프린팅 기술은 컴퓨터에 저장된 3차원 설계 도면을 기반으로, 재료를 한층한층 쌓아 올려 입체물을 만드는 기술이다. 3D 프린팅 기술의 특징을 보면, 먼저, 자유로운 형상 제작이 가능하다. 3D 프린팅 기술은 금형을 필요로 하지 않기 때문에, 기존의 제조 기술로는 제작이 불가능한 복잡한 형상의 제품을 제작할 수 있다. 3D 프린팅은 금형을 필요로 하지 않기 때문에, 기존의 제조 기술로는 제작이 불가능한 복잡한 형상의 제품을 제작할 수 있다. 예를 들어, 3D 프린팅은 자동차의 내부 부품, 항공기의 구조물, 의료 기기 등 기존의 제조 기술로는 제작이 불가능한 복잡한 형상의 제품을 제작하는 데 사용되고 있다.

[그림 60] 3D 기술로 만든 한국형 발사체 누리호
출처: 매일경제

예를 들면, 자동차 내부 부품에서 3D 프린팅을 통해 기존의 제조 기술로는 제작이 불가능한 복잡한 형상의 자동차 내부 부품을 제작할 수 있다. 예를 들어, 3D 프린팅을 통해 자동차의 엔진룸 내부의 공기 흡입구나 배기구 등을 제작할 수 있다. 항공기 구조물에서도 3D 프린팅을 통해 기존의 제조 기술로는 제작이 불가능한 복잡한 형상의 항공기 구조물을 제작할 수 있다. 예를 들어, 3D 프린팅을 통해 항공기의 날개나 기체 등을 제작할 수 있다. 의료 기기에서 3D 프린팅을 통해 기존의 제조 기술로는 제작이 불가능한 복잡한 형상의 의료 기기를 제작할 수 있다. 예를 들어, 3D 프린팅을 통해 환자의 신체에 맞는 맞춤형 임플란트나 보철물 등을 제작할 수 있다. 둘째, 소량 생산이 가능하다. 3D 프린팅 기술은 금형 제작이 필요하지 않기 때문에, 소량 생산에도 적합하다. 3D 프린팅은 금형 제작이 필요하지 않기 때문에, 소량 생산에도 적합하다. 예를 들어, 3D 프린팅은 단일 제품이나 소량의 제품을 생산하는 데 사용되고 있다. 또한, 3D 프린팅은 빠른 속도로 제품을 생산할 수 있기 때문에, 신제품 출시나 맞춤형 제품 생산에 적합하다. 단일 제품 생산이 가능하다. 3D 프린팅은 단일 제품을 생산하는 데에도 적합하다. 예를 들어, 3D 프린팅을 통해 단일 작품을 제작하거나, 단일 고객의 요구에 맞는 맞춤형 제품을 제작할 수 있다. 소량 생산에서 3D 프린팅은 소량의 제품을 생산하는 데에도 적합하다. 예를 들어, 3D 프린팅을 통해 신제품을 출시하거나, 수요가 적은 제품을 생산할 수 있다. 셋째, 개인 맞춤형 생산이 가능하다. 3D 프린팅 기술은 고객의 요구에 맞게 제품을 제작할 수 있기 때문에, 개인 맞춤형 생산이 가능하다. 3D 프린팅은 고객의 요구에 맞게 제품을 제작할 수 있기 때문에, 개인 맞춤형 생산이 가능하다. 예를 들어, 3D 프린팅은 환자의 신체에 맞는 맞춤형 의료 기기, 개인의 취향에 맞는 맞춤형 의류, 맞춤형 장난감 등을 제작하는 데 사용되고 있다. 맞춤형 의료 기기에서 3D 프린팅을 통해 환자의 신체에 맞는 맞춤형 의료 기기를 제작할 수 있다. 예를 들어, 3D 프린팅을 통해 환자의 골절 부위에 맞는 맞춤형 보조기나, 환자의 치아에 맞는 맞춤형 임플란트 등을 제작할 수 있다. 맞춤형 의류 제작에서 3D 프린팅을 통해 개인의 취향에 맞는 맞춤형 의류를 제작할 수 있다. 예를 들어, 3D 프린팅을 통해 개인의 체형에 맞는 맞춤형 옷이나, 개인의 취향에 맞는 패턴의 옷 등을 제작할 수 있다. 맞춤형 장난감 제작에서 3D 프린팅을 통해 어린이의 취향에 맞는 맞춤형 장난감을 제작할 수 있다. 예를 들어, 3D 프린팅을 통해 어린이의 좋아하는 캐릭터나, 어린이의 창의력을 자극하는 장난감을 제작할 수 있다.

3D 프린팅은 자유로운 형상 제작, 소량 생산, 개인 맞춤형 생산 등 다양한 특성을 가지고 있다. 이러한 특성 덕분에, 3D 프린팅은 다양한 분야에서 활용되고 있으며, 앞으로도 그 활용 범위가 더욱 확대될 것으로 기대된다.

2) 우주항공 산업의 3D 프린터

3D 프린팅 기술은 다양한 분야에서 응용되고 있다. 대표적인 응용 분야로는 위의 그림처럼 한국형 발사체 누리호의 세부 부품과 모듈은 3D를 사용하여 제작하였다. 로켓엔진에서 불을 뿜는 연소기를 3D 프린터로 만들었다고 한다. 추진력, 연료 주입, 냉각 시스템 등 주요 기능 테스트에서 모두 합격점을 받았으며 수백 개의 부품을 단 4개로 줄여 비용을 1/3 감축했다고 한다. 그리고 최초의 국산 전투기 KF-21(한국형 전투기)에도 3D 프린팅 기술로 제작한 공기 순환 시스템 부품이 쓰였다고 한다. 해당 부품을 공급한 두산 중공업은 항공용 소재 단조 및 3D 프린팅 공정 기술 국산화 협력을 맺고 한국형 전투기 부품에 3D 프린팅 기술을 적용하기 위하여 꾸준히 노력했다고 한다.

우주항공 산업의 기업들이 3D 프린터를 활용하는 이유는 개발 비용과 개발 시간의 단축이다. 대부분 기업들이 3D 프린팅을 활용하는 가장 큰 이유는 개발 비용과 시간을 크게 단축 시킬 수 있기 때문이다. 로켓 부품은 부품 별로 주물로 찍어내는 방식이 일반적이었는데 3D 프린터를 활용한다면 복잡한 형상을 한번에 제작이 가능하기 때문에 개발 시간을 크게 단축 시킬 수 있다. 수천 개의 부품을 제각각 만들어 조립했던 로켓 엔진을 3D 프린터를 활용한다면 단 몇 개의 부품으로도 제작이 가능하다. 또한, 금형을 제작할 필요가 없기 때문에 비용도 줄고, 다양한 소재를 활용하여 추가 경량화까지 가능하다. 특히 로켓 엔진 같은 경우, 개발에 막대한 비용이 드는데 품질을 유지하면서 비용을 절약할 수 있다는 점 때문에 우주항공 기업들이 3D 프린팅 기술을 적극적으로 도입하고 있다.

미국의 민간 항공우주 기업인 Launcher사는 NASA 스테니스 우주센터에서 3D 프린팅된 액체 로켓 엔진 E-2 테스트를 성공적을 마쳤다고 한다. 궤도에 오르기 위해 필요한 추진제를 줄이기 위해 3D 프린터로 출력한 고성능 구리 합금 소재의 부품이 장착되었다고 한다. 3D 프린터로 출력된 이 부품은 40초간의 시험 연소 후에도 완벽한 상태를 유지하며 재사용 가능함이 입증되어 유지보수 비용 절감에도 큰 기여를 할 것으로 기대하고 있다. 3D 프린팅 기술을 통해 제작된 고성능 구리 합금 소재의 부품은 더 가벼우면서도 강도와 내구성이 뛰어나게 만들어질 수 있다. 이를 통해 로켓이 궤도에 오를 때 필요한 추진제를 최소화할 수 있어 연료 효율성을 높이고 성능을 향상시킬 수 있다. 3D 프린팅 기술로 생성된 부품은 테스트 연소 후에도 완벽한 상태를 유지하며 재사용 가능함이 입증되었다. 이는 로켓 엔진의 핵심 부품을 쉽게 교체하고 재사용할 수 있게 하여 미래 우주 비행에서의 유지보수 비용을 크게 절감할 수 있다. 3D 프린팅 기술은 부품을 레이어별로 직접 제조하기 때문에 기존의 제조 방법에 비해 생산 주기가 크게 단축된다. 이는 실험적인 디자인의 부품을 빠르게 제작하고 테스트할 수 있어 기술 혁신을 촉진하며, 더 나아가 비용을 절감할 수 있는 장점을 제공한다. NASA 스테니스 우주센터에서의 테스트는 공공 및 민간 기관 간의 협력의 좋은 예시이다. 민간 항공우주 기업과 NASA의 협력을 통해 혁신적인 기술이 우주 산업에 도입되고, 우주 탐사의 발전에 기여하고 있다.

미국의 로켓 제조사인 AEROJET ROCKETDYNE사와 United Launch Alliance(ULA)사가 협력하여 3D 프린터로 출력한 로켓 엔진 RL10C-X를 만들었다. 3D 프린터로 제작된 이 새로운 로켓 엔진은 전자상거래 대기업인 아마존의 통신 위성에 쓰일 예정이라고 한다. 이 통신 위성은 아마존이 계획하고 있는 세계 광대역 통신 접속 확대 목적이며, 5년간 최대 83회의 로켓 발사를 실시할 예정이라고 한다. 3D 프린팅된 로켓엔진은 우주 공간에서 장기 내구성 보장 테스트에 통과하여 유지 보수 비용을 크게 절감할 수 있을 것으로 기대된다고 한다.

[그림 61] 세계 최초 3D 프린팅 로켓

출처: 매일경제

3) 3D 프린팅 기술

현재 3D 프린팅 기술은 FDM, SLA, SLS 등 몇 가지 방식으로 한정되어 있다. 앞으로는 새로운 적층 방식이 개발되어, 더욱 정밀하고 다양한 제품을 제작할 수 있게 될 것으로 예상된다. 3D 프린팅 기술은 제조, 예술, 교육 등 다양한 분야에 혁신을 가져올 잠재력을 가지고 있다. 3D 프린팅 기술의 발전은 향후 우리 사회에 큰 변화를 가져올 것으로 기대된다. 3D 프린팅 기술은 아직까지 초기 단계에 있지만, 그 잠재력이 매우 큰 기술로 평가받고 있다. 3D 프린팅 기술의 종류를 보면, 재료와 적층 방식에 따라 다양한 종류로 구분된다. 대표적인 3D 프린팅 기술로는 다음과 같다.

첫째, FDM(Fused Deposition Modeling)으로 FDM은 열가소성 수지를 녹여 노즐을 통해 압출하여 적층하는 방식의 3D 프린팅 기술이다. 가장 일반적인 3D 프린팅 기술로, 다양한 재료를 사용할 수 있고, 비교적 저렴한 가격으로 구입할 수 있다.

이 Fused Deposition Modeling(FDM)은 3D 프린팅 기술 중에서 가장 널리 사용되는 기술 중 하나로, 이 기술은 열가소성 수지를 사용하여 물체를 적층하는 방식으로 작동한다. FDM 3D 프린팅은 제품 개발 단계에서 빠른 프로토타이핑과 디자인 수정을 가능케 하며, 개인이나 중소기업에서도 상대적으로 저렴한 비용으로 이 기술을 도입하여 활용할 수 있다.

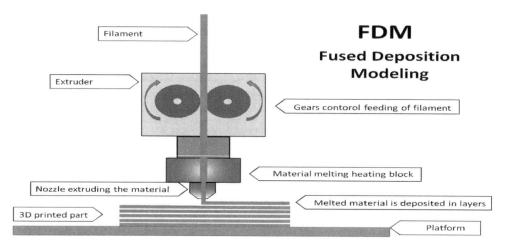

[그림 62] FDM 3D

출처: Przekop et al. 2023.

개인용 3D 프린터를 사용한 프로토타이핑을 보면, 먼저, 고객이 자신의 제품을 개발하고자 할 때, FDM 3D 프린팅은 저렴하고 빠르게 프로토타입을 만들어보는 데 적합한 방법이다. 개발자는 자신의 컴퓨터에서 3D CAD 모델을 만든 후, 이 모델을 FDM 3D 프린터에 전송하여 실제 물체를 빠르게 만들어 볼 수 있다.

설계 단계에서 제품 개발자는 컴퓨터를 사용하여 제품의 3D 모델을 디자인한다. 이 모델은 다양한 CAD (Computer-Aided Design) 소프트웨어를 통해 작성된다. 파일 변환과 슬라이싱 단계에서 디자인이 완료되면, 이를 3D 프린터가 읽을 수 있는 형식으로 변환하고, 슬라이싱 소프트웨어를 사용하여 층(layer)으로 나눈다. 각 층은 프린터가 하나의 가로 단면을 출력하는 데 사용된다.

프린팅 단계로 FDM 3D 프린터는 열 가소성 수지를 녹여 노즐을 통해 압출하여 층을 형성한다. 이 층은 서로 적층되어 제품이 3D로 형성된다. 소재로는 PLA 나 ABS 같은 열가소성 폴리머가 일반적으로 사용된다.

프로토타입 제작 단계로 프린팅이 완료되면, 개발자는 실제 물체를 손에 쥐게 된다. 이 프로토타입을 통해 제품의 디자인을 시각화하고 수정해야 할 부분을 확인할 수 있다. 빠른 수정과 재평가 단계로 FDM을 사용한 프로토타이핑은 빠르기 때문에 개발자는 즉각적으로 디자인 수정을 가하고, 수정된 버전을 다시 빠르게 출력하여 재평가할 수 있다. 이는 전통적인 제조 방법보다 훨씬 빠른 개발 주기를 가지게 된다.

둘째, SLA(Stereolithography)로 SLA(스테레올리소그래피)는 액체 레진을 레이저로 경화시켜 층층히 적층하여 3D 객체를 형성하는 3D 프린팅 기술로, 정밀한 제품 제작에 적합하며 광학적 특성을 가진 제품을 만들 때 특히 유리하다. SLA 3D 프린팅 기술을 사용하고 있는 분야는 의료 분야에서의 정밀한 의약품 제작에 사용되고 있다. 이 SLA 3D 프린팅은 정밀한 제품 제작과 광학적 특성을 가진 제품을 만드는 데 효과적으로 활용된다. 특히 의료 분야에서는 개별적인 요구에 맞춰진 맞춤형 제품을 생산하는 데 큰 기여를 하고 있다. 의료 분야에서의 정밀한 의약품 제작에 사용되는 분야를 보면, 다음과 같다.

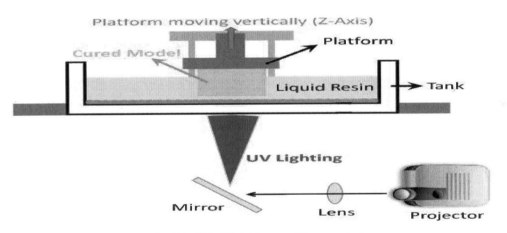

[그림 63] SLA(Stereolithography)
출처: https://xometry.eu

의료 분야에서는 환자 개개인에 맞춘 정밀한 의약품이 필요한 경우가 많다. SLA 3D 프린팅은 약물 전달 시스템이나 의료용 치아 모델과 같이 정밀한 형태가 요구되는 의약품 및 의료 기기를 제작하는 데 사용될 수 있다.

맞춤형 의약품 제작으로 환자의 의료 데이터에 기반하여 의사는 SLA 3D 프린터를 사용하여 맞춤형 의약품을 제작할 수 있다. 예를 들어, 특정 환자에게 필요한 정확한 용량 및 형태의 의약품을 제조할 수 있다. 이는 환자에게 최적화된 치료를 제공하고 부작용을 최소화하는 데 도움이 된다.

치과 모델 및 임플란트 제작으로 SLA 3D 프린팅은 고해상도와 정밀도를 제공하기 때문에 치과 분야에서도 많이 활용된다. 환자의 구강 형태에 맞춘 정확한 치아 모델이나 임플란트를 제작할 수 있다. 이는 치과 의사가 수술 전에 실제 형태를 시뮬레이션하고 계획하는 데 도움을 준다.

광학적 특성을 가진 제품 제작에서 SLA는 높은 해상도와 광학적 투명성을 제공하여 광학 장비나 광학 부품을 만들 때 유용하다. 광학 렌즈, 광학 센서, 혹은 광학 실험 장비 등 광학적 특성이 중요한 부품을 제작할 때 SLA 기술이 활용된다.

셋째, SLS(Selective Laser Sintering)로 SLS는 분말 소재를 레이저로 소결하여 층층이 적층하는 방식의 3D 객체를 형성하는 3D 프린팅 기술이다. 내구성이 뛰어난 제품을 제작할 수 있으며, 금속과 같은 고밀도 소재를 사용할 수 있다. SLS 3D 프린팅 기술은 항공 우주 산업에서의 금속 부품 제작에 주로 사용된다. SLS 3D 프린팅은 내구성이 뛰어난 금속 부품을 비교적 빠르게 제작하는 데 효과적으로 사용되며, 특히 항공 우주 분야에서 요구되는 뛰어난 기능성과 내구성을 제공하는 것이 특징이다.

내구성이 뛰어난 금속 부품 제작으로 항공 우주 산업에서는 고내구성이 요구되는 부품들이 많다. SLS 3D 프린팅은 금속 분말을 사용하여 내구성이 뛰어난 부품을 제작할 수 있다. 예를 들어, 항공기 엔진 부품이나 우주 탐사 장치에 사용되는 부품들은 극한의 환경에서 작동해야 하므로 내구성이 중요한데, SLS를 통해 고강도의 금속 부품을 소성할 수 있다.

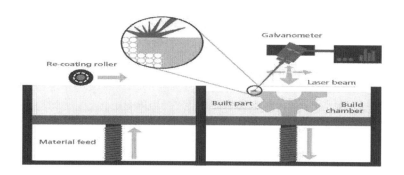

[그림 64] SLS(Selective Laser Sintering)
출처: https://xometry.eu

복잡한 구조물의 제작으로 SLS는 레이저를 사용하여 분말을 정확하게 소결하

- 115 -

기 때문에 복잡한 형태의 구조물을 만들 수 있다. 이는 항공기 부품이나 엔진 컴포넌트와 같이 복잡한 형태를 가진 부품을 효과적으로 제작하는 데 도움이 된다. 복잡한 내부 구조나 공간을 가진 부품도 정확하게 생성할 수 있다.

고밀도 소재 사용으로 SLS는 다양한 소재 중에서도 고밀도 소재를 사용할 수 있다. 이는 부품의 밀도와 내구성을 높이는 데 도움이 되며, 특히 항공 우주 분야에서는 강도와 내산화성이 뛰어난 금속 소재가 필요한데, SLS는 이러한 요구를 충족시킬 수 있다. 빠른 프로토타이핑과 생산 속도 향상으로 SLS는 층층이 적층하는 방식이므로 프로토타입 제작이 빠르게 이루어질 수 있다. 또한, 한 번의 빠른 생산 주기를 통해 대량의 부품을 비교적 짧은 시간 내에 생산할 수 있다.

넷째, DMLS(Direct Metal Laser Sintering)로 DMLS는 금속 분말을 레이저로 녹여 레이어 단위로 쌓아 올려 제품을 제작하는 기술이다. 고강도 금속 제품을 제작하는 데 적합하다. DMLS 3D 프린팅 기술은 주로 항공기 엔진 부품 제작 등에 사용된다. DMLS는 항공 우주 분야에서 고강도와 정밀도가 필요한 부품을 효율적으로 제작하는 데 활용되며, 기존의 제조 방법으로 어려웠던 디자인과 성능 요구를 충족시키는 데 기여하고 있다.

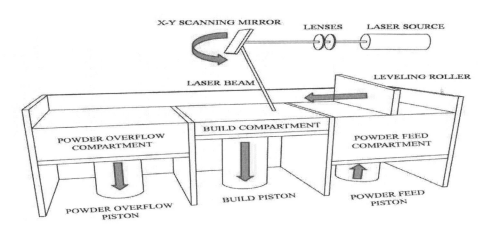

[그림 65] DMLS(Direct Metal Laser Sintering)

출처: https://xometry.eu

고강도 금속 부품 제작에서 항공기 엔진 부품은 극한의 환경에서 고강도와 내구성이 요구되는데, DMLS를 사용하면 이러한 부품을 효과적으로 제작할 수 있다. 예를 들어, 터빈 블레이드나 연료 분사기와 같은 핵심 부품들은 DMLS를 통해 레이저로 녹인 금속 분말을 층층이 적층하여 생산된다.

복잡한 내부 구조와 냉각 채널 제작에서 DMLS는 복잡한 내부 구조나 냉각 채널과 같은 세밀한 디자인을 가진 부품을 제작하는 데 효과적이다. 항공기 엔진에서는 부품 내부의 특정 구조가 엔진의 성능에 큰 영향을 미치므로, DMLS는 이러한 디자인 요구를 충족시킬 수 있다.

고온 및 고압 환경에서 사용 가능한 부품 제작으로 항공기 엔진은 고온 및 고압 환경에서 작동하기 때문에 부품은 이러한 극한 조건에서도 안정적으로 기능해야 한다. DMLS를 사용하여 금속을 밀도 높게 적층하면 부품이 고온 및 고압 환경에서도 내구성과 안정성을 유지할 수 있다.

원조 부품의 비용 절감과 빠른 생산 주기에서 DMLS는 금속 부품을 3D 프린팅으로 생산하는 고급 기술이지만, 기존의 제조 방법에 비해 생산 주기가 짧고 비용을 절감할 수 있다. 특히 특수한 금속 부품이 필요한 경우에는 DMLS를 사용하여 빠르게 생산할 수 있다.

4) 3D 프린팅 기술 문제

3D 프린팅은 다양한 분야에서 활용될 수 있는 잠재력을 가지고 있지만, 아직은 초기 단계이기 때문에 다양한 사회적 문제를 일으키고 있다. 현재 3D 프린팅 기술은 일시적인 사회적 문제를 일으키고 있지만, 환경적 문제와 치명적인 건강상의 손상 등에 대한 보완이 이루어 지고 있다.

3D 프린팅의 사회적 문제로는 환경적 문제로 3D 프린팅은 기존의 제조 방식에 비해 재료 사용량이 적기 때문에 환경에 미치는 영향이 적다고 알려져 있다. 하지만, 3D 프린팅에 사용되는 일부 재료는 환경에 유해할 수 있다. 또한, 3D 프린팅 과정에서 발생하는 폐기물 또한 환경에 악영향을 미칠 수 있다. 즉, 폴루프로필렌 사용과 재활용 문제로 3D 프린팅에서는 폴루프로필렌과 같은 특정 재료가 사용된다. 폴루프로필렌은 경제적이면서 다양한 용도에 사용되는 플라스틱이지만, 일반적인 플라스틱 재료보다 분해가 어렵다. 따라서 이러한 재료의 폐기물은 환경에 부정적인 영향을 미칠 수 있다. 또한, 일부 3D 프린팅 재료는 생분해되기 어렵기 때문에 재활용이 어려운 문제가 있다.

보완책으로 환경 친화적인 재료의 개발과 재활용 기술의 도입이 진행되고 있다. 바이오소재와 재생 가능 에너지를 사용하는 재료의 연구가 확대되고 있어, 지속 가능한 소재 사용을 통해 환경적 영향을 최소화하려는 노력이 이루어지고 있다. 또한, 폐기물 처리 및 재활용 기술의 발전으로 3D 프린팅 과정에서 발생하는 폐기물을 효과적으로 관리하고 줄일 수 있는 노력이 이루어지고 있다.

치명적인 건강상의 손상으로 3D 프린팅에 사용되는 일부 재료는 인체에 유해할 수 있다. 특히, 내열성이나 내화학성을 높이기 위해 사용되는 재료는 인체에 치명적인 손상을 일으킬 수 있다. 또한, 3D 프린팅 과정에서 발생하는 먼지와 가스 또한 인체에 해로울 수 있다. 치명적인 건강상의 손상에서 특정 금속 사용과 유해 가스 배출의 문제가 있다. 3D 프린팅에서 사용되는 일부 금속, 특히 내화학성을 높이기 위해 사용되는 금속은 인체에 유해할 수 있다. 예를 들어, 일부 3D 프린팅 과정에서 사용되는 금속 중에는 납, 크로뮴, 니켈 등이 있을 수 있다. 이러한 금속들은 노출 시 인체에 중독을 일으킬 수 있으며, 특히 장기간 노출 시에는 심각한 건강 문제를 유발할 수 있다.

보완책으로 안전한 소재의 개발과 규제 강화가 진행 중이다. 연구와 혁신을 통해 안전하면서도 효율적인 소재의 발견과 사용이 촉진되고 있다. 또한, 적절한 환기 시스템과 개선된 3D 프린팅 프로세스를 도입하여 먼지와 가스를 효과적으로 제어하고 근무 환경을 안전하게 만들기 위한 노력이 이루어지고 있다.

또한, 안전한 재료 인증 제도 마련으로 3D 프린팅에 사용되는 재료의 안전성을 확보하기 위해 인증 제도를 마련하는 노력이 이루어지고 있다. 미국에서는 FDA(Food and Drug Administration)가 3D 프린팅 의료기기의 안전성을 인증하고 있으며, 유럽연합에서는 CE 인증 제도를 통해 3D 프린팅 제품의 안전성을 인증하고 있다.

안전한 작업 환경 조성으로 3D 프린팅 과정에서 발생하는 먼지와 가스에 대한 안전 대책을 마련하기 위한 노력이 이루어지고 있다. 특히, 환기 장치 설치나 방진 마스크 착용 등 작업자의 안전을 위한 조치를 강화하고 있다. 이러한 보완 조치를 통해 3D 프린팅이 현재의 사회적 문제를 극복하고, 지속 가능하고 안전한 방향으로 발전할 수 있을 것으로 기대된다.

4. Disease X

인수공통전염병은 동물과 사람 사이에 전파되는 질병을 말한다. 인수공통전염병은 동물에서 사람으로, 사람에서 동물로, 또는 동물에서 동물을 거쳐 사람으로 전파될 수 있다. 인수공통전염병은 역사적으로 인류에게 큰 피해를 입혀왔다. 예를 들어, 흑사병, 스페인 독감, SARS, COVID-19 등은 모두 인수공통전염병으로 알려져 있다.

인수공통전염병이 발생하는 원인은 야생동물과의 접촉, 가축과의 접촉, 식품 섭취 등으로 발생한다. 질병 X는 아직 알려지지 않은 인수공통전염병의 이름이다. 2019년 말 중국 우한에서 처음 발생한 코로나19와 같이 사람과 동물 사이를 오갈 수 있는 질병을 말한다. 질병 X는 전염성이 강하고 치명률이 높은 것으로 알려져 있다.

1) 인수공통전염병

인수공통 전염병의 수와 규모의 증가로 인하여 1918년의 H1N1 인플루엔자 대유행과 요즘의 COVID-19는 전 세계적으로 4억 3700만 명 이상의 사람들에게 영향을 미치고 거의 600만 명이 사망했다(2022년 3월 1일).

대부분은 인간의 행동 때문이다. 무질서한 인간 발달과 그 결과와 관련이 있으며, 환경에 대한 인위적 영향으로 인해 기후 변화가 발생했다. 이 상황에 대한 책임이 있다. 사건의 흐름을 적극적으로 바꿔야 한다. 불균형하고 취약한 사회 및 환경 문제 또는 여러 위험 요인으로 인해 결국 인수공통전염병이 발생하고 다시 발생했다.

2019년 12월부터 중국 후베이성 우한시에서 신종 코로나 바이러스(이후 코로나19)로 인한 폐렴이 처음 발견된 이후, 2020년 4월 28일 현재 전 세계적으로 확진자는 295만 명을 넘어서며 사망자는 20만 명 이상으로 집계되고 있다. 아시아 개발은행(ADB)의 전망보고서에 따르면, 이로 인해 세계 경제는 최대 5천조 원의 손실을 입을 것으로 전망되고 있다. 이번 코로나 팬데믹은 21세기 최악의 바이러스 발병으로 기록되고 있다. 아직 바이러스의 정확한 기원과 중간 숙주에 대한 많은 정보가 명확히 밝혀지지 않았지만, 박쥐에서 유래된 바이러스가 종간 감염을 일으키고 사람에게 전파되며 폭발적인 감염이 지속되고 있는 것은 분명하게 인정되고 있다.

코로나19 바이러스는 코로나 바이러스 패밀리의 일원으로, 2002년 홍콩에서 시작된 사스(SARS, Severe Acute Respiratory Syndrome) 코로나와 2012년 처음 보고된 메르스(MERS, Middle East Respiratory Syndrome) 코로나에 이어 인간에 치명적인 위협을 줄 수 있는 세 번째 코로나 바이러스로 확인되었다.

이와 함께 광견병바이러스와 같은 고전적인 감염병 부터, 21세기 첫 대유행을 유발했던 신종인플루엔자, 2013년 살인진드기바이러스라 불리며 세상에 알려진 SFTS, 2014년 전 세계에 전파되어 공포를 안겨준 에볼라, 2017년 신생아 소두증의 원인이 되었던 지카 바이러스 등은 모두 동물에서 유래하여 인체에 감염되는 인수공통감염병 (zoonosis)이란 공통점을 가지고 있다. 이러한 감염병들은 동물에서 유래하여 인간에게 전파될 수 있으며, 적절한 예방 및 대응이 필요하다.

최근 전 세계적으로 발생하고 있는 감염병 중 인수공통감염병이 차지하는 비율이 높아지고 있다. 이는 인구 증가, 도시화, 기후 변화, 야생 동물과의 접촉 증가 등과 같은 다양한 요인에 의해 야기된 것으로 보인다.

인수공통감염병은 사람과 동물 사이의 밀접한 접촉을 통해 전파되므로, 인수공통감염병의 확산을 예방하기 위해서는 동물과 사람의 밀접한 접촉을 줄이는 것이 중요하다. 이를 위해서는 다음과 같은 전략이 필요하다. 먼저, 동물의 건강 관리 강화로 동물의 건강 상태를 관리하고, 질병을 조기에 발견하고 치료함으로써 인수공통감염병의 발생을 예방한다. 둘째, 야생 동물과의 접촉 감소로 야생 동물과의 접촉을 줄이기 위해 야생 동물 보호 및 관리를 강화하고, 야생 동물의 서식지 파괴를 방지한다. 셋째, 식품 위생 관리 강화로 동물에서 유래한 식품의 위생 관리를 강화하여 식품 매개 인수공통감염병의 발생을 예방한다.

또한, 인수공통감염병의 조기 발견과 대응을 위한 체계 구축도 중요하다. 이를 위해서는 다음과 같은 노력이 필요하다. 먼저, 감시 체계 강화로 인수공통감염병의 발생을 조기에 발견하기 위해 감시 체계를 강화한다. 둘째, 연구 및 개발 강화로 인수공통감염병의 예방, 진단, 치료, 백신 개발을 위한 연구 및 개발을 강화한다. 셋째, 국제 협력 강화로 인수공통감염병의 발생과 확산을 예방하기 위해 국제 협력을 강화한다.

인수공통감염병은 전 세계적으로 경제적, 사회적 피해를 유발하는 심각한 문제이다. 인수공통감염병에 대한 효과적인 대응을 위해서는 동물과 사람의 밀접한 접촉을 줄이고, 인수공통감염병의 조기 발견과 대응을 위한 체계를 구축하는 것이 중요하다. 또한, 인수공통감염병의 예방, 진단, 치료, 백신 개발을 위한 연구 및 개발을 강화하고, 국제 협력을 강화하는 것도 필요하다.

인수공통감염병에 대응하기 위한 전략을 수립하고, 이를 효과적으로 실행하기 위해서는 다음과 같은 요소들을 고려해야 한다. 먼저, 다학제적 접근으로 인수공통감염병은 동물, 사람, 환경 등 다양한 요인이 복합적으로 작용하여 발생하는 문제로 인수공통감염병에 대응하기 위해서는 동물학, 의학, 환경학, 공학 등 다양한 분야의 전문가들이 협력하는 다학제적 접근이 필요하다. 둘째, 지역적 특성 고려로 인수공통감염병의 발생은 지역적 특성에 따라 차이를 보이므로 인수공통감염병에 대응하기 위해서는 지역적 특성을 고려한 맞춤형 전략이 필요하다. 셋째, 지속적인 모니터링 및 평가로 인수공통감염병의 발생 상황은 지속적으로 변화하고 있으며, 인수공통감염병에 대응하기 위해서는 발생 상황을 지속적으로 모니터링하고, 이를 바탕으로 대응 전략을 평가하고 수정하는 것이 필요하다.

인수공통감염병은 인류의 건강과 삶에 큰 위협이 되는 문제로 인수공통감염병에 대한 효과적인 대응을 위해서는 다양한 이해 관계자들의 협력과 지속적인 노력이 필요하다.

2) 질병 X(Disease X)

WHO의 2018 연구개발 청사진(2018 R&D Blueprint)은 미래에 유행 가능성이 있는 전염병 및 바이러스에 대한 연구 및 대응을 위한 청사진을 제시한 것으로 이 청사진은 Disease X라는 개념을 소개하여, Ebola, SARS, Zika 바이러스와 같이 치명적일 수 있는 새로운 병원체나 질병에 대한 경고를 내세웠다. Disease X는 아직 발견되지 않은, 현재 알려진 바이러스와 질병 목록에는 포함되지 않은 새로운 감염성 질병의 가능성을 지칭한다.

이 질병 목록은 현재까지 효과적인 백신이나 치료법이 개발되지 않아 국제적인 대응 시스템이 미비한 질병들을 포함하고 있다. 이러한 질병들로는 Crimean-Congo hemorrhagic fever(CCHF), Ebola 바이러스 질병, Marburg 바이러스 질병, Lassa fever, Middle East respiratory syndrome coronavirus(MERS-CoV), Severe Acute Respiratory Syndrome(SARS), Nipah 및 henipaviral 질병, Rift Valley fever (RVF), Zika 등이 포함되어 있다. 이 목록에는 아직 발견되지 않은 가능성이 있는 질병인 Disease X가 포함되어 있다.

Disease X는 아직 발견되지 않았지만, 새로운 바이러스나 질병이 나타날 수 있다는 가능성을 경고하는 개념이다. 전문가들은 이러한 새로운 질병의 발생 가능성에 대비하기 위해 대비 계획을 수립하고 연구 및 대응 능력을 향상시키는 것이 중요하다고 강조하고 있다. 미래의 대유행이나 치명적인 감염을 일으킬 수 있는 잠재적인 질병의 코드명으로 사용되는 용어로 아직 발견되지 않은, 새로운 병원체나 질병의 가능성을 지칭하며, 현재까지 효과적인 치료나 백신이 개발되지 않은 신규 출현이나 재출현 가능성이 있는 감염병을 의미한다.

Disease X의 가능성은 여러 가지 요인으로 인해 증가하고 있다. 첫째, 전 세계적인 이동이 증가하면서 새로운 병원체가 전파될 가능성이 높아지고 있다. 둘째, 인간의 활동으로 인해 야생동물과 접촉할 기회가 증가하면서 새로운 병원체가 발생할 가능성이 높아지고 있다. 셋째, 기후 변화로 인해 동물의 서식지가 변화하면서 새로운 병원체가 출현할 가능성이 높아지고 있다.

Disease X의 발생을 막기 위한 노력으로 전 세계적인 이동에 대한 감시 및 통제 강화, 야생동물과의 접촉을 최소화하기 위한 노력, 기후 변화로 인한 동물 서식지 변화에 대한 연구 및 대응 강화 및 새로운 병원체에 대한 연구 및 개발 강화를 들 수 있다.

전 세계적인 감염병 감시망을 강화하면 새로운 감염병의 발생을 조기에 발견하고 대응할 수 있고, 신종 감염병에 대한 연구 및 개발을 강화하면 새로운 감염병에 대한 치료제나 백신을 개발할 수 있다. 국제적 협력을 강화하면 새로운 감염병에 대한 정보 공유와 공동 대응을 할 수 있다. Disease X의 가능성에 대비하기 위해서는 이러한 대책들을 마련하고, 이를 통해 새로운 바이러스나 질병에 대비할 수 있는 시스템을 구축하는 것이 중요하다.

많은 국가들은 이러한 Disease X의 가능성에 대비하기 위해 백신이나 치료제에 집중하는 것뿐만 아니라, 감시, 진단, 방역, 방제, 역학에 대한 투자를 강화하여 이에 대한 대비책을 마련하고 있다. 이러한 정책은 미래에 나타날 수 있는 새로운 감염병에 대비하여 사전에 대응할 수 있는 시스템을 구축하는 데 도움을 줄 것으로 기대된다.

Disease X는 미래의 대유행이나 치명적인 감염을 일으킬 수 있는 잠재력을 가지는 질병의 코드네임으로 발생 시 전 세계적으로 위협이 될 수 있는 미지의 감염병, 현재 효과적인 약물이나 백신이 결핍된 신규 출현 및 재출현 가능한 감염병을 의미한다. 미지의 원인체나 상황으로부터 발생할 수 있는 감염병의 위험성을 상기시키고 이에 대응하기 위해 Disease X라고 명명하고 감염병의 우선순위에 두었으며 우리나라도 언제라도 이러한 Disease X가 될 수 있는 미지의 신종·재출현 바이러스의 출현에 대비하기 위해 기존의 백신 및 치료제에 집중되는 R&D 투자를 분산하여 감시, 진단, 방역, 방제, 역학에 대한 투자 지원을 확대하는 정책을 수립하였다.

Disease X의 실체는 명확하지 않지만 잠재적인 위협으로 명백히 간주하여, WHO가 이 병을 가장 위험한 전염병 목록에 올린 것만으로 충분히 증명된다. WHO는 2016년부터 매년 10개의 가장 위험한 전염병을 선정하여 발표하고 있다. 이 중에는 이미 알려진 질병도 있지만, 아직 발견되지 않은 질병도 포함되어 있고, Disease X는 이러한 아직 발견되지 않은 질병 중에서 가장 위험한 질병을 의미한다.

WHO는 2018년부터 매년 세계보건 위협 평가 보고서를 발표하고 있다. 이 보고서에서는 전 세계에 미치는 잠재적 위협이 되는 질병을 평가하여 가장 위험한 질병을 10개 선정하고 있다. 2023년 보고서에서는 Disease X가 가장 위험한 질병으로 선정되었다.

코로나19는 Disease X의 대표적인 예이며, 코로나19는 2019년 말 중국에서 처음 발생한 새로운 바이러스성 질병이다. 코로나19는 전 세계적으로 대유행을 일으켰으며, 아직까지 효과적인 치료제나 백신이 개발되지 않았다. 즉, WHO는 Disease X가 가지는 특성으로 새로운 병원체나 질병, 현재까지 효과적인 치료제나 백신이 없는 것으로 전 세계적으로 빠르게 확산될 수 있는 질병을 의미한다고 한다.

이러한 특성을 고려할 때, 코로나19는 Disease X로 간주될 수 있다. 코로나19는 새로운 바이러스인 SARS-CoV-2에 의해 발생하는 질병으로, 현재까지 효과적인 치료제나 백신이 개발되지 않았다. 또한, 전 세계적으로 빠르게 확산되어 2023년 기준으로 5억 명이 넘는 사람들이 감염되었고, 600만 명 이상이 사망했다. 코로나19는 Disease X의 잠재적인 위협을 보여주는 사례로, 앞으로도 Disease X의 발생 가능성은 높아질 것으로 예상되므로, 이에 대비하기 위한 노력이 더욱 중요해지고 있다.

3) 면역약화: 외로움

WHO는 2023년 11월 16일 외로움을 세계 보건 위협으로 규정했다. 세계보건기구(WHO)가 외로움을 긴급한(pressing) 세계 보건 위협으로 규정했다(영국 일간 가디언). 이는 외로움이 심각한 건강 문제를 일으킬 수 있다는 과학적 근거에 따른 것이다. WHO는 외로움을 사회적 고립과 사회적 연결의 결여로 인한 고통스러운 주관적 감정으로 정의하였다. 외로움은 심혈관 질환, 암, 치매 및 자살과 같은 건강 문제를 일으킬 수 있다고 경고했다. WHO는 외로움 문제를 해결하기 위해 전담 국제위원회도 출범시켰다. 이 위원회는 외로움의 원인과 영향을 조사하고, 외로움 예방 및 대응을 위한 정책을 마련하는 역할을 할 것이다.

외로움은 전 세계적으로 증가하고 있는 문제이며, 유엔에 따르면 전 세계적으로 약 10억 명이 외로움을 느끼고 있다. 특히, 노인, 장애인, 이민자, 고립된 지역 주민 등은 외로움에 취약하소, 이로 인한 면역력 저하가 발생한다. 외로움은 개인의 건강과 삶의 질에 부정적인 영향을 미칠 뿐만 아니라, 사회 전체에도 비용으로 이어질 수 있다. 외로움으로 인한 건강 문제는 개인의 경제적 생산성을 감소시킬 수 있고, 사회 전체의 건강 관리 비용을 증가시킬 수 있다. 또한, 외로움은 자살과 범죄 등의 위험을 증가시킬 수 있고, 여러 전염병에 취약하다. 따라서 외로움 문제를 해결하기 위한 노력으로 사회적 연결을 강화하기 위한 정책과 프로그램의 개발, 외로움을 예방하고 관리하기 위한 교육 및 홍보 및 외로움을 느끼는 사람들을 위한 지원 서비스의 제공 등이 필요하다.

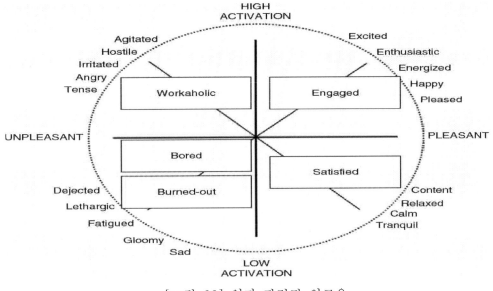

[그림 66] 일과 관련된 외로움

출처: Russell, 1980.

외로움 문제를 해결하기 위해서는 개인, 사회, 정부의 협력이 필요하다. 개인은 사회적 관계를 형성하고 유지하기 위해 노력해야 하며, 사회는 외로움을 줄이기 위한 정책과 프로그램을 개발해야 한다. 또한, 정부는 외로움 예방과 관리를 위한 지원 서비스의 제공을 확대해야 하며, 건강한 면역력을 가질 수 있는 정책을 제공해야 한다.

외로움을 줄이기 위한 개인적인 노력으로 가족이나 친구와 정기적으로 만나 시간을 보내기, 지역 사회 활동에 참여하기, 새로운 사람들을 만나는 데 두려워하지 말기와 자원봉사를 통해 다른 사람들과 연결하기 등의 활동을 하도록 한다. 외로움은 개인의 노력만으로 해결하기 어려운 문제일 수 있다. 하지만, 개인, 사회, 정부의 협력을 통해 외로움 문제를 해결할 수 있다. 예를 들면, 비베크 머시 미국 의무총감과 아프리카연합(AU) 청년 특사인 치도 음펨바가 이끄는 사회적 연결 위원회에는 가토 아유코 일본 저출산 담당상과 남태평양 섬나라 바누아투의 랄프 레겐바누 기후변화장관 등 11명이 참가한다. 위원회는 3년간 운영되며, 이런 WHO의 국제위원회는 코로나19 팬데믹 여파로 경제 사회 활동이 중단되면서 사회적 고립과 고독이 심각해졌고 이 문제의 중요성을 새롭게 인식하기 시작했다는 표식이다.

대표적으로 일본은 2021년 코로나19 확산으로 사회적 고립이 심각한 문제가 되자 저출산 담당상이 고독·고립 대책을 담당하도록 했다. 외로움이 국경을 초월해 건강과 복지, 발전의 모든 면에 영향을 미치는 글로벌 공중 보건 문제가 되고 있고, 사회적 고립에는 나이나 경계가 없음을 강조하고 있다.

머시 의무총감에 따르면, 외로움이 매일 담배를 15개비씩 피우는 것만큼 건강에 해로우며, 외로움으로 인한 건강상의 위험이 비만이나 신체 활동 부족과 관련된 위험보다 훨씬 더 크다고 지적했다. 또한, 고독이 종종 선진국의 문제로 여겨지지만 노인 4명 중 1명이 사회적 고립을 경험하는 비율은 전 세계 모든 지역에서 비슷하다고 말했다. 노인의 경우 외로움이 치매와 관상동맥 질환, 뇌졸중의 발병 위험을 높이는 데에도 연관된 것으로 알려져 있다.

외로움은 젊은이들의 삶에도 어두운 그림자를 드리우고 있다. 청소년의 5~15%가 외로움을 느낀다는 수치가 있지만 과소평가 된 것일 수 있다고 지적했다. 청소년 중 외로움을 경험한 비율은 아프리카(12.7%)가 유럽(5.3%)보다 두배 이상 높았다. 특히 인구의 다수가 젊은 층인 아프리카에서는 높은 실업률뿐만 아니라 평화와 안보, 기후 위기 관련 문제들이 사회적 고립의 원인이 되고 있다고 지적했다. 또한 디지털 격차로 인해 소외된 취약 계층을 위해 외로움에 대한 서술을 재정의하는 것이 중요하다고 했다. 이런 문제들은 한 국가에만 영향을 미치지 않고, 외로움은 과소평가 된 공중 보건 위협임을 강조하고 있다.

4) 원 헬스 관리

글로벌 보건 위협으로 항생제 내성을 들고 있다. 그러므로 이것에 관한 인식을 높이고 원 헬스를 통한 통합관리의 필요성이 대두되었다. 보고서에 따르면, 2050년 항생제 내성으로 연간 1,000만명이상의 사망을 예상하고 있다. 이 수치는 암 사망보다 높은 수치이다. 그러므로 지금부터 오남용·오용을 더 빨리 줄어야 한다고 경고에 해당한다.

효율적인 항생제 내성관리를 위해서는 항생제에 대한 일반적인 인식을 높이고 원 헬스(One Health) 개념을 도입해야 한다. 먼저, 항생제 내성의 문제점을 이해하고, 항생제의 올바른 사용 방법을 알리는 것이 중요하다. 이를 위해서는 국민을 대상으로 항생제에 대한 교육 및 홍보를 강화해야 하고, 또한, 의료 종사자들도 항생제의 적절한 사용을 위해 교육을 받고, 환자들에게 항생제 사용의 중요성을 설명해야 한다. 둘째, 원 헬스 개념은 인간과 동물, 환경의 건강이 서로 연결되어 있다는 개념으로 항생제 내성은 사람뿐만 아니라 동물에서도 발생할 수 있기 때문에, 동물의 항생제 사용 관리도 중요하다. 따라서 농축산업, 동물병원 등에서 항생제 사용을 규제하고, 동물의 항생제 사용을 모니터링해야 하며, 또한, 환경 오염으로 인해 항생제 내성균이 확산되는 것을 막기 위한 노력도 필요하다.

항생제 내성은 전 세계적으로 심각한 보건 위협으로 자리매김하고 있다. 항생제의 올바른 사용과 원 헬스 개념의 도입을 통해 항생제 내성의 확산을 막고, 인류의 건강을 지키기 위한 노력이 필요하다.

Why ONE HEALTH is Important
As Earth's population grows, our connection with animals and the environment changes:

People live closer together

Changes in climate and land use

More global travel and trade

Animals are more than just food

These factors make it easier for diseases to spread between animals and people.

A One Health approach tackles shared health threats by looking at all angles—human, animal, plant, and environmental

www.cdc.gov/onehealth

[그림 67] 원 헬스

출처: http://publichealth.lacounty.gov/

항생제 내성의 해결을 위한 구체적인 노력으로는 항생제 사용량 감소, 새로운 항생제 개발과 항생제 내성 관리 체계 구축이 되어야 한다. 먼저, 항생제 사용량을 줄이기 위해, 불필요한 항생제 처방을 줄이고, 항생제 처방을 받을 때에는 반드시 의사와 상담하도록 해야 한다. 또한, 항생제를 복용 중에는 복용 기간을 준수하고, 복용 후에도 증상이 개선되지 않으면 다시 의사의 진료를 받아야 한다. 또한, 기존 항생제에 내성을 가진 병원체가 증가하고 있기 때문에, 새로운 항생제의 개발이 중요하다. 이를 위해서는 정부와 기업의 투자를 확대하고, 연구 개발을 지원해야 한다. 마지막으로 항생제 내성의 확산을 모니터링하고, 대응하기 위한 체계를 구축해야 한다. 이를 위해서는 각국 정부와 국제기구의 협력이 필요하다.

의약품 조사기관의 최근 보고서에 따르면, 항생제 내성(Antimicrobial Resistance, AMR)은 심각한 문제로 지속되고 있다. 2019년에는 전 세계적으로 약 500만 명이 항생제 내성으로 인해 사망했으며, 이 중 127만 명은 세균성 AMR로, 23만 명은 다제내성결핵(Multidrug-Resistant Tuberculosis)으로 추정된다. 미래에는 2050년까지 연간 1,000만 명 이상이 항생제 내성으로 인한 사망이 예상되고 있다. 이는 항생제 내성이 급속히 증가하며, 이에 따른 적절한 대응과 해결책 모색이 절실하다는 것을 시사한다.

세계보건기구(WHO)는 AMR을 침묵의 팬데믹으로 지칭하고 세계 보건의 중요한 위협으로 분류했다. 항생제 오남용은 AMR의 주요 원인 중 하나로 꼽힌다. 페니실린은 혁신적인 치료법이지만, 오남용으로 인해 AMR이 발생한 사례 중 하나이다. 미국에서는 매년 4,700만 건의 불필요한 항생제 처방이 발생하며, 이로 인해 매년 280만 건 이상의 항균성 감염과 그에 따른 3만 5천 명 이상의 사망자가 발생하는 것으로 보고되고 있다.

오남용을 해결하기 위해선 환자 교육 및 순응도를 높여야 한다는 것이 전 세계 전문가들의 공통된 의견이다. 보고서는 적절한 용량, 치료 기간 및 환자 순응도를 보장하는 항생제 관리에 관한 지침을 적용하는 것이 도움이 된다고 하며, 현재 증가하고 있는 AMR 추세를 생각한다면 빠른 조치가 필요하다고 했다.

오남용 외에도 내성 병원균의 증가가 AMR 문제를 악화시키고 있는데, 2020년에는 칸디다 아우리스(Candida Auris) 곰팡이 병원균의 감염이 60% 급증한 것으로 보고되었다. 미국 질병통제예방센터(CDC)는 이 병원균이 다제내성인 경우가 많고 표준 실험실 방법으로는 식별하기 어렵다고 밝혔으며, 이러한 환경에서 다른 병원균에 대비할 준비가 필요하다고 강조했다.

항생제 개발은 엄청난 비용과 시간이 필요하여 매우 어려운 작업이며, 새로운 항생제 개발에는 10~15년이 소요되며, 10억 달러 이상의 비용이 필요하다. 또한 내성 발생 가능성을 제한하기 위해 적은 수의 환자에게 짧은 시간 동안 투여해야 하므로 어려움이 있다. 심지어 임상시험 중에도 11일 만에 내성이 발생하는 경우가 있다.

전문가들은 AI를 활용한 새로운 임상시험 접근법으로 항생제 개발을 가속화할 수 있다고 주장한다. 코로나19 기간 동안 백신과 같은 많은 임상시험이 혁신적인 접근 방식을 통해 신속하게 완료된 만큼, 항생제 임상시험에도 접목할 수 있다는 설명이다. 다만, 여전히 임상시험 모집률이 낮은 문제는 해결해야 할 숙제로 남아 있다.

전 세계적으로 AMR 해결을 위해 대두되고 있는 것이 원 헬스(One Health)다. 원 헬스는 WHO에서 운영하는 프로그램으로 인간의 건강이 동식물, 환경과 하나로 연계되어 있음을 인식하고 최적의 건강을 제공하기 위한 지역적, 국가적, 전 세계적 협력 전략을 의미한다. 항생제 내성 다중 이해관계자 파트너십 플랫폼(AMR Multi-Stakeholder Partnership Platform)은 원 헬스 접근법을 통해 전 세계적인 항생제 내성 문제를 해결하기 위해 협력하고 있다.

보고서는 표준화된 통합 접근 방식을 통해 여러 부문의 항생제 사용과 내성 모니터링을 연계하는 것이 도움이 되며 이를 통해 더 나은 항생제 관리를 장려하고 한 부문의 변화가 다른 부문에 미치는 영향을 감지할 수 있다고 평가했다.

더 나아가 AMR에 대처하기 위해선 각 국가의 정치적 의지도 필요하다고 보고서는 강조했다. 우리나라도 2016년부터 2020년까지 제1차 국가 항생제 내성 관리대책을 수립했다. 내성균 전파 차단을 목표로 항생제 적정사용, 내성균 확산방지, 감시체계 강화, 인식개선, 인프라 및 R&D 확충과 국제 협력 활성화 등 6개 주요 분야에 대한 20개 중점과제, 47개 세부과제를 추진했다.

질병관리청과 대한감염학회는 개별 의료기관의 항생제 사용량 측정·결과 환류를 통해 부적절한 항생제 처방 감소 및 처방 행태 개선 유도를 목적으로 2021년부터 전국 의료기관 항생제 사용량 분석 및 환류시스템(KONAS)을 구축, 운영하고 있다. 식품의약품안전처도 항생제 내성 저감을 위한 원 헬스적 접근과 노력이라는 주제로 제3차 식품유래 항생제 내성 국제컨퍼런스(GCFA)를 개최하는 등 의약품뿐 아니라 식품유래 AMR에도 대응하기 위해 노력하고 있다.

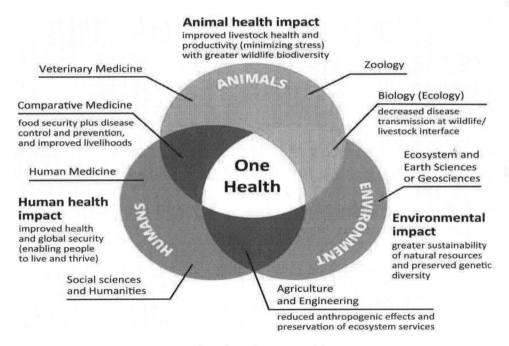

[그림 68] one health

출처: Barcaccia et al., 2020.

바이러스의 돌연변이는 일반적인 현상으로, 과거에도 자주 발생해왔다. 그러나 매우 드물게 돌연변이를 통해 병원성이 강해지는 경우가 있다. 또한, 때로는 종간 장벽을 뛰어넘어 다른 종까지 감염시킬 수 있다. 특히 문제가 되는 것은 동물 숙주를 거쳐 인간에게 침투하는 바이러스이다. 최근 지구에서 벌어진 큰 변화 중 하나는 야생동물 서식지가 감소한 반면 인구는 크게 늘었다는 것이다. 그동안 야생동물을 숙주로 삼아온 바이러스 관점에서 볼 때, 인간은 새 숙주로 삼기에 매력적인 존재일 것이다.

대표적인 동물로부터 유래한 바이러스의 사례로는, 1918년 전 세계를 강타한 스페인독감 H1N1, 1997년 고병원성 H5N1 조류인플루엔자, 2009년 신종플루 H1N1 같은 인플루엔자 바이러스가 있다. 또한, 사스 코로나, 메르스 코로나, 그리고 이번 코로나19도 동물에서 종간 장벽을 뛰어넘어 사람에게 감염을 일으킨 바이러스들이다.

일반적으로 동물에서 인간으로 종간 전파가 일어날 경우, 대부분 인간은 이 바이러스에 대항할 수 있는 면역이 없기 때문에 속수무책으로 폭발적인 감염이 일어나고 많은 사람이 집단 감염되는 팬데믹이 유발될 수 있다.

대표적인 종간 장벽을 뛰어넘은 바이러스의 사례는 1918년 전 세계를 강타한 스페인독감 H1N1, 1997년 고병원성 H5N1 조류 인플루엔자, 2009년 신종플루 H1N1와 같은 인플루엔자 바이러스가 대표적이다[20]. 사스 코로나, 메르스 코로나 그리고 이번 코로나19도 동물에서 종간의 장벽을 뛰어넘어 사람에게 감염을 일으킨 바이러스들이다. 보통 동물에서 인간으로 종의 장벽을 넘은 Spillover(넘침, 유출) 감염이 일어날 경우에 대부분 인간은 이 바이러스에 대항할 수 있는 면역이 없기 때문에 속수무책으로 폭발적인 감염이 일어나고 많은 사람이 집단 감염되는 판데믹(pandemic; 대유행)이 유발될 수 있다.

바이러스의 종간 전파는 동물에서 인간으로, 또는 인간에서 동물로 바이러스가 전파되는 현상을 말한다. 이러한 종간 전파는 흔한 현상은 아니지만, 종종 치명

---

20) 인플루엔자 바이러스의 종류는 크게 A형, B형, C형으로 분류한다. A형 인플루엔자 바이러스는 다시 두 개의 아형으로 나뉘는데, 그 중 하나가 H1N1이다. H1N1은 바이러스 표면에 있는 헤마글루티닌 (hemagglutinin, H)과 뉴라미니다제 (neuraminidase, N)라는 두 가지 단백질의 유형을 나타낸다. H1N1은 H 단백질의 아형이 H1이고, N 단백질의 아형이 N1이라는 뜻이다. H5N1은 A형 인플루엔자 바이러스의 또 다른 아형으로, H 단백질의 아형이 H5이고, N 단백질의 아형이 N1이라는 뜻이다. H5N1은 조류 인플루엔자로 알려져 있으며, 사람에게 감염되면 치명적인 결과를 초래할 수 있다. 2009년 신종플루는 A형 인플루엔자 바이러스의 또 다른 아형으로 H 단백질의 아형이 H1이고, N 단백질의 아형이 N1이라는 의미이다. 신종플루는 2009년 전 세계적으로 유행하여 많은 사망자를 낸 바이러스이다. 이러한 영어 명칭은 인플루엔자 바이러스의 표면에 있는 두 가지 단백질의 유형을 나타내기 위해 만들어졌다. H 단백질은 바이러스가 세포에 침투하는 역할을 하고, N 단백질은 바이러스가 세포에서 나오는 역할을 한다. 따라서, H 단백질과 N 단백질의 유형은 바이러스의 병원성 및 전파력에 영향을 미칠 수 있다. 인플루엔자 바이러스의 종류를 나타내는 영어 명칭을 보면, A형 인플루엔자 바이러스로는 H1N1, H2N2, H3N2, H5N1, H7N9, H10N8, H11N9, H12N3, H13N9, H14N3, H15N1, H16N1, H17N1, H18N1, H19N1, H20N1이고, B형 인플루엔자 바이러스는 B/Victoria, B/Yamagata이고, C형 인플루엔자 바이러스는 C/Victoria, C/Yamagata이다.

적인 결과를 초래하는 팬데믹을 유발할 수 있다. 이러한 종간 전파가 일어나는 이유는 다양하다. 첫째, 야생 동물과 인간의 접촉이 증가하기 때문이다. 둘째, 기후 변화로 인해 야생 동물의 서식지가 파괴되고, 인간의 거주지로 침범하게 되기 때문이다. 셋째, 바이러스의 돌연변이로 인해 병원성이 증가하기 때문이다.

종간 전파를 통해 발생하는 팬데믹은 전 세계적으로 막대한 피해를 초래할 수 있다. 따라서, 이러한 종간 전파에 대한 각별한 대비가 필요하다.

먼저, 야생 동물과 인간의 접촉을 줄이기 위한 노력으로 야생 동물의 밀렵과 서식지 파괴를 방지하고, 야생 동물과 인간의 접촉을 최소화하기 위한 교육과 홍보를 한다. 둘째, 바이러스의 돌연변이를 모니터링하기 위한 노력으로 동물과 인간에서 유래한 바이러스의 유전체를 정기적으로 분석하여 돌연변이의 발생 여부를 모니터링해야 한다. 셋째, 신속한 대응을 위한 준비로 팬데믹에 대비하여 백신과 치료제 개발을 위한 연구를 강화하고, 대규모 감염에 대비한 의료 체계를 구축한다.

데이비드 콰먼은 그의 저서 spillover에서 인간의 지나친 번식이 팬데믹의 위험을 증가시킨다고 지적했다. 인간의 개체수는 지구 역사상 어느 동물 종보다도 많고, 이러한 인구 증가로 인해 야생 동물과 인간의 접촉이 증가하고, 바이러스의 종간 전파가 일어날 개연성이 높아지고 있다. 따라서, 인간은 자신의 욕심을 자제하고, 지구 환경을 보호하기 위한 노력을 통해 팬데믹의 위험을 줄여야 한다.

5) 신종 인수공통감염병의 창궐 이유

최근 100년간 사망자 기준으로 10대 감염병 중 8가지가 바이러스 질환이다. 바이러스가 세균보다 최근에 득세하는 이유는 인류가 세균과 싸워온 역사가 더 길고, 세균에 대항할 무기가 많기 때문이다. 바이러스와 세균의 본질적인 차이도 크다. 바이러스는 세균에 비해서 공통적으로 여러 바이러스를 표적할 수 있는 광범위 치료제를 만들기도 쉽지 않다.

신종 전염병이 자꾸 생겨나는 이유는 기생체와 숙주 간의 만남의 기회가 확대되었기 때문이다. 특히 열대우림지역으로 인간의 활동 반경이 넓어지고, 개발이 이루어지면서, 그간 인간과 만날 일이 별로 없었던 많은 야생 동물과 접촉이 발생하게 되고, 그때 아직 인류가 경험하지 못한 바이러스가 야생 동물로부터 전파되고 있다. 기후 변화와 발달한 교통망은 전파를 더욱 빠르게 확산시킨다. 추가적인 가설로 인류의 건강과 영양 상태가 증진되면서, 바이러스가 증식하고 전파되기 더욱 좋은 숙주가 되었을 수 있다.

세계보건기구(WHO)는 최근 신종 감염병이 유례없는 속도로 나타나고 있다고 경고했다. 실제로 1970년대 이후 SARS, MERS, Ebola, Chikungunya[21], Avian Influenza, Zika를 포함한 40가지 이상의 신종 감염병이 발견되었다. 이렇게 최근 50년간 신종 감염병이 급격히 증가한 이유는 인간과 환경 간 상호작용의 변화 때문이다.

　　생태계의 난개발 및 밀림 훼손은 야생 동물과의 접촉 증가로 인한 야생 동물 병원체의 사람과 가축으로의 전파를 초래했다. 또한 육식 증가, 야생 동물 교역량 증가, 반려동물 사육인구의 증가와 같은 식습관과 생활패턴 변화 또한 주요 원인 중 하나이다. 그리고 교통수단의 발달로 인해서 지구촌이 일일 생활권화가 되어 감염병이 빠르게 확산되는 요인이 되기도 한다. 즉, 인구증가, 도시화, 여행·교역의 증가, 빈부격차, 경제발달과 토지개발에 따른 생태환경의 파괴 등이 신종 감염병 확산 및 공중보건을 위협하는 요인이 되었다.

---

21) 치쿤구냐(Chikungunya)는 모기에 매개되는 바이러스성 질환으로, 주로 아프리카, 아시아, 아메리카 지역에서 유행한다. 주요 증상은 발열, 관절통, 근육통, 피로, 발진 등이며, 특히 관절통이 심각할 수 있다. 대부분 경우는 며칠에서 몇 주 안에 회복하지만, 일부 환자는 관절통이 지속되거나 다른 합병증이 발생할 수 있다. 치쿤구냐 바이러스는 주로 Aedes aegypti 모기와 Aedes albopictus 모기에 의해 전파되며, 이 모기는 낮 시간 동안 활동하며, 암컷 모기만이 사람을 뜯어 피를 흡입한다. 치쿤구냐의 치료법은 특별한 치료법이 없으며, 대부분은 증상 완화를 위한 치료가 이루어진다. 충분한 휴식, 수분 섭취, 해열제, 진통제 등을 사용하여 증상을 완화시키는 것이 중요하다. 치쿤구냐 예방을 위해서는 모기에 물리지 않도록 노력하는 것이 중요하다. 긴팔 긴바지 착용, 모기 퇴치제 사용, 모기장 설치 등을 통해 모기와의 접촉을 최소화해야 한다.

5. 핵융합로(fusion reactor)

핵융합 발전(nuclear fusion power generation)은 핵융합 반응 발생하는 에너지를 이용해 전력을 생산하는 것을 말하며, 여기에 사용되는 원자로를 핵융합로(nuclear fusion reactor)라고 한다. 핵융합로는 전력생산 뿐만 아니라, 과학적 연구, 기술 개발 등을 목적으로 개발되고 있다. 핵융합은 태양에서 빛과 열 에너지를 만들어 내는 원리이며, 고온과 고압 환경 하에서 수소 원자핵들이 서로 융합하면서 발생하는 질량 결손이 에너지의 형태로 방출되는 것이다(김광표, 2017).

핵융합로를 활용한 핵반응은 여러 가지 형태가 있지만 그 중에서 가장 많은 에너지를 얻을 수 있는 D-T 반응이 주로 연구되고 있다. D-T 반응은 수소의 동위원소인 중수소와 삼중수소 원자를 연료로 하여 고온에서 두 원자를 반응시켜 헬륨의 생성과 함께 높은 에너지를 발생시킨다. D-T 반응으로 생산할 수 있는 에너지는 17.6MeV[22]로, 이는 우라늄 235(U235)의 핵분열 시 발생하는 에너지 200MeV의 대략 1/10 수준이다. 하지만 소모되는 핵연료의 단위질량당 발생하는 에너지는 핵융합이 핵분열에 비해 10배 정도 더 높다. 일반적으로 전자를 포함한 화학반응에서 방출되는 에너지와 비교하면 대략 1,000,000배 정도 높다(wikipedia.org).

1) 핵융합의 원리

핵융합(nuclear fusion)은 물리학에서 핵분열과 상반되는 현상으로, 두 개의 원자핵이 부딪혀 새로운 하나의 무거운 원자핵으로 변환되는 반응이다. 또한, 원자핵이 합쳐지는 반응으로, 고온에서 가벼운 원자핵들을 융합시켜 더 무거운 원자핵이 되는 과정에서 에너지를 얻어내는 것이다. 원자가 가벼울수록 핵융합 반응이 일어날 가능성이 커지는데, 가장 가벼운 원소가 수소이기 때문에 핵융합의 원료로는 수소가 사용되며, 중수소-삼중수소 반응이 핵융합 반응에 가장 유리한 조건이다[23]. 현재 운영 중인 원자력발전소는 무거운 원자(우라늄)을 분열시키는 과정에서 나오는 에너지를 활용하는 것이다. 핵융합과 핵분열 과정에서 생기는 질량 차이가 E=mc2 원리에 의해 에너지로 변환되어 나오는데, 핵융합 과정에서

---

22) MeV는 메가 전자볼트(mega electron volt)의 약자로, 질량 에너지에 대한 전자볼트의 100만 배를 의미한다. 전자볼트는 전자의 질량과 전하량의 곱에 해당하는 에너지 단위이다.

23) 태양이 핵융합으로 에너지를 생산하는 대표적인 예인데, 태양은 수소가 핵융합 반응으로 헬륨으로 바뀌는 과정에서 나오는 에너지를 방출한다. 중수소는 수소원자 내에 양성자 1개와 중성자 2개가 있는 것이고, 삼중수소는 양성자 1개와 중성자 3개가 있는 것이다.

나오는 에너지가 핵분열보다 7배 이상 많다[24].

기본적으로 원자핵은 내부의 양성자로 인해 양전하를 띠므로 두 개의 원자핵이 서로 접근하게 되면 전기적인 척력에 의해 서로 밀어내게 된다. 하지만 원자핵을 초고온으로 가열하면 원자핵의 운동에너지가 전기적 척력을 이겨내어 두 원자핵이 서로 충돌하게 된다. 그리고 이후에는 두 원자핵 사이에 강력한 인력이 작용해 하나의 원자핵으로 결합될 수 있다. 가장 가벼운 원소인 수소의 원자핵끼리 핵융합을 위해 필요한 온도는 대략 1억℃(10^8℃) 이상이며, 더 무거운 원자핵들 간의 핵융합에는 더 고온의 환경이 필요하다.

지구의 원소 중 철의 원자핵은 모든 원자핵 가운데 가장 강한 결합 에너지를 가지고 있으며, 가장 안정되어 있다. 그러므로, 철보다 가벼운 원자핵들 사이의 핵융합 반응에서는 일반적으로 주변으로 에너지를 방출하며, 철보다 무거운 원자핵들 사이의 핵융합 반응에서는 주변으로부터 에너지를 흡수한다.

[표 4] 핵융합과 핵분열

출처: 국가핵융합연구소. 2016

위의 그림은 기존 원자력발전소는 무거운 원자핵이 분열하며 발생하는 에너지를 활용하는 핵분열 반응(우)을 활용하는 반면 핵융합 발전은 가벼운 원자핵들이 융합하며 에너지가 발생하는 핵융합 반응(좌)을 이용한다.

ITER 웹사이트: https://www.iter.org/org
핵융합발전협회: https://www.fusionpower.org/

---

[24] 우라늄-235 1kg이 핵분열할 때 나오는 에너지가 200억kcal 정도인 반면, 수소 1kg이 핵융합할 때 나오는 에너지는 1500억 kcal이다.

이코노미스트: https://www.economist.com/science-and-technology/2023/03/22/fusion-power-is-coming-back-into-fashion

핵융합은 원자핵이 서로 결합하여 더 무거운 원자핵이 되는 반응으로 이 과정에서 질량이 감소하고 그 감소한 질량에 해당하는 에너지가 방출된다. 핵융합은 태양과 같은 별에서 에너지를 생산하는 데 사용되는 과정으로, 친환경적이고 무한한 에너지원으로 주목받고 있다. 핵융합 반응은 매우 높은 온도와 압력에서 일어난다. 태양의 경우, 중심부 온도는 약 1억 도이고 압력은 지구 대기압의 약 250억 배에 달한다. 이러한 극한 조건을 구현하기 위해서는 강력한 자기장을 이용하여 플라즈마를 가두고 제어하는 기술이 필요하다.

핵융합 반응에 사용되는 연료는 주로 중수소와 삼중수소와 같은 수소 동위원소로 중수소는 바닷물에 약 0.015%, 삼중수소는 자연계에 극미량 존재하지만, 리튬과 중수소를 반응시켜 만들어낼 수 있다.

핵융합 반응의 종류는 크게 두 가지로 나눌 수 있습니다. 하나는 중수소와 삼중수소가 결합하여 헬륨과 중성자를 생성하는 반응으로, 다음과 같은 방정식으로 표현된다.

$$D + T \rightarrow He + n + 17.6\ MeV$$

여기서 D는 중수소, T는 삼중수소, n은 중성자, MeV는 메가전자볼트(1MeV는 약 $1.602 \times 10^{-13}J$)를 의미한다. 이 반응은 핵융합 반응 중 가장 효율이 높아 상용화에 가장 유리한 것으로 평가받고 있다.

다른 하나는 수소와 수소가 결합하여 헬륨을 생성하는 반응으로, 다음과 같은 방정식으로 표현된다.

$$H + H \rightarrow He + n + 4.0\ MeV$$

여기서 H는 수소이고, 이 반응은 중수소-삼중수소 반응에 비해 효율이 낮지만, 연료로 사용되는 수소가 풍부하다는 장점이 있다.

핵융합반응을 유도하는 방식은 자기 가둠 핵융합과 관성 가둠 핵융합으로 나뉜다. 자기 가둠 핵융합(Magnetic Confinement Fusion, MCF)이란 플라즈마[25]

---

25) 플라즈마란 고체, 액체, 기체 등 3가지 상태와 다른 네 번째 상태로, 기체를 계속 가열하면 너무 많은 에너지를 흡수한 전자가 원자로부터 떨어져 나오고, 전자를 잃은 원자는 양이온 상태가 되는데, 이처럼 고온에서 이온과 전자가 뒤섞여 존재하는 상태를 가리킨다. 핵융합은 플라즈마 상태에서 일어난다.

를 자기장을 이용하여 가두어놓는 방식이며, 이에 해당하는 핵융합로는 토카막(Tokamak)과 스텔러레이터(Stellarator)가 있다. 관성 가둠 핵융합(Inertial Confinement Fusion, ICF)이란 중수소와 삼중수소의 혼합물로 이루어져 있는 연료 펠릿에 레이저를 쏘아 열과 압력을 가함으로써 핵융합 반응을 일으키는 것으로 에너지 생산뿐만 아니라 무기 생산과도 연관되어 연구가 진행 중이다.

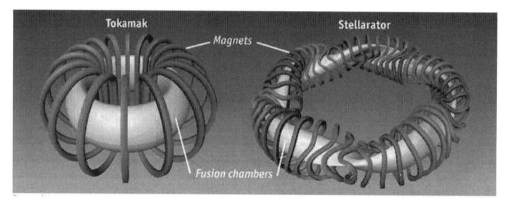

[그림 69] 토카막과 스텔러레이터의 비교

출처: The Economist(2015.10)

2) 핵융합의 장단점

핵융합에너지의 장점으로는 청정한 에너지, 풍부한 연료, 대규모 전력의 안정적 공급, 사고위험과 사용후핵연료 문제가 거의 없는 점 등이 꼽힌다. 핵융합에너지는 발전과정에서 이산화탄소나 미세먼지를 배출하지 않는다. 연료인 중수소는 바닷물에서 전기분해를 통해 얻을 수 있고 삼중수소는 리튬에 중성자를 가해 얻을 수 있다.

핵융합 에너지의 장점은 친환경성, 풍부한 연료, 높은 효율성과 안전성을 언급한다. 먼저, 친환경성으로 핵융합 반응은 이산화탄소나 미세먼지와 같은 온실가스를 배출하지 않는다. 따라서 기후 변화와 대기 오염 문제를 해결하는 데 도움이 될 수 있다. 둘째, 풍부한 연료로 핵융합 반응에 필요한 연료는 중수소와 삼중수소이다. 중수소는 바닷물에서 쉽게 추출할 수 있으며, 삼중수소는 리튬에서 생산할 수 있다. 따라서 핵융합 에너지는 지속 가능한 에너지원으로 주목받고 있다. 셋째, 높은 효율성으로 핵융합 반응은 기존의 석탄이나 석유를 태워 전기를 생산하는 것보다 훨씬 높은 효율성을 가진다. 따라서 전력 생산에 필요한 비용을 절감할 수 있다. 넷째, 안전성으로 핵융합 반응은 핵분열 반응에 비해 사고 위험이 낮다. 핵융합 반응이 일어나기 위해서는 매우 높은 온도와 압력이 필요하기 때문에, 핵융합로에서 사고가 발생하더라도 폭발이나 방사능 누출이 일어날 가능성이 매우 낮다.

핵융합발전이 상용화 될 경우 발전용량은 1GW 이상이 될 것으로 예상되며, 연료를 얻는 비용이 낮아 기저전원으로 쓰일 수 있다. 대형사고의 위험이 거의 없는데, 그 이유는 핵융합 반응로 안에서 일어나는 핵융합 반응은 연료를 지속적으로 공급해주어야 하며, 그렇지 않으면 반응이 금방 끝나버리기 때문이다. 또한 세심한 제어과정이 없으면 반응이 지속되지 않는다. 핵융합발전에서 나오는 방사성 폐기물은 삼중수소와 방사능에 오염된 구조물인데, 방사능 준위가 낮은 중저준위 폐기물이고, 삼중수소의 반감기는 12년에 불과하다.

핵무기로 쓰이는 우라늄과 플루토늄을 사용하지 않기 때문에 핵확산의 위협에서 자유롭다. 이러한 장점들 때문에 핵융합에너지는 미래 에너지원으로 주목받고 있으며, 주요국들은 연구개발에 대해 활발히 투자하고 있다. 그러나 핵융합발전을 실현시키기 위한 기술개발에 난제가 너무 많아 상용화에 너무 많은 시간과 자본이 소요된다는 단점이 있다. 핵융합의 상용화는 너무 먼 미래의 일인 반면 온실가스 증가에 의한 기후변화 문제 해결은 시급한 사안인데, 핵융합에 투자되는 막대한 자본을 신재생에너지 등에 투자하는 것이 더 낫다는 주장이 제기되고 있다

3) ITER 프로젝트 추진현황
가. ITER 건설 추진 배경

핵융합발전은 태양과 같은 별이 에너지를 생산하는 원리를 모방한 차세대 에너지원으로, 이산화탄소나 미세먼지와 같은 온실가스를 배출하지 않으며, 풍부한 연료와 높은 에너지 밀도를 가지고 있어 친환경적이고 지속 가능한 에너지원으로 주목 받고 있다.

핵융합발전을 상용화하기 위해서는 핵융합로의 대형화가 필수적이며, 다. 현재의 핵융합 기술 수준에서는 핵융합 반응을 위해 투입되는 에너지에 비해 핵융합으로 인해 생산되는 에너지(Q)가 많지 않다. Q 값이 1이상이어야만 핵융합발전이 경제적으로 가능하다.

핵융합로의 부피를 키우는 것이 Q 값을 높이는 가장 효과적인 방법으로 핵융합로의 반경을 늘리면 생산되는 에너지의 양은 세제곱에 비례해 늘어나고 손실되는 양은 반경에 비례에 늘어난다. 따라서 핵융합로의 반경을 충분히 크게 하게 되면 생산되는 에너지의 양이 손실되는 양을 넘어서 Q 값이 1이상이 될 수 있

다.

핵융합로를 크게 짓는 데는 천문학적인 금액의 투자가 필요하며, 리스크가 크다는 점이 걸림돌이다. 핵융합을 연구개발하는 개별 국가 입장에서는 다른 나라가 먼저 대형 핵융합로를 짓고 검증하는 것을 기다렸다가 그 결과를 본 이후에 투자하려는 유인이 있다.

이에 세계 핵융합 연구개발 국가들이 모여 공동으로 대형 토카막을 건설하기로 했으며, 이것이 바로 ITER(International Thermonuclear Experimental Reactor, 국제핵융합실험로)이다. ITER는 2025년 완공을 목표로 프랑스 남부 까다라슈에 건설 중이다.

ITER는 지름 89m, 높이 30m의 대형 토카막으로, 핵융합 반응을 통해 500MW의 전력을 생산하는 것을 목표로 하고 있다. ITER의 성공은 핵융합발전 상용화의 중요한 이정표가 될 것으로 기대된다.

ITER 사업은 태양과 같은 별이 에너지를 생산하는 원리를 모방한 핵융합 발전을 상용화하기 위한 국제 공동 프로젝트이다. 1985년 미·소 정상회담에서 채택된 '핵융합 연구개발 추진에 관한 공동성명'을 계기로 시작되었으며, 현재 미국, EU, 중국, 일본, 인도 등 7개 국가가 참여하고 있다.

ITER 사업의 핵심 목표는 대형 토카막에서 핵융합 반응을 통해 500MW의 전력을 생산하는 것이다. 이를 위해서는 핵융합로의 대형화와 고온 플라즈마의 장시간 안정적 유지가 필수적이다. ITER 사업은 이러한 기술적 난제를 해결하기 위한 중요한 실증 플랫폼 역할을 할 것으로 기대된다.

ITER 사업은 2025년 완공을 목표로 하고 있다. ITER의 성공은 핵융합 발전의 상용화 가능성을 크게 높이는 계기가 될 것이다. 핵융합 발전은 이산화탄소와 같은 온실가스를 배출하지 않는 친환경 에너지원으로, 기후 변화와 에너지 안보 문제를 해결하는 데 중요한 역할을 할 것으로 전망된다[26].

나. ITER 프로젝트 추진 현황

ITER 프로젝트는 건설단계, 운영단계, 방사능 감쇄 단계, 폐로 단계 등 4단계로 진행된다. 당초 계획은 2007년에 건설을 시작하여 2020년에 ITER를 완공하고 운영을 시작할 계획이었으나, 올해 6월 이사회에서 완공 시점이 5년 지연되어 2025년에 완공되는 것으로 결정되었다. ITER 이사회는 수정된 프로젝트 일정을 올해 11월 최종 승인하였다. 사업비용도 원래 131.8억 유로로 예상되었으나 40억 유로가 추가되었다. 총건설비에서 45.46%를 ITER를 유치한 EU에서 분

26) 박찬국, 이대연, 김양수. (2016). 핵융합발전의 사회경제적 인식 분석. 에너지경제연구원 수시연구보고서, 1-88.

담하고 나머지 54.54%를 6개국에서 9.09%씩 분담한다. 이후 운영, 감쇄, 폐로 단계에서는 EU가 34%, 미국과 일본이 각각 13%씩, 나머지 4개국이 10%씩 분담한다.

재원 분담 방식은 장치 제작, ITER 국제기구 직원 파견 등을 포함한 현물 분담이 78%, 직접비, ITER 국제기구 운영비, 직접고용 인건비 등을 포함하는 현금 분담 22%로 구성된다. 현물 분담 시 참여국은 할당된 조달 품목을 제작 및 납품하고, ITER 기구가 주도하여 현장에서 조립 및 완성한다. 이때 출자한 것으로 인정되는 금액은 참여국이 실제로 투입한 비용과는 상관없이 납품 완료 후 ITER 기구로부터 인정받는 금액이다. ITER 프로젝트의 최종 목표는 50MW의 에너지를 투입하여 열 출력 500MW를 달성하는 것이며, ITER 회원국들은 ITER 운영 경험을 바탕으로 각국에 핵융합 발전 실증로를 건설할 계획이다. ITER 건설부지 면적은 42ha(60만m2)로 축구장 60개의 크기와 같다. 2007년 부지 정비 작업으로 착공에 들어갔고, 2014년 기준으로 약 25%의 공사가 진행되었다. ITER 프로젝트는 출력 500MW, Q 값 10 이상, 핵융합 시간 400초 이상 등의 주요 지표를 달성하는 것이 목표이다. ITER를 통해 얻은 연구 결과는 향후 각국에서 핵융합 실증로(DEMO)를 설계 및 건설, 운영하는데 중요한 자료로 사용될 예정이다.

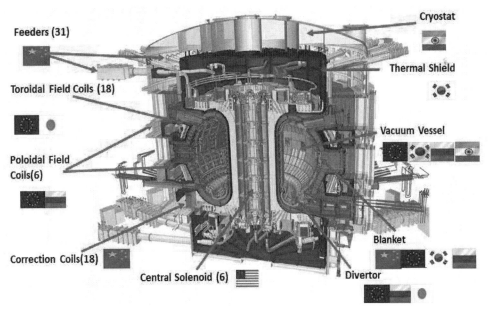

[그림 70] ITER 부대설비의 국가별 현물출자 현황

출처: 핵융합연구소

현재 전 세계적으로 핵융합로 개발을 위한 연구가 활발히 진행되고 있다. ITER (International Thermonuclear Experimental Reactor) 프로젝트는 프랑스에서 진행 중인 대규모 핵융합 실험 프로젝트로, 2025년 완공을 목표로 하고 있다. ITER 프로젝트의 성공은 핵융합로 상용화의 중요한 이정표가 될 것으로 기대된다. 전문가들은 핵융합로가 상용화될 경우, 21세기 후반에 전 세계의 주요 에너지원으로 자리 잡을 것으로 전망하고 있다. 핵융합로는 기후 변화와 에너지 안보 문제를 해결하는 데 중요한 역할을 할 것으로 기대된다.

4) 주요국 핵융합발전 기술개발 추진 동향

가. 미국

미국은 1950년대부터 군사적 목적으로 핵융합 연구를 시작하였으며, 이후 에너지 확보를 위한 연구도 진행 중이다. 에너지부(DOE) 산하에 있는 과학국(Office of Science)과 국가핵안보국(NNSA)에서 관련 연구를 담당하고 있다. 과학국은 에너지원 개발을 목표로 하는 자기 가둠 핵융합을, 국가핵안보국(NNSA)는 핵무기 개발과 관련된 관성 가둠 핵융합을 담당한다.

세계에서 가장 많은 금액을 핵융합 기술 개발에 투자하고 있으며, 세계 핵융합 기술개발의 거의 모든 분야에서 가장 높은 수준의 역량을 보유하고 있는 것으로 평가받고 있다. 오바마 정부 출범 이후 저탄소 정책을 강화함에 따라 핵융합 연구개발에 대한 정책적 지원도 확대되고 있다.

[표 5] 미국의 핵융합 연구개발 예산

(단위 : 백만 달러)

구분	2012년	2013년	2014년	2015년	2016년
자기장 핵융합	393	377	504	467	420
관성 핵융합	474	456	512	512	502
계	867	833	1016	979	922

주: 2016년은 예산 요구서 기준; 출처: DOE(2015.2)

주요 핵융합 연구장치로는 군수업체인 General Atomic사가 운영 중인 DIII-D, 프린스턴 플라즈마 물리연구소(PPPL)의 토카막 장치인 NSTX, MIT의 토카막 C-Mod 등이 있다. 현재 시점에서 PPPL의 NSTX는 지난 4년 간 업그레이드 중이고, MIT의 C-Mod는 예산 문제로 가동 정지 중이어서, 가동 중인 핵융합로는 DIII-D가 유일하다. 자기 가둠 핵융합과 관성 가둠 핵융합 연구 결과에 따라 핵융합 실증로(DEMO) 노형을 결정하고, 2035년까지 실증로를 완공 및 운영하고자 한다. 국립점화시설(NIF)에서 연구 중인 관성 가둠 핵융합의 연구결과와 토카막 장치인 ITER의 연구결과를 비교하여, 2019년 둘 중 하나를 택하여 집중 추진할 계획이다.

나. 러시아

1951년 구소련의 사하로프라는 연구자가 토카막 개념을 고안하여 제안하였다. 구소련의 토카막 장치(T-3)에서의 연구성과는 전 세계 대부분의 핵융합 연구가 토카막을 중심으로 수행되는 데 중요한 계기가 되었다. 주요 연구장치로는 1968년 세계 최초로 1,000만℃의 플라즈마를 생산해 낸 토카막인 T-3가 있고, 그 후로도 T-7, T-10, T-15 등이 건설되었다. 가장 최근까지 활용된 것은 1988년 운전을 시작한 T-15이다. 그러나 T-15의 운영이 예산부족 문제로 중단되면서 토카막 장치를 이용한 연구는 중단되었고, 현재는 개별 연구소 차원에서 핵융합 관련 연구가 진행 중이다.

다. EU

EU에서는 핵융합을 미래 주요 에너지기술로 평가하고 이를 위한 투자를 확대하고 있다. EU의 핵융합에너지 개발은 27개 가입국이 EURATOM(유럽원자력공동체) 조약에 따라 핵융합 연구개발을 공동으로 수행하고 있다. 2050년대까지 핵융합 상용화를 달성하기 위한 'EU 핵융합에너지 개발 로드맵'을 발표하였다.

[표 6] EU의 핵융합 R&D 예산

(단위 : 백만 달러)

구분	2012	2013	2014~2018	2019~2020	합계	
ITER	7.5	5.5	25.5	3.4	40	
EU Fusion	1.2	1.5	7.08*	3.8	13.58	

구분	2014	2015	2016	2017	2018	합계
Fusion Joint Programme	0.77	0.72	0.82	1.02	1.25	4.58
JET	0.63	0.50	0.50	0.50	0.37	2.50
Total	1.40	1.22	1.32	1.52	1.62	7.08

출처: 주벨기에·유럽연합대사관(2011); EFDA(2012); European Commission Decision C(2015); 국가핵융합연구소(2016.1)

EU에서 공동으로 추진하는 핵융합 장치로는 영국 Culham에 위치한 JET가 있다. JET는 유럽 국가들의 합작 결과이며, 유럽 각국에서 40개 이상의 연구소들이 공동으로 사용하고 있다. 유럽 전체에서 모인 350명 이상의 과학자와 엔지니어가 JET 프로그램에 기여하고 있다. JET는 현존하는 토카막 장치 중에 가장 크고 가장 높은 핵융합 출력을 기록한 바 있어, 가장 높은 수준의 장치로 인정받고 있다. 현재 운영되는 핵융합 장치 중에 유일하게 중수소-삼중수소 반응을 실험하고 있다.

개별 국가차원에서는 영국, 프랑스, 독일, 이탈리아, 스페인 등 5개 국가가 핵융합 기술개발 연구를 진행 중이다. 영국은 JET를 유치하여 국립 Culham핵융합 연구소를 중심으로 관련 연구를 진행 중이다.

중수소-삼중수소 핵융합 반응 실험, 로봇팔을 이용한 원격작업 등에 강점을 보이고 있다. 프랑스는 토카막 장치인 Tore Supra를 건설하여 1988년부터 독자적으로 운영해 왔다. 독일은 1990년부터 ASDEX-U 토카막 장치를 가동했으며, 내열이 중요시 되는 토카막 내벽재료로 텅스텐 벽을 실험 중이다. 이탈리아는 FT-U를 운영하면서 점화장치의 설계와 개발을 추진 중이다. 스페인은 JT-II를 운영하며 플라즈마 진단연구를 주로 수행한다.

관성 가둠 핵융합 연구도 진행 중인데, 프랑스에서 건설 중인 LMJ(Laser Mega Joule)은 총 30억 유로를 투자하여 2012년 완공하였으며, 군사목적의 물리실험을 위해 2014년 10월 첫 번째 실험을 하였다. 또한 영국, 이탈리아 등 6개국은 HiPER(High Power laser Energy Research)를 건설 추진 중이다.

라. 일본

자원이 부족한 일본은 핵융합을 에너지와 환경 문제를 동시에 해결할 수 있는 에너지로 인식하고 관련 연구에 적극적으로 참여하고 있다. 일본은 1950년대 말부터 핵융합 연구를 시작하였으며 1970년대 초 JT-60 건설에 착수하면서 본격화되었다. 1990년부터 대규모의 투자가 이루어졌으며, 자기 가둠 핵융합과 관성 가둠 핵융합을 동시에 연구개발하고 있다. EU와 공동협력 협정(Broader Appoch, BA)을 체결하여 ITER 운영 및 실증로 실험연구를 위한 선행 연구장치로 JT-60SA를 조립 진행 중이며, 핵융합재료 연구시설을 공동으로 설계 중이다. 미국, EU와 함께 세계에서 핵융합 기술수준이 가장 높은 국가로 평가되고 있다.

주요 연구장치로는 토카막 장치인 JT-60SA, 스텔러레이터인 LHD, 레이저 핵융합 장치인 LFEX, 차세대 레이저 핵융합 장치 FIREX-II 등 다양한 핵융합 연구장치가 있다. JT-60SA는 1985년 가동을 시작한 JT-60(Japanese

Tokamak-60)를 개조하여 1991년 JT-60U로 업그레이드하고, 이를 다시 초전도자석으로 업그레이드하는 작업을 2013년 시작하여 2019년 완공을 목표로 하고 있는 모델이다. LHD(Large Helical Device)는 일본 나고야의 일본핵융합연구소에 설치된 초전도 스텔러레이터로 1998년 운영을 시작하였고, 세계 최대 규모이며 2017년부터 중수소를 이용한 실험을 할 예정이다. LFEX(Laser Energy EXperiment)는 2014년 11월 건설을 완료하였다. FIREX-Ⅱ는 차세대 레이저 핵융합 장치로 2025년까지 국제 고속점화 실현, 2040년 이전 전력 생산이 목표이다.

[표 7] 일본의 핵융합 R&D 예산

(단위 : 억 엔)

	ITER	Broad Approach(BA)	Large Helical Device	기타	합계*
2012	51	42	44	145	282
2013	145	47	44	162	398
2014	217	34	44	–	295
2015	184	35	44	–	263
*: 연도별 예산은 직접비만 산정, JT-60U 사업, GEKKO XII 사업, NIFS 및 JAEA 기관운영비 미포함					

출처: http://www.mext.go.jp/a_menu/kaikei/index.htm; http://www.jaea. go.jp /02/2_13.shtml; 국가핵융합연구소(2016)

2050년대 1세대 핵융합 상용화 실현 계획하에 핵융합 연구 로드맵을 수립하여 추진 중이다[27]. 2036년 핵융합 원형로(proto type) 건설을 목표로 18개 분야 1,000개 항목에 대한 로드맵을 작성하여 추진 중이다. 자장 가둠 핵융합과 관성 가둠 핵융합 2가지 유형의 DEMO 건설을 추진하고 있다. 2030년대 DEMO 건설 및 2040년대 운영을 목표로 한다.

마. 중국

중국은 급증하는 자국 내 에너지수요에 대응하기 위해 핵융합에너지 개발을 적극적으로 추진 중이다. 1950년대 말부터 소규모로 플라즈마에 대한 연구를 시작하였고 1960년대 중반 들어 CNNC가 남서물리연구소(SWIP)를 설립하면서 핵

---

27) 일본의 핵융합 개발 단계 : 기초연구·개발 → 실험로(이론 실증) → 원형로(실용화 가능성 타진) → 실증로(안전성과 경제성 입증) → 상업로(상업적 이용)

융합 연구가 본격화 되었으며, 1970년대 중국과학원 플라즈마물리연구소(ASIPP)를 설립하였다. 후진타오 전 주석과 시진핑 주석이 플라즈마물리연구소를 방문하는 등 핵융합에너지에 대한 적극적인 관심과 개발의지를 표명하고 있다.

자기 가둠 핵융합 연구를 위해 2008년~2015년까지 113개의 프로그램을 운영하고 약 35억 위안(약 6,400억원)을 지원하였다. 또한 향후 10년간 ITER 및 관련 연구개발에 12억 달러를 투자할 예정이다[28].

주요 연구장치로는 플라즈마물리연구소가 운영하는 EAST가 있다. EAST는 2006년 완공된 초전도 토카막 장치로, 최근 몇 년간 성능개선을 위한 대규모 투자가 이루어져 장치성능이 대폭 개선되었다. 중국은 EAST를 ITER 프로젝트를 위한 기술의 시험장으로 사용한다는 계획이다. EAST 외에도 러시아에서 1984년에 들여온 초전도 토카막을 기초로 제작한 HT-7, 레이저 핵융합 시설인 SG-II, 2020년 완공을 목표로 건설 중인 세계 최대 규모(2MJ)의 레이저 핵융합 시설 SG-III 등이 있다.

2020년대 혼성원자로[29]를 개발하고 2030년대 DEMO를 건설한다는 공격적인 상용화 목표를 제시하였다. 2010년부터 150MW 규모의 혼성원자로 설계를 시작으로 ITER 참여를 통한 순수 핵융합 DEMO도 추진한다는 계획이다. 2030년까지 실증로인 CFETR(China Fusion Engineering Testing Reactor)를 완공하여 Q 값을 10 이상 기록하는 것을 목표로 하고 있다[30].

바. 인도

인도는 일찍부터 원자력을 개발해 왔으며, 급증하는 에너지 수요에 대응하면서 청정에너지를 확보하고자 핵융합 기술개발을 추진하고 있다. 인도는 1970년대 초반 우주 플라즈마 현상에 대한 연구가 핵융합 연구의 기초가 되었고, 이후 1978년 트로이달 장치를 이용한 플라즈마 연구를 수행하였다. 1982년부터 고온 플라즈마의 자기 가둠 연구를 시작으로 플라즈마 물리 프로그램을 시작하였다.

주요 연구장치로는 ADITYA와 SST-1이 있다. ADITYA는 1989년 가동을 시작한 중간 정도 크기의 토카막으로 현재까지 운영 중이며 장치 업그레이드가 지속적으로 이루어졌다. SST-1은 2005년 완공된 중대형 토카막 장치이며, 고성능

---

28) 중국은 정부차원의 공식적인 전체 핵융합 예산을 공개하고 있지 않으나, 한국 국가 핵융합연구소에서 중국과학원 등의 발표자료를 토대로 추정한 금액이다

29) 혼성원자로(Fusion-Fission Hybrid Reactor, FFHR) : 핵융합으로 발생된 다량의 중성자를 핵분열의 결과물로 생성된 사용후핵연료에 반응시켜 에너지를 생산하는 방식.이 방식에 따르면 사용후핵연료를 이용해 에너지를 생산할 수 있을 뿐 아니라 폐기물 처리문제도 해결된다.

30) 중국의 핵융합 R&D 로드맵 : EAST(2010년대) → ITER(2020년대) → CFETR(2030년대) → 상용 핵융합발전소(2050년)

플라즈마를 정상상태로 운전하는 것이 목표이다.

사. 한국

우리나라는 주요국들에 비해 핵융합 연구에 참여하는 시기가 가장 늦었지만, 중간진입전략31)10)으로 짧은 기간에 안에 주요 핵융합 연구개발 국가로 도약하였다. 1970년 후반부터 서울대(SNUT-79), 원자력연구원(KT-1), KAIST(KAIST-T), 기초과학지원연구원(한빛) 등 개별대학이나 연구소 차원에서 기초과학 수준의 연구를 수행하였다.

1995년 대형 초전도 토카막(KSTAR) 건설을 목표로 국가핵융합연구개발 기본계획을 수립하면서 연구가 본격화되었다. 2007년까지 3,090억원을 투자하여 KSTAR를 완공하고 2008년 최초 플라즈마 발생 실험에 성공함으로써 주요 핵융합 연구개발 국가로 부상하였다.

2007년 '1차 핵융합에너지 개발진흥 기본계획'을 시작으로 5년마다 동 계획을 수립하여 핵융합에 대한 정책적 지원을 하고 있다. 정부의 핵융합 R&D 투자도 2007년 573억원에서 2015년 1,424억원으로 증가하였다.

[표 8] 핵융합 관련 사업 투자액

(단위 : 백만 원)

사업명	2013년	2014년	2015년
KSTAR 연구	32,714	34,404	35,654
ITER 공동개발 사업	84,200	66,400	84,600
대학중심 핵융합 기초연구 및 인력양성지원 사업	6,700	5,712	6,712
국가핵융합연구소 기관고유 사업	15,069	18,349	15,494
합계	138,683	124,865	142,460

출처: 미래창조과학부(2015.5)

주요 연구장치로는 KSTAR가 있다. 프린스턴 대학교가 설계하여 추진하던 토카막 물리실험장치(TPX)가 연구예산 축소로 건설하지 못하게 되자, 1996년 우리나라 정부가 TPX의 설계도를 넘겨받아 대전에 핵융합 실험로를 짓겠다는 연구협정을 제안하였다. 제안이 받아들여져 실험로 건설이 시작되었고 2007년 완성되었는데 이것이 KSTAR이다. KSTAR는 초전도 토카막 장치로서 전 세계에서

---

31) 중간진입전략 : 외국의 다양한 기초연구 성과를 중간단계에서 도입하여 짧은 시간과 적은 비용으로 선진국의 기술성과를 따라잡는 전략

유일하게 ITER에 사용되는 초전도 자석과 동일한 재료의 자석을 사용한다. KSTAR를 개발하면서 초전도 자석 기술과 진공용기 제작 및 조립 기술이 발달하였고, ITER 프로젝트에서 해당 기술 분야는 우리나라가 담당하고 있다.

우리나라는 2040년대 상용 핵융합발전소 건설을 목표로 하고 있다. 2037년경 DEMO에 의한 전기생산 실증을 목표로 2010년 DEMO 설를 시작하여 2020년경 건설을 시작할 계획이다. 한국형 핵융합발전소는 2037년경에 공학설계를 완성하여 2040년대 상용발전소를 통한 대용량 전기생산을 목표로 하고 있다.

아. 종합

세계 주요국들은 핵융합 기술개발을 위해 국가간 협력과 함께 자국만의 핵융합 기술개발 노력을 동시에 경주하고 있다. ITER는 국제사회의 협력으로 프로젝트가 추진되고 있는 대표적인 예이며, 영국에 있는 JET은 EU 국가들의 공동 노력으로 건설된 것이고 일본의 JT-60SA 역시 일본과 EU간 협력으로 건설되고 있다. 동시에 각국은 자국만의 핵융합 기술개발을 추진하면서 상용화를 앞당기고자 노력하고 있다. 현재 각국의 핵융합기술 상용화 계획을 종합해보면, ITER의 완공 및 가동 이후 각국에서 2020년대 중반에 DEMO의 설계를 시작하여 2030년대에 DEMO가 완공 및 운영되고, 2040년대에 상용로 개발을 시작하여 2050년대에 상용화가 이루어질 것으로 보인다.

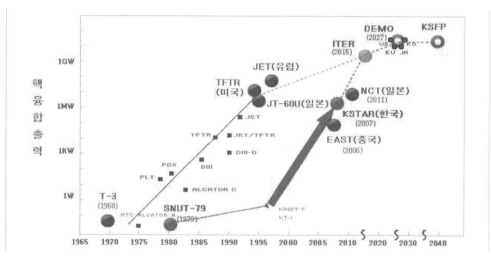

[그림 71] 세계 주요 핵융합 실험로의 발전단계

출처: ITER 한국사업단 홈페이지(http://www.iterkorea.org/0202(2016)

[표 9] 세계 주요 핵융합장치 비교

구분	초전도토카막				상전도토카막		
	KSTAR (한국)	EAST (중국)	JT-60SA (일본)	ITER (국제공동)	DⅢ-D (미국)	JET (영국)	ASDEX-U (독일)
기관(위치)	NFRI(대전)	중국과학원(Hefei)	JAEA(Naka) EU와 공동건설	ITER 국제기구 카다라쉬	General Atomics(San Diego)	EFDA(Culham)(EU 공동건설)	Max Planck(Garching)
완공	2007년	2006년	2019년	2025년	1986년	1983년	1991년
주반경 (장치크기)	1.8m	1.7m	3.16m	6.2m	1.66m	2.96m	1.65m
자석재료	Nb3Sn & NbTi(ITER 동일재료)	NbTi	Nb3Sn(CS) &NbTi(TF, PF)	Nb3Sn(TF, CS) & NbTi(PF)	Cu(상전도)	Cu(상전도)	Cu(상전도)
최고성과 및 의의	고성능 장시간운전기술확보	장시간 운영기술 확보	Q ~ 1.25 달성	핵융합출력(500 MW) 공학적 실증	고성능 AT 운전	핵융합출력 16MW 달성(1997)	최초로 H-모드 발견, 텅스텐벽 실험
의의	Nb3Sn 초전도자석을 사용한 세계 최초의 핵융합 장치	NbTi 초전도자석을 사용한 장치	JT-60U(상전도 토카막) 장치를 초전도자석으로 업그레이드 중	핵융합에너지 상용화를 위한 최종 공학적 실증로	기존 H-mode를 초과한 고성능 AT 운전 달성	현재 최대 규모의 상전도 토카막 장치로 핵융합 출력 16MW 달성	최초로 H-mode 발견

주 : H-mode는 토카막 내에서 발견된 높은 가둠 성능(온도, 밀도상승 등)을 보이는 운전영역을 의미함.

출처: 교육과학기술부(2011.12)

5). 핵융합발전 상용화의 주요 난제[32]

가. 안정적 전력생산

핵융합 발전은 초기 건설비용이 높고 연료비가 낮기 때문에 기저전원으로서 역할을 할 것으로 예상되며, 따라서 이용율을 최소 80%이상 유지하면서 비정상적으로 정지하는 일이 거의 없어야 한다. 그러나 토카막은 본질적으로 펄스에 의

---

32) Institute of Physics(2008.9), Fusion as an Energy Source : Challenges and Opportunities와 국가 핵융합연구소(2015.3), 인류가 원하는 미래에너지 - 핵융합의 세계를 참고하여 작성하였음.

해 전력이 생산되는데, 매우 긴펄스 모드로 운전된다고 하더라도 단속적으로 가동된다는 점에는 변함이 없다. 연구자들은 초기 전압상승 이후 플라즈마의 움직임과 안정성이 몇 시간 동안 유지될 수 있을 것이라고 제안하지만, 이러한 긴 펄스 운전은 안정적이고 지속적인 가동과는 분명한 차이가 있다.

이에 지속적인 가동을 위해 여러 가지 방안이 고려되고 있는데, 최후의 대안으로는 하나의 발전소 안에 여러 개의 토카막을 두는 방법이 있다. 예를 들어, 두 개의 토카막이 번갈아가며 가동하여 지속적인 전력생산을 하는 것이다.

이렇게 안정적이고 지속적인 전력생산이 어렵다는 점에 대용량 전원이라는 특성이 겹치면 더 큰 문제가 발생할 수 있다. 핵융합 발전은 1.5GW 이상의 용량을 가질 것으로 예상되는데, 갑자기 가동이 멈춘다면 안정적인 전력수급에 위험한 요소가 된다. 또한 핵융합 발전은 초기 가동을 위해 대규모의 전력이 필요하기 때문에, 재가동을 위한 전력을 공급받는데도 어려움이 있을 것으로 예상된다.

나. 극한 상황을 견디는 재료의 개발

핵융합 발전에 이용되는 구조물들은 극한의 상황에 처하게 되며, 이러한 극한의 상황을 견딜 수 있는 재료기술의 개발이 필요하다. 토카막 안에서 핵융합반응으로 인해 발생한 플라즈마는 매우 뜨거운데, 이와 직접 접촉하는 것은 블랑켓과 다이버터이다. 블랑켓은 핵융합이 일어나는 진공용기를 감싸는 것으로 중성자 에너지를 열로 변환하고 리튬을 이용해 삼중수소를 증식하는 역할을 한다. 다이버터는 핵융합 반응에 쓰이지 않은 연료나 헬륨 재를 핵융합 반응에 방해가 되지 않도록 배출해주는 장치이다. 이 두 가지 장치가 받는 열부하가 매우 높기 때문에 열 부하를 최소화하거나 견딜 수 있는 재료를 개발해야 한다. 특히 블랑켓은 중성자의 운동에너지를 효율적으로 흡수하고 냉각재에 열을 전달해야 하고, 삼중수소도 만들어야 하기 때문에 이러한 역할을 수행할 수 있는 재료의 개발이 필요하다.

또한 핵융합 발전과정에서 플라즈마를 제어하기 위해 매우 높은 자기장이 반복적으로 가해지는데, 이로 인해 구조물에 피로가 쌓이게 된다. 이러한 요인들은 구조물의 내구성을 약화시켜 부품을 자주 교체해야만 한다.

다. 삼중수소, 헬륨 등 원료 공급

삼중수소는 지구상에 자연적으로 거의 존재하지 않는다. 전 세계에서 자연적으로 존재하는 삼중수소는 4kg이고, 인공적으로 약 40kg이 만들어지는 것으로 알려져 있다. 그러나 핵융합발전소 1기가 1년에 사용하는 삼중수소의 양은 약 100kg에 달할 것으로 예상된다.

따라서 블랑켓에서 충분한 양의 삼중수소를 공급해주어야 하는데, 한 개의 중성자가 블랑켓에서 만들어내는 삼중수소는 현재의 설계값 기준으로 1.15개를 넘지 못하고 있다. 이 정도의 양으로는 자체적으로 핵융합발전에 필요한 삼중수소를 충당할 수 없으며, 더 많은 삼중수소를 만들어내는 블랑켓을 개발해야 한다.

라. 경제성

핵융합발전의 경제성을 위협하는 요소들이 많아 상용화에 장애물이 될 수 있다. 핵융합으로 인해 발생한 중성자들은 주변의 장치들과 부딪히고, 그 장치들은 방사화가 된다. 방사화된 장치들을 자주 교체해주어야 하는데 그 과정에서 경제성이 악화될 수 있다. 또한 방사화된 물질은 사람 손으로 직접 처리할 수 없기 때문에 원격 조종 로봇을 사용해야 하는데 이 과정에서도 비용이 상승할 여지가 있다. 또한 핵융합 발전비용에 대해 분석한 선행연구들을 살펴보면 경쟁 에너지원에 비해 핵융합의 발전비용이 높은 것으로 나타나고 있어, 상용화에 가장 중요한 경제성 확보가 시급한 것으로 보인다.

6. 메타버스(metaverse)와 가상현실

메타버스(metaverse)는 확장 가상 세계, 가상 우주를 의미한다. 어원을 보면, 가상, 초월을 의미하는 메타(meta) + 세계, 우주를 의미하는 유니버스(universe)를 합성어로 구성된다. 메타버스의 기원은 1992년 출간한 스티븐슨(Neal Stephenson)의 소설 스노우 크래쉬(Snow Crash, 1992)에서 용어가 처음 사용되었다. 하지만, 미국의 미래가속화연구재단(Acceleration Studies Foundation: ASF)이 2007년 메타버스 개념을 처음 정리했지만 이후 메타버스는 오랫동안 주목을 받지 못하였다.

2020년 가을 엔비디아(NVIDIA)가 실시간 3D 시각화 협업 플랫폼 옴니버스(Omniverse)를 소개하며 제2의 인터넷으로 메타버스를 설명하고, 로블록스(Roblox)가 기업공개(IPO)를 하며 자사의 서비스를 메타버스로 설명하면서, 메타버스는 현실과 가상의 경계를 넘나드는 새로운 세상으로 인식하였다. 이는 3차원에서 실제 생활과 법적으로 인정한 활동인 직업, 금융, 학습 등이 연결된 가상 세계를 의미한다.

메타버스는 가상융합기술(XR)의 발전, 팬데믹으로 인한 비대면 문화의 확산과 디지털 경제의 성장으로 발전하였다. 가상융합기술(XR)의 발전과 더불어 가상현실(VR), 증강현실(AR), 혼합현실(MR) 등 가상융합기술의 발전으로, 현실과 가상을 구분하기 어려울 정도로 몰입감 있는 가상 세계를 구현할 수 있게 되었다. 팬데믹으로 인한 비대면 문화의 확산으로 코로나19 팬데믹으로 인해 비대면 문화가 확산되면서, 가상 세계에서 사람들과 소통하고 교류하는 수요가 증가했다. 디지털 경제의 성장으로 디지털 경제의 성장으로, 가상 세계에서 경제 활동을 하는 사람들이 늘어나고 있다

1) 메타버스 유형

2007년 미국의 비영리 기술 연구 단체 ASF(Acceleration Studies Foundation)는 메타버스 로드맵을 통해 현실 세계와 가상세계가 융합되는 현상으로 정의하고 있다. 이전의 가상세계에서 좀 더 진보된 개념으로 메타버스를 정의하고 있다.

ASF는 메타버스의 유형을 증강(Augmentation)과 시뮬레이션(Simulation) 축, 외적(External)과 내적(Intimate) 요소의 축을 바탕으로 증강현실(Augmented Reality), 라이프 로깅 (Life logging), 거울 세계(Mirror Worlds), 가상세계(Virtual Worlds) 등 4가지 범주로 분류하고 있다.

증강현실은 이용자의 일상적인 물리적 환경 위에 네트워크화된 정보를 부가하는 인터페이스와 시스템의 사용을 통해 현실 세계를 확장하는 기술로서 대표적인 예로 게임 포켓몬고 등이 있다. 라이프 로깅은 디지털 기술을 활용해 사물과 사람에 대한 일상적인 경험과 정보를 캡처, 저장하고 묘사하는 것으로 페이스북과 같은 SNS가 대표적이다. 거울 세계는 구글 어스(Google Earth)와 같이 현실 세계를 그대로 복사하듯이 만들어낸 것을 의미한다. 가상세계는 컴퓨터 기반의 3D로 구현된 가상공간에서 이용자 간, 이용자와 가상 객체 간의 상호작용이 가능한 시뮬레이션 환경을 말한다. 현재 메타버스는 유형별로 분리되기보다는 증강현실, 라이프 로깅, 미러 월드, 가상세계가 융합되어 유형 간 경계가 허물어지는 경향을 보이고 있다.

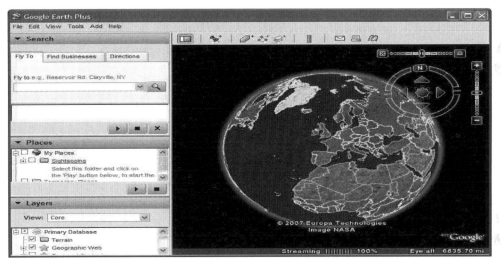

[그림 72] 구글 어스

출처: 구글 어스 플러스

첫째, 증강현실(Augmented Reality)로, 증강현실은 현실공간에 2D 또는 3D로 표현한 가상의 겹처 보이는 물체를 통해 상호작용하는 환경을 의미한다. 사람들에게서 가상세계에 거부감을 줄이고, 몰입감을 높이는 특징이다. 사용자가 단말기 카메라로 현재는 유적만 남은 흔적을 촬영하면 디지털로 구축된 과거의 건물이 사용자 단말기에 중첩해 보이는 장면이 증강현실 일례에 해당한다. 증강현실의 또 다른 예로는 부동산(Property)과 디지털 기술(Technology)의 융합을 일컫는 프롭테크(Proptech)산업에서도 활용되고 있다는 점이다.

둘째, 일상기록(Lifelogging)으로, 일상기록 또는 라이프로깅(Lifelogging)은 사물과 사람에 대한 일상적인 경험과 정보를 캡처하고 저장하고 묘사하는 기술이다. 사용자는 일상생활에서 일어나는 모든 순간을 텍스트, 영상, 사운드 등으로 캡처하고 그 내용을 서버에 저장하여 이를 정리하고, 다른 사용자들과 공유가 가능하다. 센서가 부착된 스포츠 웨어를 네트워크 연결이 가능한 MP3 플레이어와 연동하여 사용해서 달린 거리, 소비 칼로리, 선곡 음악 등의 정보를 저장하고 공유하는 등의 행위가 일상기록의 예에 해당한다.

셋째, 거울세계(Mirror Worlds)로 거울세계는 실제 세계를 가능한 사실적으로, 있는 그대로 반영하되 정보적으로 확장된 가상세계를 말한다. 대표적인 예로 구글 어스(Google Earth)이다. 구글 어스는 세계 전역의 위성사진을 모조리 수집하여 일정 주기로 사진을 업데이트하면서 시시각각 변화하는 현실세계의 모습을 그대로 반영한다. 기술의 발전이 계속될수록 현실이 반영된 거울세계는 점점 현실세계에 근접해갈 것이며, 이는 향후 가상현실의 커다란 몰입적 요소가 된다. 이와 같은 거울세계 사용자는 가상세계를 열람함으로써 현실세계에 대한 정보를 얻게 된다.

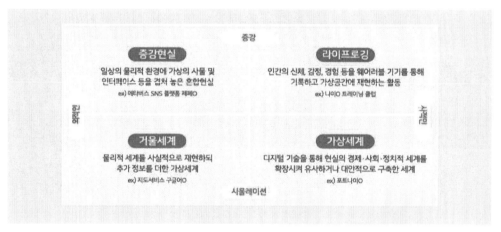

[그림 73] 메타버스 유형

출처: https://kofice.or.kr

넷째, 가상세계(Virtual Worlds)로 가상세계(Virtual World)는 현실과 유사하거나 혹은 완전히 다른 대안적 세계를 디지털 데이터로 구축한다. 가상 세계에서 사용자들은 아바타를 통해 현실세계의 경제적, 사회적인 활동과 유사한 활동을 한다. 가상세계는 우리에게 가장 친숙한 형태의 메타버스로서, 리니지와 같은 온라인 롤플레잉게임에서부터 린든 랩에서 개발된 세컨드 라이프와 같은 생활형 가상세계에 이르기까지 3차원 컴퓨터 그래픽환경에서 구현되는 커뮤니티를 총칭하는 개념이다.

2) 메타버스의 시장 규모 및 전망

첫째, 로블록스으로 주로 10대 MZ세대들을 대상으로 로블록스, 마인크래프트, 제페토 등 게임을 중심으로 하는 글로벌 메타버스 대표 플랫폼 이용자 수가 급증하고 있다. 로블록스는 미국에서 16세 미만 청소년의 55%가 가입했고, 2021년 3분기 기준 DAU(일간 활성 사용자)는 전년 대비 31% 오른 4,730만 명으로 크게 성장하고 있다. 로블록스 이용 시간도 2020년 대비 15% 증가한 112억 시간으로 나타난다.

[그림 74] 로블록스

출처: 로블록스

로블록스 이용자의 나이, 지역의 다변화가 지속되고 있다. 13세 이상 DAU와 이용 시간은 전년 대비 각각 48% 증가하면서 13세 미만 대비 높은 성장률을 유지하고 있다. 전체 이용자 중 13세 이상 비중은 2021년 3분기 기준, 50%를 넘었으며, 아시아·태평양지역 DAU와 이용 시간도 각각 전년 대비 74%, 89% 증가하며 성장하였다.

지역과 나이별 사용자 측면에서도 로블록스를 이용하는 시간이 늘어나고 있으며 이는 로블록스 플랫폼 이용자가 특정 지역과 나이에 국한되지 않고 확장되고 있음을 의미이다.

둘째, 제페토로 제페토의 이용자는 2억 명에 달한다. 모든 이용자는 생산 플랫폼 제페토 스튜디오를 통해 건물, 조경, 패션 소품 등 자신만의 디지털 자산을 만들고 판매 가능하다. 현재, 디지털 자산을 생산하는 크리에이터들은 약 150만 명이고, 누적판매 아이템 수는 5,000만 개를 상회였으며, 향후 지속 증가할 전망이다. 제페토 스튜디오를 활용하여 렌지라는 크리에이터는 월 1,500만 원 이상의 매출을 창출하고 있다고 하였다.

3) 메타버스 기술 한계와 기회

메타버스 기술의 기회로는 다양한 콘텐츠 분야에 활용된다. 발전 분야는 게임, 헬스케어와 의료 장비, 교육, 군사훈련, 제조와 자동차 산업, 스포츠 이벤트, 노동력 개발, 마케팅과 광고, 도소매, 부동산 분야 등등 활용 예상된다.

메타버스 기술의 한계를 냉정하게 비판한 부분을 보면, 가트너에서 개발한 기술의 성숙도를 표현하기 위한 시각적 도구인 하이프 사이클로 메타버스의 현재 위치를 대입해 보면, 기술혁신이 궤도를 타서 상당한 대중의 관심과 사업가들의 기대를 한 몸에 받고 있는 거품 단계라고 보고 있다. VR이나 AR로 경험할 수 있는 서비스가 다양해졌고 어지럼증도 전작들에 비하면 많이 나아졌으며, 무게와 크기가 주는 압박감도 확연히 감소하였다. 하지만, 처음 경험하는 사용자에게는 여전히 부족하고 거북한 부분이 존재한다.

[표 10] 메타버스 기술 한계

특징	제한 사항	진행률 표시기
사용자가 Second Life Viewer에 로그인할 수 있는 기능	- 사운드 문제, 콘텐츠의 가청 표현이 불분명하다. - 많은 수의 아바타를 처리하는 기능이 제한되어 있다.	- 더욱 명확한 음성 안내가 제공된다. 스테레오 정보를 시각적 정보로 변환한다. 오디오 단서는 뚜렷해야 한다. - 더 확장된 가상 세계의 설계에 대한 연구 기회를 탐색한다.
인터페이스	- 3D 객체 회전의 어려움	- 더욱 사용자 정의 가능한 인터페이스. 사용자에게 콘텐츠를 알려주는 더 나은 아바타/애니메이션 디자인, 연결된 이미지, 더욱 직관적인 인터페이스가 필요
검색 버튼의 디자인	- 이름과 표시가 동일하여 혼동될 수 있는 검색버튼 사용의 어려움	- 버튼 표시가 더욱 명확해졌다. 더 큰 버튼, 더 큰 글꼴, 더 높은 디스플레이 대비 - 깊이, 대비, 색맹, 움직임 민감도 등을 고려해야 한다.
온라인 커뮤니케이션	- 노인들의 신체적, 문화적 한계로 인해 부풀어오른 VR 공간의 제한된 기능	- 3D 환경 내에서 다른 사용자와 소통하는 색다른 디자인, 온라인 커뮤니케이션을 더욱 간편하고 쉽게 이용할 수 있다.
3D 디자인	- 3D 객체 회전, 특히 전후 이동이 어려움	- 회전 시 선이 두꺼워짐

처음 메타버스를 체험하거나, 모바일 앱을 통해서만 메타버스의 기본적 경험을 갖춘 사용자들이 VR 등의 본격적인 메타버스를 사용하면서 겪을 냉정한 비판이 메타버스 시장을 나락으로 빠지게 만들 수 있다. 이런 부분 외에도 메타버스 기술은 아직 초기 단계에 있으며, 다음과 같은 한계점을 가지고 있다.

첫째, 기술적 한계로 메타버스 기술은 아직 완벽하게 구현되지 않았으며, 몰입감은 부족하다. 메타버스에서 제공되는 몰입감은 아직 현실 세계와 완전히 동일하지 않다. 가상현실(VR)이나 증강현실(AR)을 사용하면 현실과 같은 경험을 할 수 있지만, 아직 현실 세계와 완전히 동일한 느낌을 주는 것은 불가능하다. 또한, 메타버스 내에서 사용되는 장비의 가격이 아직 비싼 것도 몰입감을 높이는 데 한계로 작용하고 있다.

연결성에서 메타버스의 모든 사용자들이 원활하게 연결될 수 있는 환경이 아직 조성되지 않았다. 메타버스 내에서 다양한 사용자들이 서로 소통하고 협력하기 위해서는 안정적인 네트워크 환경이 필요하다. 또한, 메타버스 내에서 사용되는 콘텐츠의 표준화가 이루어져야 사용자들이 서로 다른 메타버스에서 자유롭게 이동할 수 있다.

보안성에서 메타버스 내에서 사용자의 개인 정보나 자산이 유출될 수 있는 위험이 있다. 메타버스 내에서 사용자의 개인 정보나 자산이 유출될 수 있는 위험이 있다. 메타버스 내에서 이루어지는 거래나 활동에 대한 보안이 강화되어야 한다. 또한, 메타버스 내에서 발생하는 다양한 사이버 공격에 대한 대비가 필요하다.

메타버스를 구현하기 위해서는 가상현실(VR), 증강현실(AR), 혼합현실(MR) 등 가상융합기술이 필요하다. 이러한 기술은 아직 개발 초기 단계에 있으며, 성능과 완성도가 부족하다. 예를 들어, VR 헤드셋은 착용감이 불편하고, 화질이 떨어진다. AR과 MR은 아직 상용화되지 않았다

둘째, 사회적 한계로 메타버스 기술의 발전은 다음과 같은 사회적 한계점을 가져올 수 있다. 사회적 소외로 메타버스에 몰입한 사람들은 현실 세계와의 연결이 약화될 수 있다. 메타버스에서 현실 세계의 친구들과 만남이나 교류를 대체하게 되면, 현실 세계에서의 관계가 약화될 수 있다. 또한, 메타버스에 몰입한 사람들이 현실 세계의 문제에 관심을 잃게 될 수도 있다.

중독성으로 메타버스의 몰입감은 사용자의 중독성을 유발할 수 있다. 메타버스에서 많은 시간을 보내게 되면, 현실 세계의 일상생활에 지장을 줄 수 있다. 또한, 메타버스 내에서 이루어지는 가상 거래에 몰두하게 되면, 현실 세계의 경제 활동에 지장을 줄 수도 있다.

윤리적 문제로 메타버스 내에서 발생하는 다양한 윤리적 문제들이 해결되어야 한다. 예를 들어, 메타버스 내에서의 차별이나 혐오 표현, 아동 성 착취 등의 문제들이 해결되어야 한다. 메타버스는 현실 세계와 밀접하게 연결되어 있다. 따라서, 메타버스에서 발생하는 다양한 문제는 현실 세계에도 영향을 미칠 수 있다. 예를 들어, 메타버스 내에서 발생하는 사이버 폭력은 현실 세계에서도 발생할 수 있다. 또한, 메타버스 내에서 발생하는 경제 활동은 현실 세계의 경제에도 영향

을 미칠 수 있다.

셋째, 경제적 한계로 메타버스를 구축하고 운영하기 위해서는 막대한 비용이 필요하다. 예를 들어, 메타버스 플랫폼을 구축하기 위해서는 서버, 네트워크, 콘텐츠 등 다양한 인프라를 구축해야 한다. 또한, 메타버스 내에서 사용할 가상 화폐를 발행하고, 이를 유통하기 위한 시스템을 구축해야 한다.

세부적인 부분을 보면, 막대한 초기 투자 비용이 필요하다. 메타버스를 구축하고 운영하기 위해서는 막대한 초기 투자 비용이 필요하다. 예를 들어, 메타버스 플랫폼을 구축하기 위해서는 서버, 네트워크, 콘텐츠 등 다양한 인프라를 구축해야 한다. 또한, 메타버스 내에서 사용할 가상 화폐를 발행하고, 이를 유통하기 위한 시스템을 구축해야 한다. 이러한 초기 투자 비용은 메타버스 사업에 참여하는 기업이나 개인에게 큰 부담으로 작용할 수 있다.

예를 들어, 메타버스 플랫폼인 로블록스는 2022년 기준으로 약 100억 달러의 가치를 인정받고 있지만, 2021년 한 해 동안 약 10억 달러의 손실을 기록했다. 이는 초기 투자 비용과 유지 관리 비용, 그리고 수익 창출의 어려움이 복합적으로 작용한 결과이다.

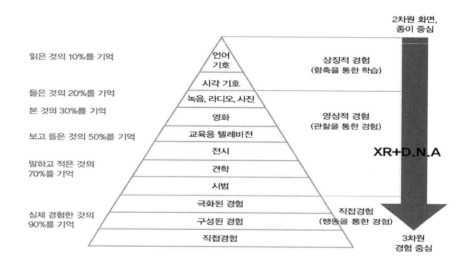

출처: Edgar Dale(1946, 1954, 1969), Porter, Michael E., and James E. Heppelmann,(2017)

[그림 75] 경험 원추이론과 XR + D.N.A의 역할

로블록스에는 약 5000만 명의 월간 활성 사용자(MAU)가 있으며, 이들이 게임, 아이템 구매, 광고 시청 등을 통해 매년 약 1조 원의 매출을 창출하고 있다. 로블록스는 이러한 매출을 통해 운영 비용을 충당하고 있다. 그러나, 아직 초기

단계에 있는 메타버스 플랫폼의 경우, 충분한 수익을 창출하지 못해 운영 비용을 충당하지 못하는 경우가 있다. 이러한 경우, 메타버스 플랫폼의 개발 및 운영이 중단될 수 있다.

또한, 유지 관리 비용이 많이 든다. 메타버스 플랫폼을 구축한 후에도 유지 관리 비용이 지속적으로 발생한다. 예를 들어, 메타버스 플랫폼의 안정적인 운영을 위해 서버와 네트워크를 유지 관리해야 한다. 또한, 메타버스 내에서 발생하는 콘텐츠를 지속적으로 업데이트해야 한다. 이러한 유지 관리 비용은 메타버스 플랫폼의 지속적인 성장과 발전을 위해서는 필수적이지만, 사업자에게는 지속적인 부담으로 작용할 수 있다. 예를 들어, 메타버스 플랫폼인 제페토는 2022년 기준으로 약 2억 명의 월간 활성 사용자를 보유하고 있지만, 2022년 한 해 동안 약 1조 원 규모의 투자를 유치했다. 이는 유지 관리 비용과 수익 창출을 위한 투자가 필요한 것으로 해석된다.

현재로 수익 창출의 어려움이 존재한다. 메타버스는 아직 초기 단계에 있으며, 수익 창출 모델이 명확하지 않다. 예를 들어, 메타버스 내에서 발생하는 경제 활동을 통해 수익을 창출할 수 있지만, 아직까지는 구체적인 수익 모델이 개발되지 않았다. 또한, 메타버스 플랫폼을 통해 광고 수익을 창출할 수 있지만, 광고주들의 관심이 크지 않은 상황이다. 이러한 수익 창출의 어려움은 메타버스 사업의 지속 가능성을 위협할 수 있다. 예를 들어, 메타버스 내에서 발생하는 경제 활동을 통해 수익을 창출할 수 있지만, 아직까지는 구체적인 수익 모델이 개발되지 않았다. 또한, 메타버스 플랫폼을 통해 광고 수익을 창출할 수 있지만, 광고주들의 관심이 크지 않은 상황이다. 예를 들어, 메타버스 플랫폼인 이프랜드는 2022년 8월에 출시되었지만, 아직까지는 수익을 창출하지 못하고 있다.

또한, 메타버스 플랫폼인 디센트럴랜드는 자체 가상 화폐인 MANA를 발행하고 있다. 디센트럴랜드는 부동산, 게임, 쇼핑 등 다양한 활동을 할 수 있는 메타버스 플랫폼이다. 디센트럴랜드는 MANA를 통해 부동산 거래, 게임 아이템 구매, 광고 시청 등을 할 수 있다. 디센트럴랜드는 이러한 활동을 통해 매년 약 100억 원의 매출을 창출하고 있다. 그러나, 디센트럴랜드는 MANA를 발행하기 위해 약 100억 원의 비용을 지출했다. 이는 디센트럴랜드의 매출의 약 10%에 해당하는 금액이다.

미국은 메타버스 내에서 발생하는 경제 활동에 대한 규제를 마련하기 위해 메타버스 이코노미 행정명령을 발표했다. 이 행정명령은 메타버스 내에서 발생하는 경제 활동의 투명성, 안전성, 책임성 등을 확보하기 위한 내용을 담고 있다. 미국 정부는 이 행정명령을 시행하기 위해 약 10억 달러의 예산을 투입할 계획이다.

Gartner의 Hype Cycle에 따르면, 메타버스 기술은 현재 환멸의 골짜기에 있다. 환멸의 골짜기는 기술이 처음 상용화되면서 실망감이 커지는 단계이다. 메타버스 기술은 아직 초기 단계에 있으며, 기대에 부응하지 못하는 부분이 많다. 예를 들어, 메타버스 플랫폼의 몰입감이 떨어지고, 현실 세계와의 연결성이 부족하다는 지적이 있다.

그러나, 메타버스 기술은 여전히 많은 잠재력을 가지고 있다. 가상현실(VR), 증강현실(AR), 혼합현실(MR) 등 가상융합기술의 발전으로 메타버스 기술의 몰입감과 현실 세계와의 연결성은 향상될 것으로 예상된다. 또한, 메타버스 플랫폼의 다양화와 확산으로 메타버스 기술의 수요가 증가할 것으로 예상된다.

4) Hype Cycle과 Metaverse

Hype Cycle로 바라본 메타버스 기술의 현시점은 아래 그림과 같다. 거품의 단계로 이동하고 있는 단계이다.

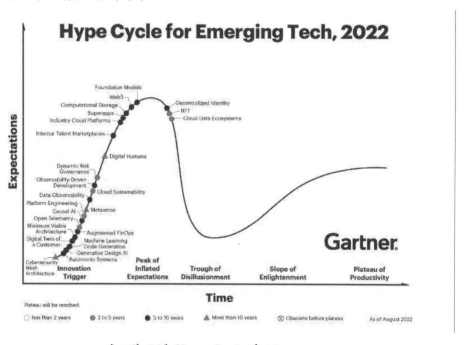

[그림 76] Hype Cycle과 Metaverse

출처: 카트너

2023년 11월 기준으로, 메타버스 기술의 긍정적인 성과를 보면, 메타버스 플랫폼의 다양화와 확산을 시도하고 있다. 메타버스 플랫폼은 게임, 교육, 업무, 소셜 등 다양한 분야에서 활용되고 있다. 대표적인 메타버스 플랫폼으로는 로블록스, 마인크래프트, 디센트럴랜드, 제페토 등이 있다. 또한, 메타버스 내에서의 경제 활동이 발생하고 있다. 메타버스 내에서 가상 화폐를 사용하여 상품을 구매하거나, 서비스 이용료를 지불하는 등 경제 활동이 이루어지고 있다. 메타버스 내에서의 경제 활동 규모는 점차 확대되고 있다.

그러나, 메타버스 기술의 부정적인 성과를 보면, 메타버스 기술의 몰입감과 현실 세계와의 연결성이 부족하다. 메타버스 플랫폼의 몰입감은 아직 부족하며, 현실 세계와의 연결성도 부족하다는 지적이 있다. 또한, 메타버스 기술의 경제적 한계가 존재한다. 메타버스 플랫폼의 구축 및 운영에 막대한 비용이 소요되며, 메타버스 내에서 발생하는 경제 활동에 대한 규제가 미비하다는 지적이 있다. 그러므로 메타버스 기술이 본격적인 성장을 위해서는 이러한 부정적인 성과를 극복해야 한다. 이를 위해서는 가상융합기술의 발전과 함께, 메타버스 플랫폼의 몰입감과 현실 세계와의 연결성을 향상시키기 위한 노력이 필요하다. 또한, 메타버스 플랫폼의 구축 및 운영에 필요한 비용을 절감하고, 메타버스 내에서 발생하는 경제 활동에 대한 규제를 마련하기 위한 노력도 필요하다.

5) 5단계 마일스톤

현재 메타버스에 대한 논의는 여전히 진행 중이며, 최종적인 시스템의 블루 프린트 역시 미완성된 상태이다. 이런 상황에서 메타버스 플랫폼 및 파이프라인 기업들이 제시하는 비전을 통해 메타버스를 구현하기까지 5단계의 마일스톤이 있을 것으로 예측한다. 현재는 시작 단계로 각 단계를 달성하는 데에는 단계별로 최소 10년의 시간이 필요하다[33].메타버스를 구현하기 위해서는 다음과 같은 5단계의 마일스톤(milestone)[34]을 보면, 다음과 같다.

1단계는 가상융합기술의 발전으로 메타버스는 가상현실(VR), 증강현실(AR), 혼합현실(MR) 등 가상융합기술을 기반으로 한다. 따라서, 메타버스를 구현하기 위해서는 먼저 가상융합기술이 충분히 발전해야 한다. 가상융합기술이 발전하면, 메타버스 플랫폼의 몰입감과 현실 세계와의 연결성이 향상될 것이다.

2023년에 가상현실(VR) 헤드셋의 착용감과 화질이 크게 개선된다는 것은, 가상현실 플랫폼의 몰입감이 높아진다는 것을 의미한다. 예를 들어, VR 헤드셋의 무게가 가벼워지고, 화질이 선명해지면, 사용자는 마치 현실 세계와 같은 경험을

---

33) https://www.inven.co.kr/webzine/news/?news=270157
34) 마일스톤(milestone)은 프로젝트의 진행 과정에서 중요한 이정표를 의미한다. 마일스톤은 프로젝트의 시작, 중간, 종료 등 특정 시점에 설정되며, 프로젝트의 진척 상황을 파악하고, 프로젝트의 목표를 달성하기 위해 필요한 조치를 취하는 데 도움이 된다.

할 수 있게 될 것이다.

또한, 2024년에 증강현실(AR)과 혼합현실(MR) 기술이 상용화된다는 것은, 현실 세계와 가상 세계를 자연스럽게 연결할 수 있는 기술이 개발된다는 것을 의미한다. 예를 들어, AR 기술을 활용하면, 사용자는 현실 세계에 가상의 정보를 표시하여 사용할 수 있게 될 것이다.

2단계는 메타버스 플랫폼의 개발로 메타버스를 구현하기 위해서는 다양한 메타버스 플랫폼이 개발되어야 한다. 메타버스 플랫폼은 게임, 교육, 업무, 소셜 등 다양한 분야에서 활용될 수 있다. 따라서, 다양한 분야의 요구 사항을 충족할 수 있는 메타버스 플랫폼이 개발되어야 한다.

예를 들면, 2023년에 게임, 교육, 업무, 소셜 등 다양한 분야에서 활용 가능한 메타버스 플랫폼이 개발된다는 것은, 메타버스 플랫폼의 범위가 넓어진다는 것을 의미한다. 예를 들어, 게임 플랫폼뿐만 아니라, 교육 플랫폼, 업무 플랫폼, 소셜 플랫폼 등 다양한 분야에서 메타버스 플랫폼이 활용될 것이다.

또한, 2024년에 메타버스 플랫폼 간의 연동성이 높아진다는 것은, 다양한 메타버스 플랫폼을 자유롭게 이동할 수 있다는 것을 의미한다. 예를 들어, 게임 플랫폼에서 구입한 아이템을 교육 플랫폼에서도 사용할 수 있게 될 것이다.

3단계는 메타버스 콘텐츠의 제작으로 메타버스가 활성화되기 위해서는 다양한 메타버스 콘텐츠가 제작되어야 한다. 메타버스 콘텐츠는 게임, 교육 콘텐츠, 업무 콘텐츠, 소셜 콘텐츠 등 다양한 형태로 제작될 수 있다. 따라서, 다양한 분야의 전문가들이 참여하여 메타버스 콘텐츠를 제작해야 한다.

예를 들어, 2023년에 게임, 교육 콘텐츠, 업무 콘텐츠, 소셜 콘텐츠 등 다양한 분야의 메타버스 콘텐츠가 제작된다는 것은, 메타버스의 콘텐츠 다양성이 높아진다는 것을 의미한다. 예를 들어, 다양한 게임, 교육 콘텐츠, 업무 콘텐츠, 소셜 콘텐츠가 제작되어, 사용자는 자신의 관심사에 맞는 콘텐츠를 즐길 수 있게 될 것이다.

게임 콘텐츠로 게임 콘텐츠는 메타버스의 대표적인 콘텐츠 중 하나이다. 게임 콘텐츠를 제작하기 위해서는 게임 개발자, 그래픽 디자이너, 스토리 작가 등 다양한 분야의 전문가들의 참여가 필요하다. 예를 들어, 로블록스는 게임 개발자들이 다양한 게임을 제작할 수 있는 플랫폼을 제공하고 있다. 로블록스 플랫폼에서 제작된 게임은 2023년 기준으로 20억 개 이상에 달한다.

교육 콘텐츠로 교육 콘텐츠는 메타버스를 통해 새로운 교육 방식을 실현할 수 있는 잠재력을 가지고 있다. 교육 콘텐츠를 제작하기 위해서는 교육 전문가, 콘텐츠 디자이너, 기술 전문가 등 다양한 분야의 전문가들의 참여가 있어야 한다. 예를 들어, 메타는 메타버스 기반의 교육 플랫폼인 Horizon Worlds for

Education을 개발하고 있다. Horizon Worlds for Education은 학생들이 가상 세계에서 서로 소통하고, 협력하며, 학습할 수 있는 환경을 제공한다. 또한, 2024년에 메타버스 콘텐츠의 품질이 크게 향상된다는 것은, 사용자의 몰입감과 만족도가 높아진다는 것을 의미한다. 예를 들어, 그래픽 품질이 향상되고, 인터페이스가 개선된 메타버스 콘텐츠가 제작될 것이다.

업무 콘텐츠로 업무 콘텐츠는 메타버스를 통해 업무 효율성을 높이고, 새로운 비즈니스 기회를 창출할 수 있다. 업무 콘텐츠를 제작하기 위해서는 업무 전문가, 콘텐츠 디자이너, 기술 전문가 등 다양한 분야의 전문가들의 참여가 있어야 한다. 예를 들어, 마이크로소프트는 메타버스 기반의 업무 플랫폼인 Mesh for Microsoft Teams를 개발하고 있다. Mesh for Microsoft Teams는 직원들이 가상 세계에서 서로 만나고, 협력하며, 회의할 수 있는 환경을 제공한다.

소셜 콘텐츠로 소셜 콘텐츠는 메타버스를 통해 사람들의 소통과 관계 형성을 활성화할 수 있다. 소셜 콘텐츠를 제작하기 위해서는 소셜 미디어 전문가, 콘텐츠 디자이너, 기술 전문가 등 다양한 분야의 전문가들의 참여도 필요하다. 예를 들어, 페이스북은 메타버스 기반의 소셜 플랫폼인 Horizon Worlds를 개발하고 있다. Horizon Worlds는 사람들이 가상 세계에서 서로 만나고, 소통하며, 새로운 경험을 할 수 있는 환경을 제공한다.

4단계는 메타버스 경제 시스템의 구축으로 메타버스에서 경제 활동이 이루어지기 위해서는 메타버스 경제 시스템이 구축되어야 한다. 메타버스 경제 시스템은 가상 화폐, 거래 시스템, 규제 등 다양한 요소를 포함한다. 따라서, 메타버스 경제 시스템을 구축하기 위해서는 다양한 이해 관계자들의 참여와 협력이 필요하다.

메타버스 경제 시스템의 구축은 메타버스의 성공을 위한 중요한 요소이다. 가상 화폐로 메타버스에서 사용할 수 있는 가상 화폐는 메타버스 내에서의 경제 활동을 가능하게 한다. 예를 들어, 로블록스의 로벅스, 디센트럴랜드의 MANA 등이 대표적인 메타버스 가상 화폐이다. 로블록스의 로벅스는 로블록스 플랫폼 내에서 사용할 수 있는 가상 화폐이다. 로벅스를 사용하여 게임 아이템, 의상, 가상 공간 등을 구매할 수 있다. 디센트럴랜드의 MANA는 디센트럴랜드 플랫폼 내에서 사용할 수 있는 가상 화폐로 MANA를 사용하여 가상 부동산, 게임 아이템, 가상 공간 등을 구매할 수 있다.

거래 시스템으로 메타버스 내에서 상품과 서비스의 거래가 이루어지는 거래 시스템은 메타버스 경제 시스템의 기반이 된다. 예를 들어, 메타버스 내에서의 상품과 서비스의 거래 방식, 가상 화폐의 가치 안정화 방안 등이 연구되고 있다. 미국의 메타(구 페이스북)는 메타버스 내에서의 경제 활동에 대한 연구를 진행하고 있다. 메타는 메타버스 내에서 가상 화폐를 사용하여 상품과 서비스를 구매할 수 있는 시스템을 구축하고 있다. 한국의 네이버는 메타버스 내에서의 경제 활동에 대한 연구를 진행하고 있다. 네이버는 메타버스 내에서 가상 공간을 임대하거나, 가상 공간에서 광고를 게재하는 등의 경제 활동을 연구하고 있다.

규제로 메타버스 경제 시스템은 현실 세계의 경제 시스템과 마찬가지로 적절한 규제가 필요하다. 메타버스 내에서 상품과 서비스의 거래가 이루어지는 거래 시스템이 구축된다. 예를 들어, 메타버스 내에서 가상 화폐를 사용하여 상품과 서비스를 구매할 수 있는 시스템이 구축될 것이다. 예를 들어, 메타버스 내에서의 가상 화폐의 투기와 사기를 방지하기 위한 규제가 마련될 것이다.

미국 정부는 메타버스 경제 시스템에 대한 규제를 마련하고 있다. 미국 정부는 메타버스 내에서의 가상 화폐의 투기와 사기를 방지하기 위한 규제를 마련하고 있다. 한국 정부는 메타버스 경제 시스템에 대한 규제를 마련하고 있다. 한국 정부는 메타버스 내에서의 가상 화폐의 자금세탁을 방지하기 위한 규제를 마련하고 있다.

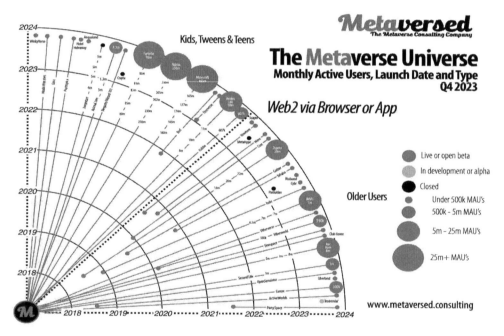

[그림 77] metaverse 5 milestones
출처: www.metaverse.consulting

5단계는 메타버스 문화의 형성으로 메타버스가 성공적으로 정착되기 위해서는 메타버스 문화가 형성되어야 한다. 메타버스 문화는 메타버스에서 사람들 간의 상호 작용, 소통 방식 등을 포함한다. 따라서, 메타버스 문화를 형성하기 위해서는 다양한 사람들의 참여와 경험이 필요하다. 예를 들면, 2023년에 메타버스에서 사람들 간의 상호 작용과 소통 방식이 정립된다는 것은, 메타버스에서 사람들 간의 관계와 커뮤니케이션이 자연스럽게 이루어질 수 있다는 것을 의미한다. 예를 들어, 메타버스에서 사용하는 언어, 행동 규범 등이 정립될 것이다. 7또한, 2024년에 메타버스가 우리 삶의 일부로 자리 잡는다는 것은, 메타버스가 일상 생활에서 널리 사용될 수 있다는 것을 의미한다. 예를 들어, 메타버스를 통해 교육, 업무, 소셜 활동 등을 할 수 있게 될 것이다.

메타버스에서 사용되는 언어로 메타버스에서 사용되는 언어는 현실 세계와는 다른 특징을 가질 수 있다. 예를 들어, 메타버스에서만 사용되는 용어나 약어가 생길 수 있다. 메타버스에서 행동 규범으로 메타버스에서 행동 규범은 현실 세계와는 다른 특징을 가질 수 있다. 예를 들어, 메타버스에서는 자신의 외모나 성별을 자유롭게 설정할 수 있다. 메타버스에서 이루어지는 일상 생활로 메타버스에서 이루어지는 일상 생활은 현실 세계와는 다른 방식으로 이루어질 수 있다. 예를 들어, 메타버스에서 수업을 듣거나, 직장 생활을 할 수 있다.

메타버스 문화가 형성되기 위해서는 다양한 이해 관계자들의 참여와 노력이 필요하다. 기업은 메타버스 플랫폼과 콘텐츠를 개발하고, 정부는 메타버스 관련 규제를 마련하고, 사용자는 메타버스 문화를 형성하기 위한 노력을 해야 한다.

6) 메타버스 기술 기회

모바일에서는 웹에서도 제공되던 서비스가 다르게 운영되기도 하고, 기존 웹에는 없던 새로운 서비스가 제공될 수 있다. 즉, 웹에도 있던 온라인 쇼핑이 그대로 모바일에도 이어지고 뉴스, 부동산, 카페, 블로그, 메일 등의 서비스도 고스란히 모바일 앱으로도 운영 가능하다.

반면, 웹에는 없던 배달 서비스나 간편결제, 택시 호출 등은 모바일에 특화되어 제공되고 있다. 마찬가지로 메타버스 역시 기존에 우리가 인터넷으로 사용하던 서비스가 좀 더 증강된 모습으로 구현되거나, 과거에는 경험할 수 없었던 새로운 개념의 서비스가 탄생되어 새로운 비즈니스 기회를 창출할 수 있다.

증강된 모습으로 구현되는 서비스로는 교육 서비스, 쇼핑 서비스, 미디어 서비스 또한 새로운 개념의 서비스가 발생할 것이다.

가. 교육 서비스

교육 서비스로 메타버스 기반의 교육 서비스는 현실 세계의 교육 환경을 가상 세계로 구현하여, 보다 몰입감 있고 체험적인 교육을 제공할 수 있다. 예를 들어,

학생들은 메타버스 플랫폼에서 실제와 같은 학교를 방문하고, 수업을 듣고, 친구들과 교류할 수 있다.

구체적인 실례를 들면, 역사 교육에서 메타버스 플랫폼을 활용하여, 역사적 사건을 직접 체험할 수 있다. 예를 들어, 학생들은 메타버스 플랫폼에서 고대 이집트의 피라미드를 직접 방문하고, 건설 과정을 체험할 수 있다. 과학 교육에서 메타버스 플랫폼을 활용하여, 복잡한 과학 개념을 시각적으로 이해할 수 있다. 예를 들어, 학생들은 메타버스 플랫폼에서 DNA 구조를 직접 조작하고, 원자와 분자의 움직임을 관찰할 수 있다. 외국어 교육에서 메타버스 플랫폼을 활용하여, 외국어를 자연스럽게 습득할 수 있다. 예를 들어, 학생들은 메타버스 플랫폼에서 외국인 친구들과 함께 게임을 하거나, 대화를 나누면서 외국어를 구사할 수 있다.

[그림 78] 메타버스 기반 교육 서비스

출처: https://appinventiv.com/blog/metaverse-in-education/

메타버스 기반의 교육 서비스의 장점은 몰입감과 체험성 강화로 메타버스 플랫폼을 통해 학생들은 현실 세계와 구분되지 않는 가상 세계에서 교육을 받을 수 있다. 이는 학생들의 몰입감과 체험성을 높이고, 학습 효과를 향상시킬 수 있다. 개인화된 학습 지원으로 메타버스 플랫폼을 통해 학생들은 각자의 수준과 관심사에 맞는 학습을 받을 수 있다. 이는 학생들의 학습 효율성을 높이고, 학업 성취도를 향상시킬 수 있다. 협업과 소통 강화로 메타버스 플랫폼을 통해 학생들은 가상 세계에서 다른 학생들과 협업하고 소통할 수 있다. 이는 학생들의 협업 능력과 의사소통 능력을 향상시킬 수 있다.

메타버스 기반의 교육 서비스의 과제로는 기술적 발전이 선행되어야 한다. 메타버스 기반의 교육 서비스는 가상 현실(VR), 증강 현실(AR), 혼합 현실(MR) 등 가상융합기술(XR)의 발전에 의존한다. 따라서, 이러한 기술의 발전이 지속되어야 메타버스 기반의 교육 서비스가 활성화될 수 있다. 교육 콘텐츠 개발이 되어야 한다. 메타버스 기반의 교육 서비스는 양질의 교육 콘텐츠가 개발되어야 한다. 따라서, 교육 전문가, 콘텐츠 디자이너, 기술 전문가 등 다양한 분야의 전문가들이 참여하여 교육 콘텐츠를 개발해야 한다. 교육 정책의 지원에서 메타버스 기반의 교육 서비스가 정착되기 위해서는 정부의 정책적 지원이 필요하다. 따라서, 정부는 메타버스 기반의 교육 서비스에 대한 연구 개발과 교육 정책을 지원해야 한다.

나. 쇼핑 서비스

쇼핑 서비스로 메타버스 기반의 쇼핑 서비스는 가상 세계에서 실제 상품을 구경하고, 구매할 수 있는 환경을 제공한다. 예를 들어, 소비자들은 메타버스 플랫폼에서 집에서 편안하게 쇼핑을 즐길 수 있다.

구체적인 실례를 보면, 가상 쇼핑몰로 메타버스 플랫폼에서 실제와 같은 쇼핑몰을 구현하여, 소비자들이 가상 세계에서 자유롭게 쇼핑을 즐길 수 있다. 예를 들어, 소비자들은 메타버스 플랫폼에서 다양한 브랜드의 상품을 살펴보고, 원하는 상품을 구매할 수 있다. 가상 의류 매장으로 메타버스 플랫폼에서 실제 의류 매장을 구현하여, 소비자들이 가상 의상을 입어보고, 구매할 수 있다. 예를 들어, 소비자들은 메타버스 플랫폼에서 원하는 의상을 입고, 자신의 모습을 확인한 후 구매할 수 있다. 또한, 가상 가구 매장으로 메타버스 플랫폼에서 실제 가구 매장을 구현하여, 소비자들이 가상 가구를 배치하고, 구매할 수 있다. 예를 들어, 소비자들은 메타버스 플랫폼에서 원하는 가구를 배치하고, 자신의 집을 꾸민 후 구매할 수 있다.

메타버스 기반의 쇼핑 서비스의 장점을 보면, 편리성, 몰입감과 개인화 등이 있다. 메타버스 기반의 쇼핑 서비스는 집에서 편안하게 쇼핑을 즐길 수 있다. 이는 소비자들의 시간과 비용을 절약할 수 있다. 메타버스 기반의 쇼핑 서비스는 가상 세계에서 실제와 같은 쇼핑 경험을 제공한다. 이는 소비자들의 몰입감을 높이고, 쇼핑 만족도를 향상시킬 수 있다. 메타버스 기반의 쇼핑 서비스는 소비자의 관심사와 취향에 맞는 상품을 추천할 수 있다. 이는 소비자들의 만족도를 높이고, 구매 전환율을 높일 수 있다.

현재 메타버스 기반의 쇼핑 서비스의 과제로는 기술적 발전이 성취되어야 한다. 메타버스 기반의 쇼핑 서비스는 가상 현실(VR), 증강 현실(AR), 혼합 현실

(MR) 등 가상융합기술(XR)의 발전에 의존한다. 따라서, 이러한 기술의 발전이 지속되어야 메타버스 기반의 쇼핑 서비스가 활성화될 수 있다. 또한, 콘텐츠 개발이 필요하다. 메타버스 기반의 쇼핑 서비스는 양질의 쇼핑 콘텐츠가 개발되어야 한다. 따라서, 쇼핑 전문가, 콘텐츠 디자이너, 기술 전문가 등 다양한 분야의 전문가들이 참여하여 쇼핑 콘텐츠를 개발해야 한다. 제도적 정비가 필요하다. 메타버스 기반의 쇼핑 서비스가 활성화되기 위해서는 제도적 정비가 필요하다. 따라서, 정부는 메타버스 기반의 쇼핑 서비스에 대한 제도적 정비를 추진해야 한다.

다. 미디어 서비스

미디어 서비스로 메타버스 기반의 미디어 서비스는 가상 세계에서 영화, 드라마, 음악, 게임 등을 즐길 수 있는 환경을 제공한다. 예를 들어, 소비자들은 메타버스 플랫폼에서 친구들과 함께 영화를 보거나, 게임을 즐길 수 있다.

구체적인 실례를 보면, 가상 영화관, 가상 콘서트장과 가상 게임장 등이 있다. 메타버스 플랫폼에서 실제와 같은 영화관을 구현하여, 소비자들이 가상 세계에서 영화를 즐길 수 있다. 예를 들어, 소비자들은 메타버스 플랫폼에서 좋아하는 영화를 예매하고, 친구들과 함께 영화관에서 영화를 볼 수 있다. 메타버스 플랫폼에서 실제와 같은 콘서트장을 구현하여, 소비자들이 가상 세계에서 콘서트를 즐길 수 있다. 예를 들어, 소비자들은 메타버스 플랫폼에서 좋아하는 가수의 콘서트에 참석하여, 공연을 즐길 수 있다. 메타버스 플랫폼에서 실제와 같은 게임장을 구현하여, 소비자들이 가상 세계에서 게임을 즐길 수 있다. 예를 들어, 소비자들은 메타버스 플랫폼에서 좋아하는 게임을 친구들과 함께 즐길 수 있다.

메타버스 기반의 미디어 서비스의 장점으로 메타버스 기반의 미디어 서비스는 가상 세계에서 실제와 같은 경험을 제공한다. 이는 소비자들의 몰입감을 높이고, 미디어 콘텐츠의 즐거움을 향상시킬 수 있다. 메타버스 기반의 미디어 서비스는 소비자들이 가상 세계에서 서로 소통하고, 협업할 수 있는 기회를 제공한다. 이는 소비자들의 사회적 관계를 강화하고, 미디어 콘텐츠의 즐거움을 확대시킬 수 있다. 메타버스 기반의 미디어 서비스는 소비자의 관심사와 취향에 맞는 콘텐츠를 추천할 수 있다. 이는 소비자들의 만족도를 높이고, 미디어 콘텐츠의 접근성을 향상시킬 수 있다.

라. 새로운 개념의 서비스

새로운 서비스로 디지털 아바타 서비스, 가상 부동산 서비스와 메타버스 경제 시스템 등이 있다. 먼저 디지털 아바타 서비스로 메타버스에서 활동하는 사람들은 자신의 디지털 아바타를 통해 다른 사람들과 소통하고, 활동을 할 수 있다.

디지털 아바타 서비스는 사람들의 소통과 관계 형성을 새로운 방식으로 가능하게 할 수 있다. 메타버스에서는 가상 아바타가 새로운 사회적 존재로 자리 잡을 수 있다. 예를 들어, 가상 아바타를 사용하여, 새로운 친구를 사귀거나, 새로운 커뮤니티를 형성할 수 있다. 가상 아바타를 사용하여 새로운 친구를 사귀는 방식으로 메타버스 내에서 다른 사용자와 가상 아바타를 통해 교류하고, 친구를 사귈 수 있다. 가상 아바타를 사용하여 새로운 커뮤니티를 형성하는 방식으로 메타버스 내에서 공통의 관심사를 가진 사용자들이 가상 아바타를 통해 커뮤니티를 형성할 수 있다.

가상 부동산 서비스로 메타버스 내에서는 가상 공간을 구매하고, 판매할 수 있다. 가상 부동산 서비스는 새로운 투자처로 부상할 가능성이 있다. 예를 들어, 게임 플랫폼 내에서 가상 부동산을 구매하여, 다른 사용자에게 임대하거나, 광고를 게재할 수 있다. 게임 플랫폼 내에서 가상 부동산을 구매하여, 다른 사용자에게 임대하는 방식으로 게임 플랫폼 내에서 인기 있는 위치에 있는 가상 부동산을 구매하여, 다른 사용자에게 임대할 수 있다. 예를 들어, 게임 플랫폼 내에서 마을 중심부에 있는 가상 부동산을 구매하여, 상점을 운영하는 사용자에게 임대할 수 있다.

또한, 게임 플랫폼 내에서 가상 부동산을 구매하여, 광고를 게재하는 방식으로 게임 플랫폼 내에서 사람들이 많이 방문하는 위치에 있는 가상 부동산을 구매하여, 광고를 게재할 수 있다. 예를 들어, 게임 플랫폼 내에서 경기장 부근에 있는 가상 부동산을 구매하여, 게임 관련 광고를 게재할 수 있다.

메타버스 경제 시스템으로 메타버스 내에서 자체적인 경제 시스템이 구축될 수 있다. 메타버스 경제 시스템은 새로운 비즈니스 기회를 창출할 수 있다. 메타버스에서는 가상 화폐를 기반으로 한 새로운 경제 시스템이 형성될 수 있다. 예를 들어, 가상 화폐를 사용하여, 가상 부동산을 구매하거나, 가상 상품과 서비스를 구매할 수 있다.

7) 메타버스와 가상현실

비행기와 자동차를 타지 않고 가상현실을 통한 여행이 일상화될 것이라는 관측은 이동의 자유가 보장되지 않는 사람들에게만 해당할 가능성이 높을 것이라고 단정하기도 한다. 이처럼 가상자산과 메타버스(metaverse·현실과 가상이 혼합된 세계)에 대한 우리들의 시각은 너무나 다르다.

메타버스와 가상현실은 현재 우리가 직면한 기술적인 발전으로 인해 논의되고 있는 주제 중 하나이다. 일부는 가상환경이 이동에 제약이 있는 사람들에게 새로운 경험과 가능성을 제공할 수 있다고 주장하고 있지만, 이건도 있다. 가상현실을 통한 여행이 일상화된다는 주장은 현실에서의 제약을 겪는 사람들에게 특히 유용할 것이라는 점에서 비롯된 것이다. 하지만 이는 모든 이에게 해당되지 않을 수 있다. 또한, 실제로 여행하는 것과 가상 여행의 차이점과 한계점을 고려해야 한다.

또한 메타버스와 가상환경이 일상화된다면 그에 따른 사회적, 경제적, 심리적 영향 등에 대한 이해와 대비가 필요하다. 이러한 기술이 현실에서의 경험을 완전히 대체할 수 있을지, 아니면 보완적인 요소로 사용될지에 대한 의문이 여전히 존재한다.

그러므로 기술 발전과 새로운 아이디어에 대한 다양한 관점이 있음을 보여주는 것이다. 이러한 다양성은 새로운 기술이나 패러다임이 발전함에 따라 그 영향과 한계를 보다 폭넓게 이해하고 대처하는 데 도움이 될 수 있다.

8) 가상 여행

가상 여행은 현실에서의 여행을 대체할 수 있는 새로운 경험을 제공할 수 있지만, 현재로서는 실제 여행과의 차이점과 한계점이 존재한다. 따라서 가상 여행은 보완적인 경험으로서 현실적인 여행을 보완하는 수단으로 간주될 수 있다.

실제 여행과 가상 여행 간에는 여러 차이점과 한계점은 먼저, 실감과 경험의 차이가 있다. 실제 여행은 현실적인 경험이며, 다양한 감각을 통해 환경을 체험할 수 있다. 가상 여행은 가상 현실을 통해 제한된 감각으로 경험되기 때문에 현실과의 완전한 대체는 어려울 수 있다.

둘째, 상호작용과 소통에서 실제 여행에서는 사람들과의 직접적인 상호작용과 문화를 경험할 수 있다. 반면, 가상 여행에서는 이러한 상호작용이 제한적일 수 있고, 가상 공간에서의 소통은 실제와는 다를 수 있다.

셋째, 자유로운 이동과 제한에서 실제 여행은 자유롭고 다양한 경험을 위한 이동이 가능하다. 그러나 가상 여행은 특정한 가상환경 내에서만 이동이 가능하며, 실제로 느끼는 공간의 제한이 있을 수 있다.

넷째, 자연스러운 경험의 한계로 가상 여행은 기술적 한계로 인해 현실적인 자연스러움과 섬세함을 완벽하게 대체하기 어렵다. 현실에서의 미묘한 감각과 느낌을 가상환경에서 완벽하게 재현하는 것은 아직 어려운 과제이다.

다섯째, 체험의 실용성에서 일부 활동이나 실제적인 상황에서의 대응력을 키우기 위해서는 현실적인 상황에서의 경험이 필요할 수 있다. 이러한 실제적인 경험은 가상 여행에서 완전히 대체되기 어려울 수 있다.

그러나 다음과 같은 경우에는 유익한 기술에 해당한다. 장애를 가진 사람들, 저소득층, 고령자와 움직임을 혐오하는 사람들의 경우는 유익한 효과를 낼 수 있을 것으로 전망한다. 또한, 위의 예와 마찬가지로 임대 부동산 가상 투어도 매우 매력적인 분야로 각광받을 전망이다.

장애를 가진 사람들을 위한 기술 혁신은 계속해서 진보하고 있다. 가상현실(VR)은 이동에 제약이 있는 사람들에게 새로운 경험과 가능성을 제공하는 데 도움이 되고 있다. 휠체어를 사용하는 장애인의 경우, 비행기나 자동차를 이용하기 위해서는 별도의 수속과 비용이 필요하다. 또한, 장애인 전용 시설이 마련된 교통수단이 많지 않아 이용에 어려움을 겪을 수 있다. 휠체어를 사용하는 사람들이나 이동에 제약이 있는 사람들에게 실제 여행이 어려운 경우, VR을 통해 세계 각지를 여행하고 문화적 경험을 즐길 수 있다. 이러한 장애인들은 가상현실을 통해 해외 여행이나 역사적인 장소나 자연 경관, 문화체험 등을 가상으로 체험할 수 있다.

가상현실은 현실에서는 어려운 교육과정이나 트레이닝을 제공할 수 있다. 의료 분야에서는 수술 훈련이나 재활치료, 장애인을 위한 일상적인 환경적응 훈련 등을 시뮬레이션할 수 있다. VR은 이동에 제약이 있는 사람들에게도 사회적 참여를 돕는 데 도움이 된다. 가상 현실 공간에서의 이벤트, 모임, 회의 등을 통해 실제 참여와 유사한 경험을 할 수 있다. 가상현실은 스트레스 완화, 불안 완화, 포용감 제고 등 심리적인 지원을 제공할 수 있다. 특히, 가상현실을 이용한 치료가 PTSD(외상 후 스트레스 장애)나 뇌졸중 재활 등에서 효과를 발휘하고 있다.

Features	Matterport	Anikio
360 Degree Virtual Tours	✓	✓
4K Images	✓	✓
Live Guided Tours		✓
Custom Interface, Branding, Menus		✓
Google Street View	✓	✓
Floor Plan Generation	✓	✓
Measurement Tool	✓	
Integrate Existing Floor Plan		✓
Doll House View	✓	
Embedded Photos, Videos		✓
Host on Your Website		✓
Information Popups		✓
Custom Hotspots, Info Boxes		✓
3D Transition Effect	✓	✓
Adaptive HDR Panoramas		✓
Live Panoramas		✓
Virtual Reality Compatible	✓	✓
Export for Offline Viewing		✓
Generate 360 Video for Social		✓

[그림 79] Anikio vs. Matterport 임대 부동산 가상 투어

출처: Anikio.com vs. Matterport.com

Themes	Conventional (Site Visit, Digital Photography, 2D Video Slideshow, Drone Photo & Video)	Matterport (Virtual Tour)
Accessibility	• Costly (equipment) • Limited time (site visit)	• Mobile friendly • Social sharable • 24 hours
Visual capture	• Limited for interior or exterior (drone)	• Easy to DIY • Interior & Exterior
Details Information	• Limited information	• Measurements • Labelling
Visual Experience	• Limited viewpoint	• Self-tour • Maximum reality

[그림 80] 부동산 가상 투어

출처: Matterport.com

저소득층의 경우, 비행기나 자동차를 이용하기 위한 비용이 부담이 될 수 있다. 또한, 휴가나 여행을 위한 여유 시간이 부족할 수도 있다. 이러한 저소득층은 가상현실을 통해 경제적 부담 없이 세계 각지의 명소를 방문하고 다양한 문화를 체험할 수 있다. 가상현실을 통해 실제 여행에 드는 비용 없이도 세계 각지의 명소를 체험할 수 있다. VR 장비와 인터넷 연결만 있으면 가상 여행을 즐길 수 있어 경제적 부담을 줄여준다.

휴가나 여행을 위한 여유 시간이 부족한 경우, 가상현실은 시간과 장소의 제약 없이 언제든지 여행을 즐길 수 있는 기회를 제공합한. 집에서나 휴대폰으로도 가상 여행을 할 수 있어 일상적인 시간에도 다양한 문화와 장소를 체험할 수 있다.

가상현실은 여행뿐만 아니라 문화적 체험과 교육에도 도움이 된다. 역사적인 장소, 박물관, 미술관 등을 방문하고, 다른 문화를 경험하며 세계 각지의 사람들과 소통할 수 있는 기회를 제공한다. 학습효과가 높게 발생한다.

저소득층이 현실적인 여행을 할 수 없더라도 가상현실을 통해 사회적으로 연결되고 소통할 수 있는 기회를 가질 수 있다. 온라인으로 다른 사용자들과 함께 가상 공간을 탐험하고 소셜 커뮤니티를 형성하여 사회적 연결성을 유지할 수 있다. 이처럼 현재 여행과 문화 체험을 혁신적으로 변화시키고 있으며, 이러한 기술의 발전은 더 많은 사람들에게 다양한 경험과 문화적 교류의 기회를 제공하는 데 큰 도움이 될 것으로 기대된다.

고령자의 경우, 이동에 어려움을 겪거나 건강상의 이유로 여행을 포기하는 경우가 많다. 이러한 고령자들은 가상현실을 통해 남은 여생을 의미 있게 보낼 수 있는 기회를 얻을 수 있다.

[그림 81] 가상 게임

출처: virzoom.com

물론, 가상현실을 통한 여행이 모든 사람에게 해당하는 것은 아니다. 경제적 여유가 있고, 이동에 어려움이 없는 사람이라면 비행기나 자동차를 이용한 실제 여행을 선호할 수 있다. 하지만, 이동의 자유가 보장되지 않는 사람들에게는 가상현실을 통한 여행이 새로운 기회가 될 수 있다. 또한, 가상현실을 통해서는 현실 세계에서는 불가능한 경험도 할 수 있다. 예를 들어, 우주 여행이나 해저 여행을 할 수 있다.

9) 가상 게임

MMORPG와 오픈 월드 게임은 플레이어들에게 메타버스와 유사한 경험을 제공하는데, 이들은 가상 공간에서의 다양한 상호작용과 자유로운 활동을 허용하여 현실과 유사한 경험을 제공한다. 먼저, 이러한 게임들은 다수의 플레이어가 한 가상 세계에서 함께 활동할 수 있도록 설계되어 있다. 플레이어들은 다른 이들과의 소셜한 상호작용을 통해 소통하고 협력할 수 있으며, 때로는 경쟁하거나 전투하는 등의 활동도 가능하다. 둘째, 가상 공간에서의 자유로운 활동이 가능하다. 플레이어들은 주어진 임무를 수행하거나 퀘스트를 완료하는 것 외에도, 가상 세계에서 자유롭게 이동하고 탐험할 수 있다. 이동 수단을 이용하거나 다양한 지역을 탐험하며 새로운 환경을 경험할 수 있다.

셋째, 몇몇 MMORPG는 가상 경제 시스템을 가지고 있어 플레이어들이 가상 세계 내에서 거래하고 자원을 관리하는 등의 경제 활동을 할 수 있다. 또한, 이러한 게임들은 가상 사회 시스템을 형성하여 플레이어들이 공동체를 형성하고 그 안에서 다양한 활동을 수행할 수 있도록 한다. 넷째, 일부 게임은 플레이어들에게 자신만의 캐릭터나 공간을 만들고 개인화하는 기회를 제공한다. 플레이어들은 자신의 캐릭터를 개발하고 꾸미며, 가상 세계에서 자신만의 토지나 건물을 구축하여 창조적인 면을 발휘할 수 있다.

가. 월드 오브 워크래프트(World of Warcraft)

이 게임은 가장 유명한 MMORPG 중 하나로, 플레이어들이 아제로스라는 거대한 판타지 세계에서 모험을 즐길 수 있다. 플레이어들은 다른 플레이어와 소통하고 협력하여 퀘스트를 수행하며, 오픈 월드에서 자유롭게 이동하며 다양한 활동을 할 수 있다. 대규모 다중 사용자 온라인 역할수행 게임으로, 플레이어들이 가상 세계인 아제로스(Azeroth)에서 모험을 떠나는 판타지 세계를 탐험하는 것을 중심으로 한다. 월드 오브 워크래프트는 다채로운 콘텐츠와 끊임없는 모험을 제공하여 플레이어들이 자신만의 이야기를 만들며 가상 세계에서 다양한 경험을 즐길 수 있도록 한다.

[그림 82] 월드 오브 워크래프트

아제로스는 다양한 지역과 환경으로 이루어진 거대한 판타지 세계이다. 눈부신 숲, 화산, 어둠의 섬, 광활한 평야 등 다양한 지형이 존재하며, 각 지역마다 독특한 문화와 생물들이 살아 숨쉬고 있다. 다른 플레이어들과의 상호작용이 중요한 요소이다. 플레이어들은 그룹을 구성하여 함께 퀘스트를 수행하거나 다른 플레이어와의 PVP(PvP: Player versus Player) 전투를 즐길 수 있다. 또한, 길드를 형성하여 공동체를 구축하고 함께 던전(Dungeon)이나 공격대(Raid)를 진행하기도 한다.

플레이어들은 자유롭게 아제로스를 탐험하고 다양한 활동을 할 수 있다. 퀘스트를 완료하거나 몬스터와 전투를 벌이는 것 외에도, 재료 수집, 전문 기술 습득, 직업 향상, 플레이어간 거래 등 다양한 경험을 할 수 있다. 플레이어들은 자신의 캐릭터를 발전시키고 특정 직업을 수행하는 등 다양한 경로로 성장시킬 수 있다. 경험치를 얻어 레벨을 올리거나 장비를 획득하여 캐릭터를 강화할 수 있다.

WoW는 다양한 퀘스트와 스토리라인을 제공하여 플레이어들이 세계의 이야기에 몰입할 수 있도록 한다. 또한, 정기적인 이벤트나 새로운 콘텐츠 업데이트를 통해 플레이 경험을 확장한다.

나. 마인크래프트(Minecraft)

이 게임은 플레이어들이 건축과 탐험을 통해 자신만의 세계를 만들 수 있는 오픈 월드 게임이다. 다른 플레이어와 함께 멀티플레이어로 플레이하거나 자신만의 세계를 창조할 수 있다. 블록 건축 게임으로 게임에서는 다양한 종류의 블록을 사용하여 건축물을 만들 수 있다. 이 블록들은 다양한 자원에서 제작되며, 플레이어들은 이를 조합하여 자신만의 건물, 구조물, 예술 작품 등을 만들 수 있다.

생존 모드 게임으로 게임에는 생존 모드와 크리에이티브 모드가 있다. 생존 모드에서는 자원을 수집하고 건축하며, 몬스터와의 전투를 통해 생존하는 것이 주요 목표이다. 플레이어들은 자신이 만든 세계를 탐험하고, 동굴을 탐험하며 새로운 지형과 자원을 발견할 수 있다.

멀티플레이어 게임으로 게임에서는 다른 플레이어들과 함께 플레이할 수 있다. 서버에 입장하여 다른 플레이어들과 협력하거나 경쟁할 수 있다. 커뮤니티와 자원 공유 게임으로 다양한 커뮤니티 서버에서는 플레이어들이 자원을 공유하고 서로의 창작물을 감상하며, 서로의 세계를 방문하여 소통할 수 있다. 모드 및 확장성 게임으로 마인크래프트 커뮤니티에서는 다양한 모드와 확장 기능들이 개발되어 있어 게임을 더욱 다양하고 개인화된 경험으로 변화시킬 수 있다.

다. 신세계 온라인(New World)

이는 최근에 출시된 MMORPG로, 플레이어들이 야생의 섬인 애즈모로스(Aeternum)에서 모험을 즐길 수 있다. 다른 플레이어와 협력하여 퀘스트를 해결하고, 거래를 하며, 영토를 정복하는 등의 다양한 활동을 할 수 있다. 사회적 상호작용과 경제 시스템을 포함하여 플레이어들이 다양한 경험을 즐길 수 있도록 디자인되었다.

애즈모로스의 환경은 야생의 섬이다. 게임의 배경인 애즈모로스는 탐험가들을 위한 풍부한 환경을 제공한다. 다양한 지형과 생물이 존재하며, 독특한 분위기와 아름다운 풍경을 가진 섬이다.

다양한 활동으로 퀘스트와 컨텐츠에 따라 진행된다. 플레이어들은 퀘스트를 수행하고, 던전 탐험, 몬스터와의 전투 등 다양한 컨텐츠를 통해 게임 내에서 진행된다. 영토 정복과 PvP(Player versus Player)35)로 게임은 영토 정복을 중요한 요소로 삼고 있어, 플레이어들은 다른 플레이어 또는 진영과의 전쟁을 통해 영토를 확장하고 지배할 수 있다.

사회적 상호작용으로 거래와 경제가 존재하고, 길드와 협력이 발생한다. 플레이어들은 자원을 수집하고 가공하여 다른 플레이어들과의 거래를 통해 경제적으로 발전할 수 있다. 게임 내에서는 길드를 형성하여 다른 플레이어들과 협력하여 목표를 달성하거나 경쟁할 수 있다.

개인화와 진화에서 플레이어들은 캐릭터를 발전시키고, 스킬을 향상시키며, 장비를 획득하여 성장시킬 수 있다. 각 플레이어는 자신만의 방식으로 게임을 즐기며, 다양한 커스터마이징과 경험을 할 수 있다.

라. 그랜드 세프트 오토 V (Grand Theft Auto V)

이 게임은 현실적인 도시를 재현한 거대한 오픈 월드를 제공한다. 플레이어들은 거리를 자유롭게 이동하고 다양한 활동을 할 수 있으며, 자동차를 운전하거나 도시를 탐험하며 여러 가지 미션을 수행할 수 있다. 즉, 거대한 도시 환경과 다양한 활동을 제공하여 플레이어들에게 현실적인 경험을 제공한다. 다른 플레이어와의 상호작용도 일부 모드에서 가능하다. 그랜드 세프트 오토 V는 미션과 이야기, 다양한 활동, 그리고 온라인 멀티플레이어 모드를 통해 플레이어들은 자유롭게 게임을 즐길 수 있다.

재현된 도시인 게임 내의 로스 산토스는 현실의 로스앤젤레스를 기반으로 한 거대한 도시이다. 다양한 지역과 도심부, 산악 지대 등 다양한 환경을 포함하고 있어 탐험할 때 다양한 경험을 제공한다. 이동 수단으로 플레이어들은 자동차, 오토바이, 비행기, 보트 등 다양한 이동 수단을 이용하여 도시를 자유롭게 이동할 수 있다.

도시 탐험과 활동으로 거리를 자유롭게 돌아다니거나 도시 내에서 다양한 활동을 즐길 수 있다. 상점, 레스토랑, 클럽 등의 장소를 방문하거나, 스포츠를 즐기거나, 도시를 탐험하는 등의 활동이 가능하다. 게임에는 다양한 캐릭터들의 스토리가 있는 스토리 모드가 포함되어 있다. 플레이어들은 미션을 수행하고 이야기를 진행하면서 게임을 진행할 수 있다. 멀티플레이어 기능이 있어, 게임은 온

---

35) 온라인 게임 내의 서로 다른 플레이어 캐릭터 사이에서 벌어지는 싸움을 일컫는다.

라인 멀티플레이어 모드를 제공하여 다른 플레이어들과의 상호작용이 가능하다. 플레이어들은 함께 미션을 수행하거나, 경주를 하거나, 다른 활동들을 함께 즐길 수 있다.

이러한 게임들은 플레이어들이 가상 세계에서 자유롭게 활동할 수 있는 환경을 제공하며, 다른 플레이어들과의 상호작용을 중심으로 다양한 경험을 할 수 있도록 해준다. 이러한 요소들은 메타버스 개념과 유사한 개념을 포함하고 있다.

7. 유전자 편집 기술

유전자 편집 기술로 CRISPR과 같은 유전자 편집 기술은 유전질환의 치료뿐만 아니라 암, 심혈관 질환, 대사성 질환 등 다양한 질병의 예방과 치료에 활용될 수 있다. 2023년 현재 기준으로 10년 안에 상용화 가능한 10대 의료기술 중 하나인 CRISPR-Cas9 유전자 가위는 질병 치료에 혁신적인 변화를 가져올 것으로 기대되고 있다. CRISPR-Cas9 유전자 가위는 특정 유전자를 원하는 위치에서 자르고 삽입할 수 있는 기술로, 유전성 질환, 암, 희귀질환 등 다양한 질병 치료에 적용될 수 있다.

유전체 편집, 유전체 공학 또는 유전자 편집은 살아있는 유기체의 유전체에 DNA를 삽입, 삭제, 수정 또는 대체하는 유전공학의 한 유형이다. 무작위로 유전 물질을 숙주 유전체에 삽입하는 초기 유전공학 기술과 달리, 유전체 편집은 부위별 위치에 대한 삽입을 대상으로 한다. 프로그래밍 가능한 뉴클레아제를 통한 유전자 조작과 관련된 기본 메커니즘은 표적 유전체 유전자 좌(target genomic loci)의 인식 및 이펙터 DNA 결합 도메인(DBD, DNA-binding domain)의 결합, 제한 엔도뉴클레아제(FokI 및 Cas)에 의한 표적 DNA의 이중 가닥 파손(DSB, double-strand breaks), 상동성 지시 재조합(HDR, homology-directed recombination) 또는 비상동성 말단 결합(NHEJ, non-homologous end joining)을 통한 DSB의 복구이다.

1) 유전자 가위 기술 개요

유전자 가위는 크게 3세대로 구분한다. 1세대 유전자 가위는 제한효소(制限酵素, restriction endonuclease)를 이용한 유전자 가위로 제한효소는 자연계에 존재하는 DNA 절단 효소이다. 제한효소는 특정 염기서열을 인식하여 DNA를 자르는데, 1세대 인공 유전자가위는 이러한 제한효소의 성능을 인위적으로 높여 개발한 기술이다. 구체적으로, 1세대 인공 유전자가위는 징크핑거 뉴클레이즈(Zinc finger nuclease, ZFN)를 이용하는 기술로, 징크핑거 뉴클레이즈는 DNA 염기서열의 특정 부위를 인지하는 징크핑거 단백질과 DNA 절단 효소인 FokI를 결합한 것이다. 징크핑거 단백질은 DNA 염기서열의 특정 부위를 인지하여 FokI 효소가 DNA를 절단하도록 유도한다. 이러한 1세대 인공 유전자가위는 DNA 염기서열의 특정 부위를 인지하는 능력이 제한효소보다 뛰어나며, 세포 내에서의 안정성이 높다는 장점이 있다. 그러나 1세대 인공 유전자가위는 설계 및 제작이 복잡하고, 비용이 많이 든다는 단점이 있다.

2세대 유전자 가위는 징크핑거뉴클레아제(ZFN)와 탈렌(TALEN)을 이용한 유전자 가위로 징크핑거뉴클레아제와 탈렌은 각각 징크핑거 단백질과 탈렌 단백질을 이용하여 DNA를 자른다. 구체적으로 보면, 2세대 인공 유전자가위는 탈렌(TALEN)을 이용하는 기술이며, 탈렌은 징크핑거 뉴클레이즈와 유사한 구조를 가지고 있지만, 징크핑거 단백질 대신 탈렌 단백질을 사용한다. 탈렌 단백질은 DNA 염기서열의 특정 부위를 인지하는 능력이 징크핑거 단백질보다 뛰어나 정교한 유전자 편집이 가능하다.

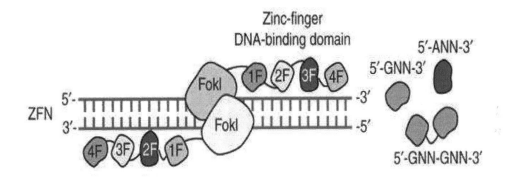

[그림 83] Zinc-finger nuclease의 구조

출처: Gaj et al., 2016.

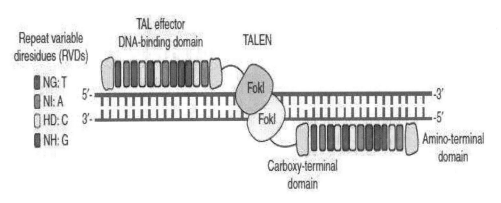

[그림 84] TALE nuclease의 구조

출처: Gaj et al., 2016.

3세대 유전자 가위는 크리스퍼-카스9(CRISPR-Cas9)를 이용한 유전자 가위로 크리스퍼-카스9은 RNA 가이드와 Cas9 단백질을 이용하여 DNA를 자른다. 크리스퍼-Cas9은 세균의 면역 시스템인 CRISPR-Cas 시스템을 이용한 것으로, 기존의 인공 유전자가위보다 간편하고 정교하게 유전자를 편집할 수 있다.

1세대, 2세대와 3세대 유전자 가위기술은 표적 서열을 인지하는 물질이 단백질인지 가이드 RNA인지에 따라서 크게 차이가 있다. 1세대 및 2세대에서는 유전자 가위기술이 표적 유전자 서열에 결합하는 유전자 가위를 단백질의 형태로 사용하므로 제작 기간이 길고 고비용이 요구되나, 3세대 유전자 가위기술의 경우 CRISPR 유전자 가위 단백질은 한 종류의 단백질을 사용하고 표적 유전자의 서열에 따라서 가이드 RNA만 제작하면 되므로 제작 기간이 짧으며 많은 유전자 질환에 단시간에 적용될 수 있는 장점이 있다(미국 한림원의 인체 유전자 교정에 관한 보고서(Human Genome Editing: Science, Ethics, and Governance), 2017).

최근 CRISPR class의 유전자 가위 단백질로서 Cas9 외에 Cpf1이라는 새로운 단백질이 Acidaminococcus 및 Lachnospiraceae 균주에서 발견되었다 (Zetsche et al., 2015). 이 단백질은 Cas 9과 유사하게 sgRNA를 사용하여 표적 유전체 서열을 인지하는 점에서 유사하나 Cas 9이 동일한 위치에서 이중 나선 구조를 절단하는 (blunt cutting) 특징을 보이는 반면, Cpf1은 이중 나선 구조를 서로 다른 위치에서 절단하는 (staggered cutting) 특징을 보이는 면에서 차이가 있으며, 이는 유전자인식 정확도를 높여 치료제 개발시 안전성 문제를 개선할 것으로 기대되는 기술이다.

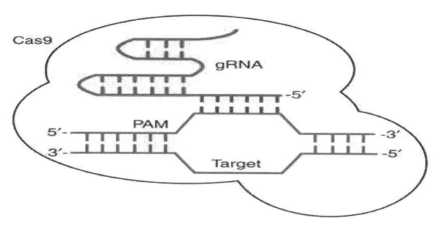

[그림 85] CRISPR/Cas9의 구조

출처: Gaj et al., 2016.

[표 11] 세대별 유전자 가위기술 비교

유전자 가위기술 종류	1세대 ZFN	2세대 TALEN	3세대 CRISPR
DNA인지 및 결합 도메인	Zinc finger 단백질	TALE 단백질	가이드 RNA
DNA절단 도메인	FokI	FokI	Cas9
DNA 인지 범위	18~36bp(3bp/ Zinc finger모듈)	30~40bp(1bp/TALE 모듈)	22bp(DNA-RNA base pair)
인지 서열의 조건	G염기를 포함하는 5'-GNNGNNGNN-3' 형태의 서열	5'-T 염기로 시작하여 A-3' 염기로 끝나는 서열	인지서열 바로 뒤에 5'-NCC-3' (PAM) 염기서열이 요구됨
장점	표적 서열에 맞춰, 블록식으로 제작가능 단백질 크기(1kb)가 작음	높은 특이성 1bp 단위로 정교한 인식 인지서열 선정이 비교적 자유로움	인지 서열의 선정이 유연하고 용이함 한번에 여러 유전자를 표적 가능함 대량생산 가능
한계점	낮은 특이성 표적 서열 선정에 한계 단백질 설계 및 제조 복잡 고비용	메틸화 C에는 적용 불가 단백질 설계 및 제조 복잡 고비용 단백질 크기(3kb)가 커서 세포 내 전달이 어려움	경우에 따라 Off target effect 발생확률이 높음 단백질 크기(3kb)가 커서 세포 내 전달이 어려움

출처: 유전자 가위기술 연구개발 동향 보고서. 2017.

2) 인공유전자 가위 역사

유전자 가위는 가위처럼 유전자를 자르고 수정하는 도구로, DNA 가닥의 특정 부분을 잘라내거나 변경하며 편집(editing)하는 기술이다. 이 기술은 단순하게 DNA 염기서열의 특정 부위를 인지해 절단하는 제한효소(restriction endonuclease)라 불리는 천연 유전자가위 또는 특정 유전자 부분을 자르는 단순한 유전자 가위와 제한효소의 성능을 인위적으로 높여 유전자 조작에 활용하는 1, 2, 3세대 인공유전자 가위로 구분이 된다. 유전자 가위는 처음에는 단순히 DNA 염기서열을 자르는 천연 제한효소를 사용하여 유전자 조작을 시작했다. 그 이후에는 제한효소의 성능을 개선하여 인공적으로 활용하는 기술이 발전했다.

스탠퍼드대학의 코헨(S. Cohen)과 UC 샌프란시스코의 보이어(H. Boyer)가 개발한 인슐린의 인공적 생산은 제한효소를 이용한 DNA 재조합 기술의 의료 산업 적용의 대표적 사례 중 하나이다. 이러한 프로세스는 복잡하지 않다. 먼저, 인슐린을 부호화하는 유전자를 제한효소를 이용하여 잘라낸다. 그런 다음, 이 유전자를 운반체(벡터, vector)인 플라스미드(plasmid)에 삽입하여 이를 대장균에 도입한다. 인슐린 유전자가 도입된 대장균을 대량 번식시켜 대장균 내에서 생성된 인슐린을 추출하고 정제하여, 당뇨병 치료에 사용되는 인슐린을 대량으로 얻을 수 있다.

그러나 제한효소는 6~8개의 염기서열만을 인식하여 자르는 한계가 있기 때문에 플라스미드와 같은 운반체를 필요로 했다. 이러한 제한적 기능을 보완하기 위해 1세대 인공 유전자가위가 개발되었다. 이것이 바로 미국 존스 홉킨스 대학의 찬드라세가란(S. Chandrasegaran)이 DNA 인지 능력을 지니고 있는 징크핑거(Zinc Finger)란 단백질과 세균들이 사용하는 DNA 절단 능력을 지닌 제한효소 중 하나인 Fok1을 결합해 개발한 징크핑거 뉴클레아제(ZFN, Zinc Finger Nuclease)이다.

징크핑거는 DNA 인식 능력을 가진 징크핑거(Zinc Finger) 단백질과 세균에서 발견된 DNA 절단 능력을 가진 Fok1 제한효소를 결합하여 만들어졌다. 이 단백질 구조는 1985년에 아프리카 발톱개구리의 유전자를 연구하던 중 발견되었는데, 특정 염기서열에 결합하는 아연이 결합된 손가락 모양의 구조에서 유래되었다.

이 유전자 가위인 징크핑거 뉴클레아제는 2002년부터 유전자 교정 기술로 사용되기 시작했으며, 현재 에이즈, 혈우병, 알츠하이머와 같은 유전적 질환의 치료를 위한 임상 시험이 진행 중이다. 이 기술은 유전자 조작을 통해 질병의 유전적 원인을 수정하는 데 적용되며, 치료 및 예방에 대한 새로운 가능성을 제시하고 있다.

징크핑거의 설계와 제작 과정이 복잡하며, 비용이 많이 들며, 사용 중 오작동이 발생하는 문제가 있어 활용이 어려웠다. 이러한 문제를 극복하기 위해 식물성 병원체인 잔토모나스(Xanthmonas)를 이용해 개발된 2세대 유전자 가위인 탈렌(TALEN, Transcriptor Activator-Like Effector Nuclease)이 개발되었다.

탈렌은 식물성 병원체인 잔토모나스(Xanthomonas)를 기초로 하여 개발되었다. 이 유전자 가위는 DNA를 자르는 성능을 가지고 있고, 탈렌을 구성하는 아미노산 서열이 절단한 DNA의 염기서열과 일치하기 때문에, 탈렌의 아미노산 서열을 변경하면 결합 대상 DNA의 염기서열도 쉽게 바꿀 수 있다. 이는 단백질을 맞춤식으로 간단하게 변형시킬 수 있는 기능을 제공한다.

탈렌 기술은 2009년에 개발되었으며, 2011년 말부터 활용되기 시작했다. 이 기술은 C형 간염, 고콜레스테롤혈증과 같은 질병의 치료 모델링에 유용하게 활용되고 있다. 이러한 유전자 가위 기술은 복잡한 유전자 조작을 보다 간단하고 효과적으로 할 수 있도록 도와주며, 치료 및 질병 연구 분야에서 새로운 가능성을 열어주고 있다.

징크핑거나 탈렌과 같은 유전자 가위는 인식하는 염기서열이 10개 내외로 짧아 제작이 어렵고 비용이 많이 드는 단점이 있다. 이러한 제한을 극복하기 위해 2012년 말에 이런 결점을 보완해줄 수 있고 DNA를 잘라주는 제한효소인 Cas9에 RNA를 결합해 개발된 3세대 유전자 가위인 크리스퍼(CRISPR-Cas9)는 Cas9 제한효소에 RNA를 결합하여 만들어졌다. 크리스퍼에서 RNA는 특정한 DNA 염기서열을 타겟팅하기 위한 가이드 역할을 하며, 이후 Cas9은 RNA가 결합한 DNA 부위를 인식하여 잘라낸다.

또한, CRISPR-Cas 시스템은 Science에 의해 2015년 올해의 돌파구(breakthrough)로 선정되었다. 2015년 현재, 메가뉴클레아제(meganucleases), 아연 핑거 뉴클레아제(ZFN), 전사 활성화제 유사 효과기 기반 뉴클레아제(TALEN) 및 CRISPR/Cas9(clustered regularly interspaced short palindromic repeats) 시스템의 네 가지 조작된 뉴클레아제 계열이 사용되었다. 2017년 현재 9개의 게놈 편집기가 사용할 수 있다. 2018년에 이러한 편집을 위한 일반적인 방법은 조작된 뉴클레아제, 즉 분자 가위(molecular scissors)를 사용하였다. 이 뉴클레아제들은 유전체 내에서 원하는 위치에 부위 특이적 이중 가닥 분열(DSB)을 생성한다. 유도된 이중 가닥 분열은 비상동 말단 결합(NHEJ) 또는 상동 재조합(HR)을 통해 복구되어 표적화된 돌연변이(edits)가 발생한다.

2019년 5월, 중국의 변호사들은 중국 과학자 허젠쿠이가 최초의 유전자 편집 인간을 만들었다고 주장하는 것에 비추어, 크리스퍼와 같은 유전자 편집 기술을 사용하여 인간 게놈을 조작하는 사람은 관련된 부작용에 대한 책임을 져야 한다는 규정 초안을 보고했다. 최근 세포 제어(cellular control) 과정의 확률적 특성에 초점을 맞추어 크리스퍼 및 관련 생명공학의 잠재적인 맹점과 위험에 대한 주의적 관점이 논의되었다.

에든버러 대학 로슬린 연구소는 미국과 유럽 양돈농가들에게 매년 26억 달러의 비용이 드는 돼지 생식 및 호흡기 증후군을 일으키는 바이러스에 내성을 가진 돼지들을 설계했다. 2020년 2월 미국 실험에서 암 환자 3명을 대상으로 크리스퍼 유전자 편집이 안전하게 확인되었다. 이완을 촉진한다고 알려진 아미노산을 더 많이 만드는 토마토 시칠리아 루즈 하이 GABA가 2020년 일본에서 판매 허가를 받았다.

2021년, 영국(England)은 유전자 편집 식물과 동물에 대한 규제를 없애고 유럽 연합 준수 규제에서 미국 및 일부 다른 국가들의 규제에 더 가까운 규제로 나아갈 계획을 발표했다. 2021년 4월 유럽 위원회 보고서는 현재 규제 체제가 유전자 편집에 적절하지 않다는 강력한 징후(strong indications)를 발견했다. 이후 2021년, 연구원들은 트랜스포존(transposons)에서 발견되는 엔도뉴클레아제

(endonucleases)로서 IscB, IsrB 및 TnpB를 포함한 필수 이동 요소 유도 활동 (OMEGA, obligate mobile element-guided activity) 단백질을 포함한 CRISPR 대안을 발표했다.

크리스퍼 유전자 가위는 제작이 용이하면서도 비용이 적게 들어가며, 현재까지 개발된 유전자 가위 기술 중 가장 높은 평가를 받고 있다. 그러나 이러한 기술은 단순한 구조로 세포 내에 쉽게 들어갈 수 있지만, 시스템의 오작동에 취약하여 의도치 않은 부위를 자를 수 있다는 단점이 있다. 최근에는 Cas9 대신 Cpf1 효소를 이용하여 유전자 교정 효율을 높인 크리스퍼 유전자 가위가 개발되어 3.5세대 유전자 가위로 인정받고 있다. 이러한 기술은 Cas9의 단점을 보완하고 유전자 조작의 효율성을 향상시키며, 현재 연구 및 응용 가능성이 크게 기대되고 있다.

유전자가위 기술은 유전자 치료, 장기이식이나 신약개발을 위한 모델동물 생산, GMO 개발과 인간의 수정란이나 배아의 유전자를 조작하여 원하는 유전자를 지닌 아이가 태어날 수 있는 개연성을 제기하고 있다. 이에 따른 맞춤형 아기의 개념은 윤리적으로 복잡한 문제를 불러올 수 있다. 가타카(GATTACA)[36]와 같은 영화가 미래를 상상하며 유전자 조작 기술이 인간 사회와 윤리적 가치에 어떤 영향을 미칠지 논의하는 데에 도움이 될 수 있다. 그러나 현실에서는 기술이 발전함에 따라 이러한 가능성을 다루기 위한 제도적인, 윤리적인 가이드 라인과 규제가 중요하다.

맞춤형 아기를 통해 유전적으로 질병이나 장애를 예방하는 등의 목적은 의학적으로 긍정적인 측면이 있을 수 있지만, 이는 동시에 인간 유전자의 수정에 대한 윤리적 고민과 논란을 야기할 수 있다. 이는 인간의 존엄성과 평등에 대한 문제로 이어질 수 있으며, 부자와 가난한 사람들 사이, 혹은 특정 인종이나 계층간에 불평등을 야기할 우려가 있다. 이러한 윤리적 문제를 해결하기 위해서는 합의를 이끌어 낼 수 있는 광범위한 사회적 논의와 법적인 가이드 라인이 필요하

---

36) 가타카는 1997년 미국에서 개봉한 SF 영화로 앤드류 니콜 감독이 연출하고, 에단 호크, 주드 로, 우마 서먼 등이 주연을 맡았다. 영화는 유전자 조작 기술이 발달하여, 태어날 때부터 우월한 유전자를 가진 인간만이 사회의 상위 계층으로 살아가는 미래를 배경으로 한다. 영화의 주인공 빈센트 프리먼은 유전적으로 열성인 인간이다. 그는 우주 비행사가 되는 것이 꿈이지만, 유전자 검사에서 우주 비행에 적합하지 않다는 판정을 받는다. 빈센트는 우주 항공 회사 가타카의 청소부로 일하면서, 우성 유전자를 가진 제롬 머로우와 계약을 한다. 빈센트는 제롬의 신분을 도용하여 우주 비행사가 되기 위한 시험에 응시하고, 결국 우수한 성적으로 합격한다. 빈센트는 우주 비행에 성공하지만, 자신의 정체가 탄로날 위기에 처한다. 빈센트는 자신의 꿈을 위해, 그리고 자신이 믿는 가치를 위해 자신의 정체를 밝히고, 결국 우주 비행사로 인정받게 된다. 가타카는 유전자 조작 기술의 발전이 가져올 사회의 변화에 대한 경고를 담은 영화이다. 또한, 인간의 능력은 유전자에만 좌우되는 것이 아니라, 노력과 열정으로 극복될 수 있다는 메시지를 전달한다. 영화는 개봉 당시 평단과 관객들의 호평을 받았으며, 여러 영화제에서 수상했다. 또한, 영화 속 미래 사회의 모습은 오늘날에도 현실화될 가능성이 높아, 많은 사람들에게 생각할 거리를 던져주는 작품으로 평가받고 있다.

다. 이러한 과정에서 과학과 기술의 발전이 인간의 복지와 존엄성을 증진시키는 방향으로 나아갈 수 있도록 각종 이해관계자들의 의견을 모으고 공론화해야 한다. 이러한 프로세스를 통해 기술의 활용은 인류의 발전을 위한 긍정적인 측면으로 발전할 수 있을 것이다.

가타카는 과학기술이 발달한 세상에서 유전자 조작을 다룬 영화로, 인간이 유전자 조작을 통해 탄생하는 미래 사회를 그려냈다. 이 영화를 통해 맞춤형 아기와 같은 개념은 인간 사회와 윤리적 고민을 다루는 데 있어 중요한 사례로 인식되고 있다. 우리 사회에서는 유전자가위 기술과 같은 과학기술이 제대로 이해되고, 그 활용에 대한 적절한 가치관과 윤리적 지침이 필요하다. 이를 위해서는 광범위한 사회적 논의와 교육이 필요하며, 과학기술의 발전이 인류 발전과 공존하는 방향으로 나아가도록 지속적인 관심과 노력이 요구된다. 또한, 유전자가위 기술이 인간 사회에 미치는 영향과 잠재적 위험에 대한 인식과 대비를 위해 적절한 법과 규제도 마련되어야 한다. 이를 통해 기술의 발전과 활용이 인류의 이익과 발전에 도움이 되도록 지원되어야 한다.

따라서, 유전자가위 기술을 제대로 이해하고, 사회적 소통과 합의를 통해 이 기술의 활용에 대한 윤리적, 사회적 문제를 다가올 시대의 가치관에 맞도록 긍정적으로 해결해 나가는 것이 중요하다. 그러나 우려되는 상황을 보면 먼저, 유전적 차별이 발생할 수 있다. 유전자 가위를 이용하여 인간의 유전자를 조작하면, 특정 인종, 특정 기업과 특정 계층에서 이를 활용하여 유전적 차별과 유전적 우월성을 가지려고 한다. 예를 들어, 위의 영화처럼 건강한 유전자를 가진 사람과 그렇지 않은 사람 사이에 차별이 발생할 수 있다. 둘째, 생명 윤리 문제가 발생한다. 유전자 가위를 이용하여 인간의 유전자를 조작하면, 생명 윤리와 사회·도덕적 윤리에 대한 문제가 발생할 수 있다. 예를 들어, 인간의 수명을 연장하거나, 새로운 능력을 부여하는 등의 방법으로 인간을 개조하는 것이 윤리적으로 사회적으로 허용되는지 여부가 논의될 수 있다. 셋째, 환경 문제가 발생한다. 유전자 가위를 이용하여 식물을 개량하면, 환경에 미치는 영향에 대한 문제가 발생할 수 있다. 예를 들어, 내병성이나 내충성을 가진 식물이 자연계에 유입되면, 기존의 생태계를 교란할 수 있다.

3) CRISPR-Cas9 유전자 가위

CRISPR/Cas9 system은 CRISPR와 CRISPR associated protein-9(Cas9) nuclease를 의미한다. CRISPR/Cas9 시스템은 세균의 면역반응에서 비롯된 유전자 가위로, 외부로부터의 바이러스나 기타 이종 DNA 침입을 감지하고 해당 유전자를 절단하여 세포를 방어하는 기능을 한다. 이전의 유전자 가위인 zinc finger domain이나 TALE은 자체적으로 유전자 절단 효소의 기능이 없기 때문에, 유전자 절단을 위해 별도의 효소와의 퓨전(fusion) 과정이 필요했다. 이는 제작 및 응용에 어려움을 초래했다.

크리스퍼(CRISPR)는 박테리아나 고세균(archaea) 유전자에 반복적으로 나타나는 DNA 서열을 지칭한다. 이 반복 유전자는 박테리아를 감염시키는 박테리오파지(Bateriophage) 등의 부분 서열과 일치하다는 사실이 알려지면서 박테리아 면역체계를 이룬다는 걸 알게 되었다. 2012년 UCSF 제니퍼 다우드나(Jennifer A. Doudna) 교수 연구팀은 CRISPR와 연관된 단백질 9번(CRISPR associated protein 9: Cas9)의 기능을 밝혀낸 논문을 발표했는데[37], 캐스9(Cas9) 단백질은 크리스퍼에서 가져온 박테리오파지 유전 정보 조각을 운반하고 다니면서 박테리오파지에 감염되었을 때 유전 정보 조각에 정확히 들어맞는 부분에 붙어 잘라내 파괴한다는 걸 보였다. 유전자가위와 편집 기술은 크리스퍼-캐스9 단백질의 발견 이전에도 아연 손가락 효소(Zinc finger nuclease)가 있었으나 다양한 유전자에 대응하기 위한 제작 과정과 설계가 어렵다는 단점이 있었다. 유전자 편집 가위에 대한 연구가 지속됨에 따라 탈렌(TALEN: Transcription activator-like effector nuclease)이라는 강력한 유전자가위 기술도 등장했지만, 바로 이후 등장한 크리스퍼캐스9으로 인해 유전체 편집에 대한 연구 전반이 크리스퍼 시스템으로 진행되고 있다.

다우드나는 이 발견이 향후 어떤 파급효과를 가져올 지 바로 이해할 수 있었다고 한다. 불치의 병을 치유할 수 있다는 희망부터 인간이라는 종 자체를 바꿔버릴 수 있다는 불안까지 크리스퍼를 통해 할 수 있는 일들은 그 하나하나가 강력한 파괴력을 지녔다. 기존 유전자 편집 도구의 실용화가 어려운 이유는 바로 생산성과 용이성이었다. 한 종류의 유전자 서열을 편집하기 위해서는 높은 숙련도의 학자가 연구실에서 시간과 비용을 들여야만 실행할 수 있었다. 그러나 CRISPR는 표적할 DNA에 대응되는 가이드 RNA를 섞어주면 되는 간단한 과정으로 유전자를 잘라내는 작업을 할 수 있다. 크리스퍼 기술은 혁명에 가까웠고, 이후로 크리스퍼와는 관계가 없던 다양한 학자들에 의해 시험대에 올라 다양한 생명체에 적용되었고, 그 강력한 가능성을 보여주었다.

CRISPR 기술은 치료제로서의 가능성도 열어주었다. 대표적인 유전질병 중 겸상적혈구가 있다. 겸상적혈구는 적혈구가 낫 모양으로 생겨 제기능을 못하는 유전병으로 현재까지 치료방법이 존재하지 않았다. 최근 과학 잡지 Nature Medicine에 실린 연구에 의하면 크리스퍼 기술로 겸상적혈구 질병을 고칠 수 있

---

37) Jennifer Doudna and Samuel H. Sternberg, A crack in creation: Gene editing and the unthinkable power to control evolution, Boston: Houghton Mifflin Harcourt, 2017, p. 331.

는 가능성을 찾았다고 보고했다[38].

CRISPR-Cas9 기술은 기존의 방식에 비해 매우 효율적이고 다양한 기능을 수행할 수 있기 때문에 DNA 혁명이라고 불릴 만큼 학계에서 큰 이슈와 파장을 불러 일으켰다. CRISPR-Cas9 기술은 유전자가위의 인식 부위에 단백질이 아닌 RNA를 이용하는데, 단백질보다는 RNA의 제작이 간단하기 때문에 더욱 저렴하고 손쉽게 편집기술을 사용할 수 있게 되었다. 즉, CRISPR/Cas9은 단백질 자체가 유전자 절단 효소의 기능을 가지고 있어 별도의 효소와의 퓨전 과정이 필요 없다. 이는 이 기술을 사용하는 데 있어서 훨씬 효율적이며 더욱 용이하게 만들어준다. 또한, CRISPR/Cas9는 zinc finger domain이나 TALE과 달리 특정 유전자 서열을 인지하기 위해 repeat 단위구조를 제작할 필요가 없다. 대신, single guide RNA (sgRNA)라는 상보적인 서열을 이용하여 유전자 서열을 타겟팅한다. 이러한 점에서 CRISPR/Cas9는 유전자를 수정하고 편집하는 데 있어서 보다 간편하고 효율적인 방법을 제공한다[39].

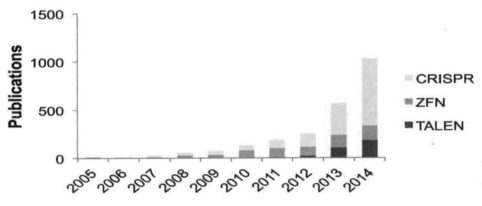

[그림 86] 세대별 유전자 가위기술 연구 추세

출처: Glaser et al., F1000 Research 2015.

3세대 유전자 가위 기술에서는 CRISPR/Cas9 시스템을 이용하여 유전자를 수정하고 편집할 때, Cas9 단백질과 single guide RNA(sgRNA)가 복합체를 형성하여 작동한다. sgRNA는 5'-NGG-3'로 이루어진 protospacer-adjacent motif(PAM) 서열을 포함하는 상보적 서열을 가지는 DNA에 결합함으로써 Cas9가 선택적 서열을 자를 수 있게 유도한다. Cas9 단백질과 결합하여 특정 DNA

---

38) Yuxuan Wu et al., "Highly efficient therapeutic gene editing of human hematopoietic stem cells", Nature medicine, 2019, p. 1.
39) 황만성. 2017. 현행 생명윤리법상 유전자편집기술의 법적 쟁점. 의생명과학과 법, 18, p.179.

서열을 인식하고 이를 절단하는데, 이때 sgRNA는 protospacer-adjacent motif(PAM)이라 불리는 특정 서열을 포함하는 DNA 상보적 서열에 결합하여 Cas9가 해당 서열을 절단할 수 있도록 유도한다.

3세대 유전자 가위 기술은 이전의 zinc finger domain이나 TALE을 사용한 유전자 가위 기술과는 다르게, sgRNA를 사용하여 유전자를 타겟팅한다. sgRNA는 22개의 서열로 구성되며, 각각의 sgRNA는 특정 DNA 서열을 타겟팅한다. 이러한 방식으로, sgRNA의 유연성과 다양성 덕분에 실험실이나 연구자들이 목적에 따라 다양한 sgRNA를 비교적 간편하게 제작하여 사용할 수 있다. 이는 유전자 가위 기술의 응용 범위를 확대시키고, 신약개발 뿐 아니라 수의학, 농수산 분야 등 다양한 분야에서 유용하게 활용되고 있다는 장점을 제공한다.

F1000 Research (Glaser et al., 2015)에 의하면 2012년부터 유전자 가위기술 관련 연구가 활발히 진행 중이며, 이중 특히 3세대 유전자 가위기술인 CRISPR를 기반으로 한 연구는 해마다 100 % 이상의 성장률을 보이고 있는 것으로 나타난다. 또한, 미국 국립의학도서관의 NCBI(National Center for Biotechnology Information)에서 제작하여 무료로 제공하는 의학서지정보 데이터베이스에 근거한 유전자가위 기술 연구주제 관련 일정 주기별 논문 출판 수 변화(PubMed)를 보면, 2015년 약 1500편, 2016년 약 2500편, 2017년 약 3400편, 2018년 약 4400편, 2019년 약 5400편 정도로 성장하였다.

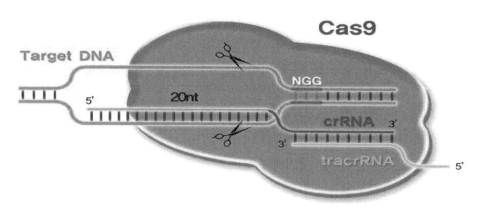

[그림 87] 3세대 유전자 가위 CRISPR-Cas9의 원리

출처 https://www.pnabio.com/CRISPR_Cas9

CRISPR-Cas9 유전자 가위로 질병 치료하는 방법은 크게 두 가지로 나눌 수 있다. 첫 번째 방법은 질병의 원인이 되는 유전자를 제거하는 방법이다. 예를 들어, HIV 감염을 치료하기 위해 CCR5라는 HIV가 세포에 침입하는 데 필요한 수

용체 유전자를 제거하는 방법이 있다. 두 번째 방법은 질병을 치료하는 데 필요한 유전자를 삽입하는 방법이다. 예를 들어, 유전성 혈우병 환자에게 정상적인 혈액 응고 인자를 삽입하는 방법이 있다.

CRISPR-Cas9 유전자 가위는 기존의 유전자 가위 기술보다 다음과 같은 장점을 가지고 있다. 장점으로 높은 정확성, 넓은 적용 범위와 빠른 치료 효과를 보인다. 먼저, 높은 정확성으로 CRISPR-Cas9 유전자 가위는 원하는 유전자를 매우 정확하게 자르고 삽입할 수 있다. 둘째, 넓은 적용 범위로 CRISPR-Cas9 유전자 가위는 다양한 유전 질환과 암 치료에 적용될 수 있다. 셋째, 빠른 치료 효과로 CRISPR-Cas9 유전자 가위는 기존의 치료법보다 빠르게 치료 효과를 나타낼 수 있다.

그러나 CRISPR-Cas9 유전자 가위는 아직 개발 초기 단계에 있기 때문에 다음과 같은 한계가 있다. 안전성, 효율성 및 비용에 한계가 있다. 먼저, 안전성으로 CRISPR-Cas9 유전자 가위가 정상적인 유전자를 잘못 자르는 오프타겟(off-target) 효과로 인해 부작용이 발생할 수 있다. 둘째, 효율성으로 CRISPR-Cas9 유전자 가위의 효율성이 아직 충분하지 않다. 셋째, 비용으로 CRISPR-Cas9 유전자 가위의 개발과 치료에 필요한 비용이 아직 높다는 것이 단점이다.

CRISPR-Cas9 유전자 가위는 아직 개발 초기 단계에 있지만, 혁신적인 기술로 평가받고 있다. CRISPR-Cas9 유전자 가위의 안전성, 효율성, 비용 등이 개선된다면, 다양한 질병 치료에 널리 사용될 것으로 기대된다.

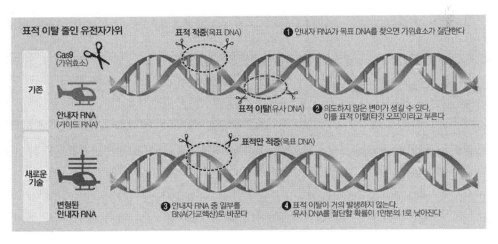

[그림 88] 표적이탈 중인 유전자가위

출처: 매일경제

4) 한국의 유전자 가위 기술

국내에서는 바이오벤처회사인 툴젠이 유전자 가위기술에 대한 다수의 특허를 보유하고, 제3세대 유전자 가위기술인 aRGEN (CRISPR/Cas9 Ribonucleoprotein)를 이용하여 혈우병 치료제 등에 대한 연구개발을 진행하고 있으며, 임상 진입을 계획하고 있다.

또 다른 국내 회사인 엠젠플러스는 돼지의 발암억제 유전자 중 하나인 RUNX3를 CRISPR 기법으로 제거한 복제돼지 4 마리를 생산하여 향후 본 복제 돼지 체내에서 암이 유발되는지를 볼 예정이며, 엠젠플러스는 동물 모델에의 형질전환 및 장기이식을 중점으로 연구해온 회사로써 향후 유전자 가위기술을 이용하여 동물-인간 간 장기이식이 가능하도록 연구를 진행 중인 것으로 알려졌다.

국내 유전자 가위기술을 이용한 연구는 학술 연구를 위주로 2012년부터 활발히 진행하고 있으며, 국내 선두기업인 바이오벤처 업체 툴젠 및 엠젠플러스 등은 국내외 대학 및 연구소와 공동연구를 함으로써 유전자 가위기술을 이용한 치료제 개발 및 관련 시장 확립을 가속화 할 것으로 기대되고 있다.

툴젠의 유전자 가위 기술개발 진행 상황을 보면, 우리나라의 툴젠은 CRISPR-Cas9 유전자 가위 기술을 개발하고 상용화하는 기업이다. 툴젠은 Cas9 단백질의 크기를 줄여 AAV(adeno-associated virus)를 이용한 전달 효율을 높인 기술을 개발했다. 또한, off-target 효과를 줄이기 위한 기술을 개발하고 있다. 툴젠은 CRISPR-Cas9 유전자 가위 기술을 이용하여 유전성 질환, 암, 희귀질환 등 다양한 질병 치료제 개발을 추진하고 있다.

CRISPR-Cas9 유전자 가위의 원리를 보면, 다음과 같다. 첫째, CRISPR-Cas9 유전자 가위는 세균이 외부 유전자를 침입으로부터 방어하기 위해 사용하는 면역 체계에서 유래한 기술이다. CRISPR-Cas9은 두 가지 구성 요소로 이루어져 있다. 하나는 Cas9 단백질로, DNA를 절단하는 역할을 한다. 다른 하나는 CRISPR RNA(gRNA)로, Cas9 단백질이 특정 위치의 DNA를 절단하도록 안내하는 역할을 한다. 둘째, gRNA는 Cas9 단백질이 특정 위치의 DNA를 절단하도록 안내하는 역할을 한다. gRNA는 CRISPR 영역에서 전사된 RNA로, 특정 DNA 서열에 상보적인 염기서열을 가지고 있다. Cas9 단백질은 gRNA와 결합하여, gRNA가 상보적인 DNA 서열을 인식할 수 있게 된다. 셋째, Cas9 단백질은 gRNA가 인식한 DNA 서열을 절단한다. Cas9 단백질은 두 개의 절단 부위를 생성한다. 한 절단 부위는 DNA가 분리되는 부위이고, 다른 절단 부위는 DNA가 재조합되는 부위이다.

다음으로 CRISPR-Cas9 유전자 가위의 응용 분야를 보면, CRISPR-Cas9 유전자 가위는 다양한 분야에서 응용되고 있다. 대표적인 응용 분야로는 첫째, 질병 치료용도로써, CRISPR-Cas9 유전자 가위는 유전 질환을 치료하는 데 사용될 수 있다. 예를 들어, CRISPR-Cas9 유전자 가위를 사용하여 유전 질환을 유발하는 유전자를 제거하거나 수정할 수 있다. 둘째, 농업 분야에서 CRISPR-Cas9 유전자 가위는 농작물의 품질을 향상시키는 데 사용될 수 있다. 예를 들어, CRISPR-Cas9 유전자 가위를 사용하여 농작물의 수확량을 늘리거나, 병충해에 대한 저항력을 높일 수 있다. 셋째, 산업 용도로 CRISPR-Cas9 유전자 가위는 산업 분야에서 다양한 용도로 사용될 수 있다. 예를 들어, CRISPR-Cas9 유전자 가위를 사용하여 바이오 연료를 생산하거나, 환경 오염을 줄이는 데 사용할 수 있다.

그러나 CRISPR-Cas9 유전자 가위의 한계점을 보면, CRISPR-Cas9 유전자 가위는 아직 개발 초기 단계에 있다. CRISPR-Cas9 유전자 가위의 한계점으로 먼저, 오프타겟 효과로 CRISPR-Cas9 유전자 가위는 원하는 위치의 DNA를 절단하지 못하고, 다른 위치의 DNA를 절단하는 오프타겟 효과가 발생할 수 있다. 둘째, 유전체 변이로 CRISPR-Cas9 유전자 가위는 원하는 위치의 DNA를 절단하여 유전체 변이를 유발할 수 있다. 그러므로 아직까지 효율성에서 CRISPR-Cas9 유전자 가위의 효율성이 아직 충분하지 않다.

5) CRISPR-Cas9 유전자 가위 응용분야

CRISPR-Cas9 유전자 가위는 다양한 분야에서 응용될 수 있다. 대표적인 응용 분야는 질병 치료이다. CRISPR-Cas9 유전자 가위는 질병 관련 유전자를 제거하거나, 원하는 유전자를 삽입하여 질병을 치료할 수 있다. 예를 들어, CRISPR-Cas9 유전자 가위를 이용하여 HIV 바이러스의 수용체인 CCR5를 제거하면, HIV 감염을 예방할 수 있다. 또한, CRISPR-Cas9 유전자 가위를 이용하여 대사질환의 원인이 되는 유전자를 교정하면, 질병을 치료할 수 있다.

첫째, HIV 바이러스는 CCR5라는 수용체를 통해 세포에 침입한다. CRISPR-Cas9 유전자 가위를 이용하여 CCR5 유전자를 제거하면, HIV 바이러스의 침입을 막을 수 있다. 실제로 CRISPR-Cas9 유전자 가위를 이용하여 CCR5 유전자를 제거한 쥐는 HIV 감염에 저항성을 보이는 것으로 나타났다.

둘째, CRISPR-Cas9 유전자 가위를 이용하여 질병 관련 유전자를 제거하거나, 원하는 유전자를 삽입하여 질병을 치료할 수 있다. 예를 들어, CRISPR-Cas9 유전자 가위를 이용하여 HIV 바이러스의 수용체인 CCR5를 제거하면, HIV 감염을 예방할 수 있다. 또한, CRISPR-Cas9 유전자 가위를 이용하여 대사질환의 원인이 되는 유전자를 교정하면, 질병을 치료할 수 있다. 대사질환은 유전자 돌연변이로 인해 발생하는 경우가 많다. CRISPR-Cas9 유전자 가위를 이용하여 대사질환의 원인이 되는 유전자 돌연변이를 교정하면, 질병을 치료할 수 있다. 예를 들어, CRISPR-Cas9 유전자 가위를 이용하여 당뇨병의 원인이 되는 유전자 돌연변이를 교정하면, 혈당 조절을 개선할 수 있다.

셋째, CRISPR-Cas9 유전자 가위를 이용하여 새로운 약물을 개발할 수 있다. 예를 들어, CRISPR-Cas9 유전자 가위를 이용하여 암세포만 선택적으로 죽이는 약물을 개발할 수 있다.

넷째, CRISPR-Cas9 유전자 가위를 이용하여 농작물의 품종을 개선할 수 있다. 예를 들어, CRISPR-Cas9 유전자 가위를 이용하여 병충해에 강한 농작물을 개발하거나, 영양가가 높은 농작물을 개발할 수 있다. CRISPR-Cas9 유전자 가위를 이용하여 작물의 품질을 향상시키거나, 병충해에 강한 작물을 개발할 수 있다. 예를 들어, CRISPR-Cas9 유전자 가위를 이용하여 벼의 쌀알 크기를 키우거나, 콩의 단백질 함량을 높일 수 있다.

다섯째, CRISPR-Cas9 유전자 가위를 이용하여 환경오염을 줄일 수 있다. 예를 들어, CRISPR-Cas9 유전자 가위를 이용하여 미세플라스틱을 분해하는 박테리아를 개발할 수 있다. 그러므로 CRISPR-Cas9 유전자 가위는 유전체를 정밀하게 조작할 수 있는 획기적인 기술이다. CRISPR-Cas9 유전자 가위의 한계가 해결된다면, 다양한 질병을 치료하고 새로운 약물을 개발하는 데 널리 활용될 것으로 기대된다.

6) 크리스퍼 기술의 논쟁적 이슈

가. 크리스퍼 베이비

2017년 다우드나가 A crack in creation: Gene Editing and the Unthinkable Power to Control Evolution을 쓰게 된 결정적인 계기는 다우드나 본인이 가장 우려하던 일, 즉 인간 배아를 대상으로 한 연구가 중국에서 행해졌기 때문이었다. 2015년 중국 중산대학교 황쿤주 연구팀은 크리스퍼를 처음으로 인간 배아에 주입했다[40]. 유전병을 치료하기 위한 연구였고 결과적인 측면에서 매우 낮은 효율을 보였지만 여러 의미에서 많은 이의 우려를 발생시킨 연구였다. 2018년 11월, 중국의 허젠쿠이가 홍콩에서 열린 학회를 통해 크리스퍼 기술로 유전자가 편집된 아이 둘, 루루와 나나가 태어났다는 보고를 했다. 루루와 나나의 부모에 대

---

40) Liang et al., "CRISPR/Cas9-mediated gene editing in human tripronuclear zygotes.", Protein & cell, 6.5, 2015, pp. 363~372.

한 정확한 신상은 밝혀지지 않았으나 HIV에 감염된 AIDS 환자 임산부라는 건 알려졌다. 허젠쿠이는 HIV 출입구인 인간 배아의 CCR5 유전자를 편집해 HIV가 어머니로부터 감염이 되지 않게 만들었다고 주장했다. 그의 연구는 연구자와 미디어로부터 인간을 편집 대상으로 삼았다는 즉각적인 비판에 직면하게 되었고, 결국 중국 정부가 크리스퍼와 관련된 연구 규정을 다시 마련하게 만드는 발판이 되었다[41]. 그의 연구가 가지는 함의는 인간 자체를 크리스퍼를 통해 원하는 대로 편집할 수 있다는 가능성을 실제로 보여준 첫 사례였고, 인간을 다른 존재로 진보시키자는 운동인 트랜스 휴머니즘 운동가들의 큰 관심을 받고 있다[42](최윤주·이아름. 2020).

나. 크리스퍼 DIY와 바이오 해킹

크리스퍼 기술은 싸고 손쉽게 사용할 수 있다는 측면에서 과학적으로 매우 유용한 도구이다. 현재 크리스퍼 관련 연구는 대부분 대학이나 연구소 등에서 이루어지고 있지만, 그 쉬운 접근성으로 인해 현재 개인이 다룰 수 있는 DIY 키트까지 나온 상태이다. 2019년 6월 가격으로 $170(한화 약 20만원)에 구매할 수 있다. 이 크리스퍼의 DIY 도구는 미국의 바이오해커인 조시아 자이너(Josiah Zayner)가 배포하는 도구이다. 바이오해커란 자신의 신체를 직접 고치거나 바꾸려는 시도를 하는 사람을 지칭한다. 그는 2018년 라이브 방송으로 그의 몸에 근육을 강화하기 위해 크리스퍼 시스템을 주입했고 미디어의 주목과 비판을 받았다[43]. 바이오해킹 운동은 크리스퍼 기술이 충분히 인간 강화에 쓰일 수 있음을 보여주며, 무책임한 개인의 작은 행동이 큰 파장을 불러올 수 있음을 단적으로 보여준다(최윤주·이아름. 2020).

다. 유전자 드라이브와 종의 선택

유전자 드라이브(Gene drive)란 특정 유전자를 종 전체로 확산시키는 기술을 말한다. 이 기술은 인간이 동물 한 종 전체의 운명을 결정지을 수 있는 기술이 될 수 있어 우려의 목소리가 높다. 예를 들어 제초제에 내성을 갖는 한 식물 종자를 심은 후 꾸준히 제초제를 뿌린다면 몇 세대 안에 제초제에 내성이 없는 종자는 모두 사라지게 될 것이다. 특히 유전자 드라이브는 병원체를 옮기는 모기를 없애기 위한 기술로 각광 받아왔다.

저개발 국가의 많은 사람들은 말라리아, 뎅기 등 모기로 옮기는 질병으로 인해

---

41) https://www.nature.com/articles/d41586-019-01580-1
42) https://www.wired.com/story/the-responsibility-of-immortality
43) https://www.theatlantic.com/science/archive/2018/02/biohacking-stunts-crispr/553511

한 해에 약 백만 명의 사람이 사망하고 있다44). 유전자 드라이브로 모기를 박멸하자는 아이디어는 다음과 같다. 암컷 모기의 알을 낳는 유전자를 파괴해 수컷만 나오게 만들어 궁극적으로 모기를 없앤다. 이 연구는 연구실에서 제한된 환경을 통해 확인한 결과, 총 8세대를 거치면 모기를 박멸할 수 있다45). 이 논쟁적인 연구는 쥐 등 포유류에도 적용되었다46).

유전자 드라이브를 향한 우려의 목소리는 이 기술이 무기로도 활용이 가능하다는 점이다. 또한 위의 무책임한 개인과 맞물려, 만약 어느 개인이 악의를 가지고 유전자 드라이브를 할 수 있는 생명체를 풀어버릴 가능성도 배제할 수 없다. 이미 크리스퍼 유전자가위로 편집된 세포로부터 탄생한 인간이 존재하는 시대가 도래했다. 동물과 식물의 영역에서 생식세포 연구 역시 활발히 진행되고 있다. 자연선택의 메커니즘으로 배에서 배로 전달되는 유전적 물질이 인간선택의 결과로 전달되는 시대가 도래한 것이다. 동식물의 형질선택은 이미 오랜 역사를 갖고 있는 것은 사실이지만, 크리스퍼 기술은 생명의 진화에서 인간선택의 영역을 확장시킬 잠재력을 가지고 있는 것만은 분명하다. 우리는 이러한 기술의 잠재력에 어디까지 책임질 수 있겠는가(최윤주·이아름. 2020).

라. 인간 강화의 욕망

마이클 샌델이 유전공학과 관련한 윤리를 주제로 강연할 때 우려를 표한 부분이 바로 이러한 인간 강화의 욕망이었다47). 자유주의적 우생학을 옹호하는 사람들은 아이들이 누릴 삶의 전망을 향상시키기 위해 부모는 아이들의 유전적 특질을 향상시킬 자유가 있다고 주장한다.

예를 들어 로널드 드워킨48)은 미래 세대의 삶이 더 길어지고 더 많은 재능으로 그래서 더 많은 성취로 가득 차게 하려는 야망에 어떤 잘못도 없다고 주장한다. 사실 그는 윤리학적 개인주의라는 원리는 그런 노력을 의무로 만들고 있다고 주장한다. 유전자, 생식세포, 배아를 개인이 소유권을 가지고 있어서 자유롭게 처분할 수 있는 것으로 간주할 경우, 사람들은 유전자 변형을 통한 기능 강화를 마

---

44) Hector Caraballo and Kevin King, Emergency department management of mosquito-borne illness: malaria, dengue, and West Nile virus, Emergency medicine practice, 16.5, 2014, pp. 1~23.

45) Kyros et al., A CRISPR-Cas9 gene drive targeting doublesex causes complete population suppression in caged Anopheles gambiae mosquitoes, Nature biotechnology, 36.11, 2018, p. 1062.

46) Grunwald et al., Super-Mendelian inheritance mediated by CRISPR-Cas9 in the female mouse germline, Nature, 566.7742, 2019, p. 105.

47) 마이클 샌델 저, 김선욱 외 역, 2008, 공동체주의와 공공성, 철학과 현실사, 242~243쪽

48) 로널드 드워킨. 2008. 생명의 지배영역: 낙태, 안락사, 그리고 개인의 자유. 한국지식재산연구원 도서.

치 아이에게 사교육을 시키는 것처럼 간주할 것이다.

　여기에는 두 가지 문제가 있다. 첫 번째, 부모의 생식세포를 통해 태어날 아이의 유전자 편집권을 부모가 가지고 있는가? 개인이 생식세포의 소유권을 행사할 수 있다 하더라도, 유전자 편집이라는 처분의 행위를 자유롭게 할 수 있는가의 문제는 남는다. 두 번째, 유전자 편집 기술을 포함한 인간강화상품이 개발된다면 그것은 개인이 자유롭게 생산하고 소비할 수 있는 것인가? 아이의 유전적 특질을 향상시킬 자유와 사교육의 자유를 동일한 것으로 보는 관점은 전통적인 자유주의적 개인주의의 관점으로, 사교육은 개인의 구매력에 따른 소비의 자율적 선택이다. 사교육이 그에 따른 교육의 불평등과 사회로 진출하는 기회의 불평등을 야기한다 하더라도 이를 윤리적 문제로 삼지 않는다. 사교육의 불평등에 따른 불평등의 심화를 문제 삼는 것은, 우리 사회 공동체의 일원들이 사회에 진출하는 기회의 공정성을 해치기 때문이다. 개인의 자유로운 선택보다 사회 공동체의 공정성에 보다 더 큰 가치를 두는 공동체주의적 입장에 따르면 아이의 유전적 특질을 향상시킬 자유는 공동체의 불평등을 심화시킬 우려가 있을 뿐 아니라 더 나아가서는 인간의 존엄성을 해칠 우려가 있다. 우리 사회의 교육의 바탕은 개인의 자유로운 상품의 구매와 판매의 영역인 사교육이 아니라 공교육이다. 또한 우리가 살고 있는 공동체는 그 일원이라면 누구든 개인의 선택이 아니라 의무로서 교육을 받아야 하는 의무교육을 채택하고 있다. 의무교육은 공동체가 그 일원에 대한 권리 및 의무를 규정하고 있다는 것을 의미한다. 공동체 속 일원은 부모의 자식으로 귀속되는 것 뿐 아니라 동시에 공동체에도 귀속된다. 이러한 관점에서 부모의 생식 세포의 결합으로 태어날 아이의 유전자 편집권을 전적으로 부모가 가지고 있다고 볼 수 없다. 아이의 유전자 편집 행위 자체가 사회적으로 미칠 영향력에 대한 평가 없이 이를 개인의 자유로 맡겨서는 안 될 뿐 아니라, 배아의 유전자 편집에 대한 권한은 공동체가 정한 가치판단에 따라야 한다(최윤주·이아름. 2020).

7) 윤리적 정당성의 평가기준으로서 기술적 효율성

　기술윤리가 윤리적 차원의 개별적 고찰과 적용으로는 성립할 수 없다는 것을 단적으로 보여주는 예가 바로 허젠쿠이 사태이다. 허젠쿠이는 크리스퍼 베이비의 탄생 이전에 치료적 보조생식기술의 윤리 원칙 초안을 작성하는 데 참여했다. 그리고 초안의 핵심 원칙 중 첫 번째 원칙에서 필요한 가정에 대한 자비를 강조하였다. 망가진 유전자, 불임, 또는 예방할 수 있는 질병이 삶을 소진시키거나 사랑하는 부부의 결합을 저해해서는 안 된다. 몇몇 가족에게 있어 조기 유전자 수술은 유전질환을 치료하고 평생의 고통으로부터 아이를 구할 수 있는 유일한 방법이다49).

허젠쿠이는 치료법이 없어 고통 받고 있는 가족에 대한 자비를 내세우며 자신의 선의지를 피력한다. 결과에 상관없이 동기가 선한 행위가 윤리적 행위라는 관점에서 허젠쿠이의 연구는 올바른 것이라고 판단해야 옳을까? 그가 펼쳤던 정당화 논리는 오히려 과학기술의 윤리는 단순히 선의지로 획득될 수 있는 것이 아님을 확인시켜 줬다.

과학자들이 지적하는 것은 허젠쿠이가 실행한 유전자 편집기술이 정확성과 효율성의 측면에서 최적의 것이 아니라는 점이다50). 인간을 대상으로 한 임상실험은 질병이 중대하고 다른 대안이 없을 경우 위험성을 안고 진행할 수 있다. 그렇지 않은 경우에는 그 위험성이 정당화 될 수 없다. 인간은 실험의 도구로 쓰여서는 안 되기 때문이다. 인간 임상실험의 기준은 무엇보다 인간을 목적으로 대하라는 칸트(I. Kant)의 정언명령을 염두에 두고 엄격히 정해져야 한다. 과학자들은 아이들이 HIV에 걸리지 않고 태어날 수 있는 덜 위험한 방법이 존재한다고 말한다51).

또한 허젠쿠이는 유전자 편집 기술의 잠재적 위험성을 염두에 두지 않고 크리스퍼 베이비를 탄생시켰다. 2019년 6월 네이처 메디슨에 발표된 캘리포니아 대학교 버클리 분교의 웨이 신주와 라스무스 닐센의 연구결과에 따르면 CCR5 돌연변이체를 가진 약 41만 명을 대상으로 조사한 결과 정상 복사본을 가진 사람보다 76세 이전에 사망할 가능성이 21% 높다52)는 연구보고를 했다. 이 논문에 따르면 허젠쿠이의 실험으로 태어나게 된 아이들은 아마 오래 살지 못할 가능성이 높다. 향후 CCR5가 HIV의 통로 역할을 하는 것 외에도 여러 가지 기능을 가지고 있다는 사실이 더 밝혀질 지도 모른다. 충분한 위험성을 고려하지 않은 행동의 결과는 그 행동에 책임이 있는 과학자가 책임질 수 없을 것이기 이 사태의 심각성은 더욱 크다.

이와 같은 점에서 과학기술의 윤리적 정당성은 목적의 선함만으로는 확보될 수 없다는 점을 확인할 수 있다. 목적의 선함과 동시에 방법의 과학적 효율성을 담보해야만 획득될 수 있는 것이다. 고전 윤리학의 쟁점, 즉 행위의 동기가 중요한가 행위의 (예측 되는) 결과가 중요한가라는 칸트주의와 공리주의 간의 대립이 사라진다.

크리스퍼 기술은 정당한 목적을 위해 정당한 방법으로 활용될 때 윤리적인 기

49) 전방욱, 크리스퍼 베이비: 유전자 변형 인간의 탄생, 142쪽.
50) 전방욱, 크리스퍼 베이비: 유전자 변형 인간의 탄생, 49~61쪽.
51) 전방욱, 크리스퍼 베이비: 유전자 변형 인간의 탄생, 23~24쪽.
52) 전방욱, 크리스퍼 베이비: 유전자 변형 인간의 탄생, 260쪽

술이 될 수 있다. 즉 동기는 선해야 하며 결과는 효율적이어야 한다. 둘 중 어느 것 하나도 성립하지 않으면 크리스퍼 기술의 활용이 윤리적이라 할 수 없다. 이러한 점에서 과학적 효율성이라는 과학적 판단 자체가 윤리적 판단의 근거가 된다. 따라서 기술윤리는 궁극적으로 융합연구일 수밖에 없다.

8. 디지털 헬스케어

디지털 헬스 또는 디지털 헬스케어는 기술과 헬스케어의 교차점에 있는 개념을 포함하는 광범위한 다학제적 개념(multidisciplinary concept)이다. 디지털 헬스는 소프트웨어, 하드웨어, 서비스를 통합하여 의료 분야에 디지털 혁신(digital transformation)을 적용한다. 디지털 건강에는 모바일 건강(mHealth) 앱, 전자 건강 기록(EHR, electronic health records), 전자 의료 기록(EMR, electronic medical records), 웨어러블 기기, 원격 건강(telehealth) 및 원격 의료(telemedicine), 맞춤형 의료(personalized medicine)가 포함된다.

디지털 건강 분야의 이해 관계자(stakeholders)에는 환자, 개업 실무자(practitioners), 연구자, 애플리케이션 개발자, 의료기기 제조업체 및 유통업체가 포함된다. 디지털 헬스케어는 오늘날 헬스케어에서 점점 더 중요한 역할을 하고 있다.

디지털 건강과 관련된 용어에는 건강 정보 기술(health IT, health information technology), 의료 도구(healthcare tools), 건강 분석(health analytics), 의료 정보학(healthcare informatics), 병원 IT 및 의료 기술이 포함된다. 또한, 현재의 대응적, 사후적 헬스케어에서 미래 예측(predictive), 예방(preventive)의학으로 변화하고 있으며, 환자 개개인의 고유한 특성에 적합한 맞춤의학(personalized), 환자가 적극적으로 참여하는 참여의학(participatory)의 새로운 현상으로까지 나타났다.

1) 디지털 건강

질병을 예방하고 삶의 질을 향상시키기 위해 디지털 건강 개입을 제공하기 위해 정보 통신 기술을 적용하는 것을 의미하고, 이것은 새로운 개념이 아니다. 그러나 노화, 아동 질병 및 사망률, 전염병 및 전염병, 높은 비용, 빈곤 및 인종 차별이 의료 접근에 미치는 영향과 관련된 세계적인 우려에도 불구하고 디지털 건강 플랫폼, 의료 시스템 및 관련 기술은 계속해서 발전하고 있고, 그 중요성이 커지고 발전하고 있다.

미국 ACA(Affordable Care Act)와 같은 정부 건강 보험 프로그램(Government health insurance programs)도 디지털 건강에 새로운 발전을 가져왔다. ACA가 처음 시작되었을 때 기술적인 문제에도 불구하고 ACA의 목표에는 기술을 통한 의료 품질 향상이 포함되었다. 예를 들어, 여기에는 의료 지출을 추적하는 데 사용되는 EHR(electronic health records) 및 컴퓨터 모델링의 품질

개선이 포함되었다. 환자의 건강과 진료의 질을 향상시키기 위해 기술과 데이터를 사용하는 것을 의료 정보학(healthcare informatics)이라고 한다. 이를 통해 전문가는 새로운 프로그램을 평가하고, 의료 부문에서 개선 영역을 찾고, 새로운 기술을 의학에 통합할 수 있다.

[그림 89] 디지털 헬스
출처: IQVIA

변화의 불길을 더욱 부채질하는 코로나19 팬데믹은 의료 분야의 지속적인 디지털 혁신을 더욱 촉진하는 데 도움이 되었다. Forrester Research에 따르면 가장 영향력 있는 코로나19 기술에는 온라인 증상 검사기(online symptom checkers), 환자포털(patient portals), 원격 환자 모니터링도구(remote patient monitoring tools), 원격 의료(telehealth[53]) 등 환자 대면 도구(patient-facing tools)가 포함된다.

2) Telehealth, Telemedicine과 Telecare

Telehealth와 Telemedicine는 모두 원격 의료를 의미하는 용어이지만, 그 범위와 의미에서 약간의 차이가 있다. Telehealth는 원격지에서 의료 서비스, 의료 교육 및 건강 정보 서비스 등을 제공하는 것을 의미하는 포괄적인 용어이다. 여기에는 Telemedicine 뿐만 아니라, 원격 건강 교육, 원격 환자 모니터링, 원격 건강 정보 제공 등이 포함된다. 일반적으로 텔레메디신과 텔레케어는 텔레헬스에 포함한다. 텔레메디신(Telemedicine)은 원격 의사-환자 진료, 혈압, ECG, 다른

---

53)

생체징후에 대한 원격 모니터링, 건강교육 서비스 등을 가능하게 하는 기술이고, 텔레케어(Telecare)는 환자의 건강 상태를 원격으로 모니터링하고 관리하는 기술이다. 텔레헬스 기술을 통해 의사는 멀리 떨어진 환자를 평가하고 진단할 수 있으며, 치료 처방을 내리고, 전자 처방전을 발급하고, 재택 환자의 건강 상태의 변화를 신속하게 발견하고 이에 따라 치료나 약물을 변경할 수 있다.

[표 12] 텔레메디신과 텔레케어

구분	텔레메디신	텔레케어
정의	원격 의사-환자 진료	원격 모니터링, 건강 교육 및 관리 서비스
목적	환자의 건강 상태 진단 및 치료	환자의 건강 상태 모니터링 및 관리
예시	화상 진료, 원격 의학적 평가 및 진단, 의학 영상의 디지털 전송	원격 모니터링, 건강 교육, 재택 치료

Telehealth의 장점은 먼저, 의료 접근성의 향상으로 Telehealth는 의료 접근성이 떨어지는 지역이나 인구 집단에 의료 서비스를 제공할 수 있다. 둘째, 의료비용의 절감으로 Telehealth는 의료기관의 방문이나 입원을 줄여 의료비용을 절감할 수 있다. 셋째, 의료의 질 향상으로 Telehealth는 의료의 질을 향상시킬 수 있다. 예를 들어, Telemedicine를 통해 의사는 멀리 떨어진 환자를 평가하고 진단할 수 있으며, 재택 환자의 건강 상태를 실시간으로 모니터링할 수 있다.

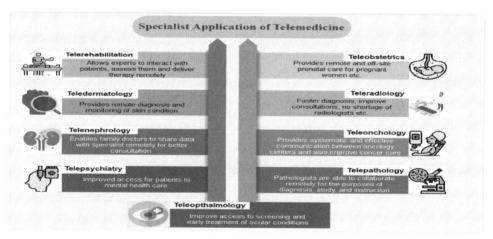

[그림 90] 텔레메디신

출처: Alenoghena et al., 2023

반면, Telemedicine는 원격에서 의료 서비스와 교육을 제공하는 것을 의미하는 용어이다. 여기에는 전문의와의 화상 진료, 원격 의학적 평가 및 진단, 의학영상의 디지털 전송 등이 포함된다. 즉, 의사와 환자가 서로 다른 장소에 있더라도 화상통화, 영상회의, 전자메일, 팩스 등을 통해 진료를 제공하는 것을 말한다. 텔레메디신의 장점은 먼저, 의료 접근성 향상으로 텔레메디신은 환자가 거주지와 상관없이 의료 서비스를 받을 수 있도록 해준다. 특히, 농어촌이나 도서벽지와 같이 의료 인프라가 부족한 지역에 거주하는 환자들에게 큰 도움이 된다. 둘째, 의료비 절감으로 텔레메디신은 환자가 병원에 방문할 필요가 없기 때문에 의료비를 절감할 수 있다. 셋째, 진료 효율성 향상으로 텔레메디신은 의사가 여러 환자를 동시에 진료할 수 있기 때문에 진료 효율성을 높일 수 있다.

또한, 텔레케어는 원격 모니터링, 건강 교육 및 관리 서비스 등을 제공하는 것을 의미한다. 즉, 환자의 건강 상태를 원격으로 모니터링하고, 건강 교육 및 관리 서비스를 제공하는 것을 말한다. 텔레케어의 장점은 먼저, 환자의 건강 관리 강화로 텔레케어는 환자가 자신의 건강 상태를 보다 적극적으로 관리할 수 있도록 도와준다. 둘째, 의료비 절감으로 텔레케어는 환자의 입원이나 응급실 방문을 줄여 의료비를 절감할 수 있다. 셋째, 재택 치료의 활성화로 텔레케어는 환자가 집에서 안정적으로 치료를 받을 수 있도록 도와준다.

3) Telehealth 전망

Telehealth의 미래 전망을 보면, 먼저, Telehealth는 인공지능, 빅데이터, 사물인터넷(IoT) 등 새로운 기술의 발전에 힘입어 더욱 발전할 것으로 전망된다. 이러한 기술의 발전은 Telehealth의 접근성, 효율성, 그리고 질을 더욱 향상시킬 수 있을 것으로 기대된다. 둘째, 텔레헬스는 전 세계적으로 빠르게 확산되고 있고, 세계보건기구(WHO)는 2030년까지 텔레헬스를 통해 40억 명의 사람들이 추가로 의료 서비스를 받을 수 있을 것으로 전망하고 있다.

Telehealth의 미래 전망은 세 가지 측면에서 설명할 수 있다. 먼저, 접근성의 향상이다. 인공지능(AI)과 빅데이터(Big Data) 기술의 발전은 Telehealth의 접근성을 더욱 향상시킬 것으로 기대한다. 즉, AI를 활용한 진료 보조로 AI를 활용하면 의사의 진료 업무를 보조하여, 의사가 더 많은 환자를 진료할 수 있게 될 것이다. 예를 들어, AI를 활용하여 환자의 증상을 진단하거나, 치료 계획을 세우는 등의 업무를 보조할 수 있다. 또한, 빅데이터를 활용한 환자 맞춤형 진료로 빅데이터를 활용하면 환자의 의료 기록, 생활 습관, 유전 정보 등을 종합적으로 분석하여, 환자에게 맞춤형 진료를 제공할 수 있게 될 것이다. 예를 들어, 빅데이터를

활용하여 특정 질환에 걸릴 위험이 높은 환자를 조기에 발견하고, 예방 조치를
취할 수 있다.

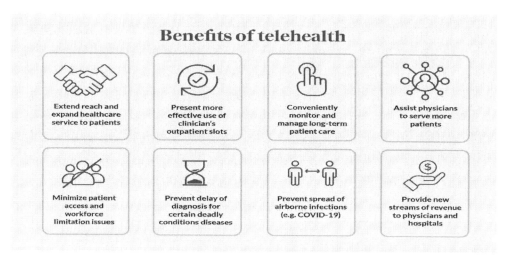

[그림 91] 텔레헬스 장점

출처: https://healthmatch.io/blog/is-the-metaverse-the-future-of-healt
h[54]

---

54) 먼저, 사회적 거리두기를 통해 안전성을 높였다. 대유행 상황에서 원격 의료 및 의료 앱 사용의 가
장 확실한 이점 중 하나는 공기 매개 질병의 확산을 줄이는 것이다. 환자들은 집을 떠나지 않고도 가
상으로 진료를 받을 수 있다. 이렇게 하면 환자와 의사 모두의 안전은 물론 환자가 진료소나 병원으
로 가는 도중에 접촉했을 수 있는 다른 모든 개인의 안전도 높아진다. 둘째, 접근성이 좋고 편리하다.
상담을 온라인으로 제공함으로써 많은 소외 계층 지역사회에서 의사를 만나는 데 있어 물류상의 장
벽을 줄일 수 있다. 이는 특히 의료 서비스 제공자가 부족한 농촌 인구나 SES가 낮은 도시 지역 사
회에 유리하다. 그리고 의사와의 접근이 문제가 되지 않는 수도권의 경우에도 시간이 부족한 분들에
게는 가상 상담이 더 편리할 수 있다. 셋째, 비용 감소 및 수익 증가이다. 또한 디지털 의료 서비스를
사용하면 다양한 작업을 수행하거나 완료하는 데 걸리는 시간을 줄여 의료 전문가의 시간을 훨씬 더
효율적으로 사용할 수 있다. 일반적인 처방약에 대한 대본을 받는 것과 같이 일상적인 상담은 온라인
으로 완료되면 훨씬 더 빠르게 처리될 수 있다. 웨어러블 장치의 확산은 의사가 환자의 증상을 원격
으로 모니터링하는 데 도움이 될 수 있다. AI는 초기 건강 검진을 돕고 병원 분류에 필요한 인력을
줄이는 데도 사용되었다. IQVIA 인간 데이터 과학 연구소의 보고서에 따르면 건강 앱을 사용하면 미
국 국민 의료 지출이 약 1.4%(약 460억 달러) 감소할 수 있는 것으로 추정한다. 넷째, 보다 환자 중
심의 진료를 지원한다. 팬데믹 이전에도 의료계는 오랫동안 환자 중심 치료의 중요성을 강조해 왔다.
이는 임상의가 환자에게 하는 일에 집중하기보다는 환자가 임상의와 함께 개별적인 건강 요구 사항
을 충족시키기 위해 일하는 곳이다. 직관과는 반대로, 의료의 디지털 혁신은 환자와 임상의 사이의
대면 시간이 줄어들더라도 이 프로세스를 촉진하는 데 도움이 되었다. 국제병원연맹(IHF)의 실무 그
룹이 지적한 바와 같이, 여러 연구에 따르면 디지털 의료 서비스를 사용하면 자기 관리, 약물 준수
및 궁극적으로 임상 결과가 향상되는 것으로 나타났다. 그리고 디지털 기술이 환자와 의료 제공자 간
의 의사소통을 개선하는 데 어떻게 도움이 되었는지에 대해 한 응답자가 말한 내용은 다음과 같다.
"디지털 기술은 치료 제공, 의료 전문가와의 연락, 약속 추적, 테스트, 절차와 결과.디지털 기술을 통

둘째, 효율성의 향상이다. 사물인터넷(IoT) 기술의 발전은 Telehealth의 효율성을 더욱 향상시킬 것으로 기대된다. 즉, IoT를 활용한 원격 모니터링으로 IoT를 활용하면 환자의 건강 상태를 실시간으로 원격으로 모니터링할 수 있게 될 것이다. 예를 들어, IoT를 활용하여 환자의 혈압, 심박수, 체온 등을 측정하고, 이상 징후를 발견하면 즉시 의사에게 알릴 수 있다. 또한, IoT를 활용한 챗봇 상담으로 IoT를 활용하여 챗봇 상담을 제공할 수 있게 될 것이다. 예를 들어, 챗봇을 통해 환자의 증상을 상담하고, 간단한 진료 처방을 내릴 수 있다.

셋째, 의료 질의 향상이다. 인공지능(AI)과 빅데이터(Big Data) 기술의 발전은 Telehealth의 질을 더욱 향상시킬 것으로 기대된다. 즉, AI를 활용한 질병 예측으로 AI를 활용하면 질병을 예측할 수 있게 될 것이다. 예를 들어, AI를 활용하여 환자의 의료 기록, 생활 습관, 유전 정보 등을 분석하여, 특정 질환에 걸릴 위험을 예측할 수 있다. 또한, 빅데이터를 활용한 치료 연구로 빅데이터를 활용하면 새로운 치료법을 개발할 수 있게 될 것이다. 예를 들어, 빅데이터를 활용하여 특정 질환에 대한 치료 효과를 분석하여, 더 효과적인 치료법을 개발할 수 있다.

구체적인 사례를 들어 보면, AI를 활용한 Telehealth에는 AI를 활용하여 환자의 건강 데이터를 분석하여 질병의 위험을 예측하고, 환자의 맞춤형 치료 계획을 제공하는 Telehealth 서비스가 개발되고 있다. 예를 들어, 미국의 스타트업 기업인 Babylon Health[55]는 AI를 활용하여 환자의 증상을 진단하고, 처방전을 발급하는 Telehealth 서비스를 제공하고 있다. 또한, 빅데이터를 활용한 Telehealth으로 빅데이터를 활용하여 의료 연구를 통해 새로운 치료법을 개발하고, 기존 치료법의 효과를 개선하는 Telehealth 서비스가 개발되고 있다. 예를 들어, 미국의 의료 데이터 회사인 Verily는 빅데이터를 활용하여 당뇨병 환자의 치료에 도움이 되는 새로운 치료법을 개발하고 있다. 그리고 IoT를 활용한 Telehealth으로 IoT를 활용하여 환자의 집에 설치된 센서를 통해 환자의 건강 상태를 실시간으로 모니터링하는 Telehealth 서비스가 개발되고 있다. 예를 들어, 미국의 의료 기기 회사인 Medtronic[56]은 IoT를 활용하여 심장병 환자의 건강 상태를 모니터링하는 Telehealth 서비스를 제공하고 있다.

해 환자는 자신의 신체 내에서 일어나는 일에 대해 더 잘 알 수 있게 되었고, 보다 생산적인 방식으로 의료 전문가와 협력할 수 있게 되었다."

55) 미국 사업장은 2023년 8월 파산 신청을 했다. 2023년 8월, 포브스(Forbes)는 바빌론이 르완다에서 사업을 중단하여 280만 명에 대한 치료가 중단될 가능성이 있다고 보도했다. 2023년 8월, Babylon Health의 영국 사업장은 eMed Healthcare UK, Limited에 인수되었다. 이를 통해 민간 및 GP @ Hand NHS 사업이 eMed라는 새로운 브랜드 이름으로 계속 운영될 수 있었다.

56) 메드트로닉코리아는 2000년 출범한 메드트로닉의 한국 현지법인으로 국내 환자와 고객들에게 선진 의료기술과 제품, 서비스를 제공하고 있다.

4) 원격 환자 모니터링도구(RPM)

원격 환자 모니터링(RPM) 장치를 사용하면 의료 제공자는 병원이나 진료소 환경 외부에서 환자의 급성 또는 만성 상태를 모니터링, 보고 및 분석할 수 있다. 이를 통해 환자의 질병 상태를 실시간으로 이해할 수 있으므로 의료 제공자가 사전에 임상 결정을 내릴 수 있다. 원격 환자 모니터링 장치는 환자가 매일 자신의 건강에 참여하고 더 잘 이해할 수 있도록 도와준다. 환자가 RPM 장치를 통해 매일 자신의 건강에 참여하면 지속적이고 긍정적인 건강 결과를 볼 가능성이 더 높다.

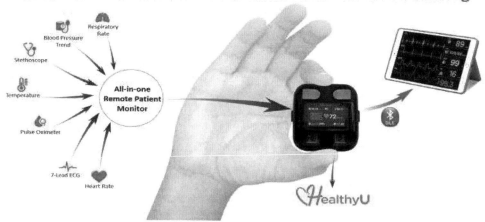

[그림 92] 원격 환자 모니터링(RPM) 장치

출처: HD메디컬. 바이오타임즈(http://www.biotimes.co.kr)57)

첫째, 혈압 커프로, 혈압 커프는 동맥 운동의 변화를 측정하여 환자의 심박수와 혈류를 계산한다. Bluetooth 혈압 커프는 의사 진료실에서 이전에 사용했던 것과 유사하다. 주요 차이점은 검토를 위해 데이터를 임상의에게 실시간으로 전송한다는 것이다. 혈압 모니터링은 고혈압, 당뇨병, CHF(울혈성 심부전, congestive heart failure) 및 신장 기능 장애를 포함한 다양한 상태의 관리에 도움이 될 수 있다. 고혈압 증상이 있는 모든 질환은 집에서 혈압을 모니터링하면 도움이 될 수 있다. 매일 혈압을 모니터링하는 것은 한 시점에서 판독하는 것과 달리 매일 심장 상태에 대한 통찰력을 제공하므로 유익하다. 또한, 사무실에서

---

57) HD 메디컬의 헬시유는 팬데믹 기간과 그 이후의 원격 의료, 심장 관리 및 웰빙의 지속적인 문제를 해결하는 재택 모니터링 장치이다.

환자의 혈압 측정치가 집에서 측정하는 것보다 높은 백의 고혈압을 예방하는 데도 도움이 된다. 반면에, 매일 혈압을 모니터링하면 가면고혈압을 예방하는 데 도움이 된다. 즉, 환자의 혈압이 진료실에서는 정상이지만 집에서는 상승하는 시나리오이다.

둘째, 혈당계로 혈당측정기는 장치에 연결된 테스트 스트립에 놓인 작은 혈액 방울을 통해 환자의 혈당을 테스트한다. 환자는 테스트 스트립에 혈액 한 방울을 떨어뜨리고 혈당 측정기를 통해 혈당 수치를 판독한다. 그런 다음 판독 값은 검토를 위해 제공자에게 실시간으로 전송된다. 많은 제1형 및 제2형 당뇨병환자는 혈당을 관리하기 위해 매일 혈당계를 사용하며, 종종 하루에 여러 번 사용한다. 혈당측정기는 환자와 의료 제공자가 특정 요인이 환자의 혈당 및 당뇨병 증상에 어떻게 영향을 미치는지 이해하는 데 도움이 된다. 요인에는 약물 효과, 식이 요법, 운동, 스트레스 또는 질병이 포함된다.

셋째, 맥박 산소 측정기로 산소 포화도 측정기는 환자의 손가락(때때로 귓불)에 부착하여 혈중 산소 농도(환자의 적혈구에서 순환하는 산소의 양)를 결정하는 빛의 파장을 측정하는 비침습적 클립이다. 또한 맥박 산소 측정기는 환자의 맥박을 기록한다. 맥박산소측정기는 COPD(만성 폐쇄성 폐질환, Chronic Obstructive Pulmonary Disease)나 CHF와 같은 만성 심장 또는 폐 문제를 비롯한 만성 질환이 있는 환자와 코로나19 검사 및 모니터링에 사용한다. 폐렴이나 천식환자에게도 사용한다 .맥박 산소 측정기는 의료 제공자가 환자의 폐 기능 변화를 모니터링하는 데 도움이 된다. 예를 들어, 코로나19 환자의 경우 저혈중 산소 수치가 양성 진단의 주요 지표가 되는 경우가 많다.

넷째, 심전도 + 청진기로 ECG(심전도, Electrocardiogram)는 심장 기능을 포착하고, 청진기는 심장 및 폐음을 포착한다. ECG는 일반적으로 부정맥이나 관상동맥 질환과 같은 심장 질환이 있는 환자에게 사용한다. 청진기는 신체 내부의 소리를 증폭시켜 제공자가 심장, 폐 및 장음을 포착할 수 있도록 한다. 많은 HRS(간신증후군, hepatorenal syndrome) 고객은 생체 인식 모니터링 장치를 사용하여 심장 및 폐음을 가상으로 포착하고 있다. 집에서 환자 자가 모니터링과 ECG 또는 청진기 판독값은 검토를 위해 임상의에게 직접 전송한다. 이는 가상 방문을 통해 실시간으로 수행되거나 향후 임상 검토를 위해 메인 포털에 저장할 수 있다. 이를 통해 의료 제공자는 환자의 심장 및 폐음을 멀리서 모니터링할 수 있어 조기 발견 및 보다 개인화된 진료 제공이 가능하다.

다섯째, 웨어러블(활동 추적기 및 지속적인 모니터링)로 활동 추적기를 사용하면 의료 제공자는 환자의 걸음 수, 심박수, 낙상 위험, 심지어 수면까지 추적할 수 있다.이는 의료 제공자에게 환자의 일상 생활을 엿볼 수 있는 창을 제공하여 의료 제공자가 일상 활동이 환자의 건강과 증상에 어떤 영향을 미치는지 이해할 수 있다. 제공자는 활동에서 얻은 데이터를 사용하여 환자의 치료 계획을 알릴 수 있다. 일반적인 활동 추적기에는 Fitbit 또는 Apple Watch가 포함된다. 일부 웨어러블은 스티커나 패치를 통해 지속적인 모니터링이 가능하다. 환자의 신체에 부착된 이 웨어러블은 진행 중인 증상과 생체 인식 추적을 촉진한다. 웨어러블은 단일 장치에서 환자의 심박수, 혈압, 혈당, 체중 및 스트레스를 추적할 수 있다.

여섯째, 온도계로 Bluetooth 온도계는 환자의 발열(체온)에 대한 빠르고 정확한 정보를 제공하여 공급자에게 다음 치료 단계를 알리는 데 필요한 필수 정보를 제공한다. 현재 시장에는 이마(측두동맥)를 스캔하는 비터치 디지털 온도계와 정확한 판독을 위해 환자의 혀 아래에 가장 일반적으로 배치되는 접촉식 온도계를 포함하여 다양한 유형의 Bluetooth 온도계가 있다. 발열은 코로나19, 독감, 기타 감염을 비롯한 다양한 질병의 주요 지표이다. 다른 질환의 경우 발열은 증상이 악화되거나 악화되었다는 징후일 수 있다.

일곱째, 체중계로 Bluetooth 체중계를 사용하면 환자는 시간에 따른 체중 변화를 추적할 수 있으며, 공급자는 이러한 변화를 모니터링하여 증상이 악화되지 않는지 확인하고 악화되는 경우 개입할 수 있다. 특히 수분 보유로 인해 체중 변동이 발생하는 CHF 환자의 경우 이는 필수적이다. 체중 증가는 종종 CHF 악화의 주요 지표 중 하나이므로 의료 제공자가 체중 변화를 관찰할 수 있는 것이 중요하다. 비만환자의 경우 블루투스 체중계를 사용하면 자가 관리가 가능해 환자가 책임감을 갖고 행동 경향을 파악할 수 있다. 비만은 심장병, 뇌졸중, 제2형 당뇨병, 특정 형태의 암 등 다양한 질환의 주요 위험 요소이므로 이를 면밀히 관리하는 것이 중요하다. 원격 환자 모니터링 장치는 대면 진료를 강화하여 제공자가 직접 방문하는 것이 아니라 시간이 지남에 따라 환자의 증상을 전체적으로 이해할 수 있도록 해준다. 이는 제공업체가 보다 효율적이고 효과적으로, 보다 데이터 중심적인 방식으로 업무를 수행하도록 돕는다. 원격 환자 모니터링 장치는 환자가 자신의 건강 상태에 참여하고 상태 추세를 이해하여 의료 여정의 운전석에 앉을 수 있도록 지원한다.

5) 디지털 건강의 중요성

Deloitte Insights에 따르면 디지털 건강은 단순한 기술과 도구 이상의 것을 사용한다. 또한, 급격하게 상호 운용 가능한 데이터, 인공 지능(AI) 및 개방형 보안 플랫폼이 보다 소비자 중심적이고 예방 지향적인 치료 약속의 핵심이라고 본다. AI, 빅데이터, 로봇공학, 머신러닝의 발전은 계속해서 디지털 헬스케어에 큰 변화를 가져오고 있다. 또한, 디지털 의료 환경의 변화로 인해 인지가능한 센서, 로봇 간병인, 환자를 원격으로 모니터링하는 장치 및 앱이 계속해서 개발되고 있다.

Deloitte에 따르면, AI는 주요 과학적 혁신을 가능하게 하여 질병 퇴치를 위한 새로운 치료법과 백신의 개발을 가속화할 것이다. AI 지원 디지털 치료법과 개인화된 권장 사항은 소비자가 건강 문제가 발생하는 것을 예방할 수 있는 힘을 실어줄 것이다. AI에서 생성된 통찰력은 진단 및 치료에 영향을 미칠 것이다. 더욱 안전하고 효과적인 치료로 이어진다. 또한 지능형 제조 및 공급망 솔루션은 환자에게 필요한 정확한 순간에 올바른 치료와 중재가 제공되도록 보장한다.

Precedence Research는 글로벌 디지털 헬스 시장이 2020년부터 2027년까지 연평균 복합 성장률(CAGR) 27.9%를 기록해 8,334억 4천만 달러에 이를 것으로 예상했다. 오타와에 본사를 둔 시장 조사 회사에 따르면 의료 앱 수가 급증하면서 이러한 성장이 가속화되고 있다. 북미는 이 지역의 노인 인구 증가, 높은 스마트폰 채택률, 의료 비용 절감을 위한 앱 및 디지털 의료 플랫폼 개발 추진으로 인해 전 세계 디지털 건강 시장에서 지배적인 점유율을 차지하고 있다.

6) 디지털 헬스 기술의 예

디지털 건강 혁신은 시간을 절약하고 정확성과 효율성을 높이며 의료에 새로운 방식으로 기술을 결합하도록 설계되었다. 이러한 혁신은 의학과 사물 인터넷, 모바일 헬스와 IoT, 의학과 증강현실(AR), 블록체인과 EMR을 융합할 수 있다.

IoMT(Internet of Medical Things)는 네트워킹 기술을 활용하여 의료 IT 시스템에 연결되는 의료기기와 애플리케이션의 조합을 의미한다. IoT 사용 사례는 환자와 의사 간의 의사소통을 개선하는 원격의료 기술부터 전염병 노출 가능성을 줄이는 기술, 사용자 수준에서 데이터를 수집할 수 있는 다양한 스마트 센서 기술까지 다양하다. 예를 들어, 코로나19로 인해 원격 의료 서비스에 대한 수요가 증가했으며, 환자에게 가상 서비스를 제공하기 위해 기술에 의존하는 제공자가 늘어났다.

의료 분야의 혁신적인 IoT 애플리케이션이 계속해서 등장하고 있다. Cleveland Clinic은 스마트폰 기반 심박조율기 장치를 2021년 최고의 혁신으로 선정했다. 모바일 앱을 사용하면 스마트폰에 연결된 심박조율기 장치는 환자의 네트워크에 데이터를 안전하게 무선으로 전송하도록 설계되어 환자가 심박조율기의 건강 데이터에 대한 더 나은 통찰력을 얻을 수 있다. 그리고 건강 정보를 담당 의사에게 전송한다.

의료 지원 및 모니터링에 대한 액세스를 제공하는 웨어러블, 앱 및 모바일 기술을 포함한 MHealth는 특히 장기 만성 질환 관리를 돕는 분야에서 성장을 경험하고 있다. 코로나19 팬데믹으로 인해 소비자와 의료기기 사이의 경계를 넘나드는 웨어러블을 통한 개인 건강 모니터링에 대한 수요가 증가했다. 웨어러블 장치 공급업체는 심박수 변화, 맥박 산소 측정기, 심전도 및 지속적인 혈당 모니터링을 위한 기능을 추가했다.

또 다른 중요한 애플리케이션은 블록체인 기반 EMR로, 데이터 품질과 상호 운용성을 향상시키면서 환자 정보에 액세스하는 데 필요한 시간을 줄이는 것을 목표로 한다. 액세스 보안, 데이터 개인정보 보호, 확장성 등 블록체인의 이점은 디지털 헬스케어에서 매력적이다.

[그림 93] 디지털 헬스

출처: Corinne Bernstein. 2021. https://www.techtarget.com/

의료 애플리케이션에 AI를 사용하면 이전에 노동 집약적이었던 작업을 자동화하고 가속화하여 인간의 의사 결정을 강화할 수 있다. 예를 들어 많은 병원에서는 AI 기반 환자 모니터링 도구를 사용하여 실시간 보고서를 기반으로 환자를 수집하고 치료한다. 의료 영상 분야에서 AI를 사용하면 작업을 수행하는 데 필요한 클릭 수를 줄이고 상황에 따라 다음 단계를 결정할 수 있다. 또 다른 AI 애플리케이션인 디지털 트윈(Digital Twins)을 사용하여 의료기기와 환자를 모델링하고 실제 조건에서 기기가 어떻게 작동하는지 보여줄 수 있다.

디지털 정보와 사용자 환경을 실시간으로 통합하는 AR은 환자 및 의사 교육, 수술 시각화, 질병 시뮬레이션 등에 적용 가능하다.

이러한 모든 의료 시스템과 애플리케이션에서 정보를 끌어내는 빅 데이터는 이점과 과제를 모두 제시한다. 데이터의 양은 방대하며 계속해서 증가하고 있다.

7) 헬스케어 분야의 빅데이터

건강정보의 디지털화는 헬스케어 빅데이터의 등장으로 이어졌다. 가치 기반 치료의 출현은 업계가 정보에 입각한 비즈니스 결정을 내리기 위해 데이터 분석을 사용하도록 촉진함으로써 의료 빅 데이터의 출현에도 기여하고 있다. 사용자가 적절한 의사, 병원 및 진료를 찾는 데 도움을 주는 웹사이트인 Healthgrades에 따르면, 헬스케어 빅데이터는 전통적인 방법으로는 이해하기에는 너무 방대하거나 복잡한 소비자, 환자, 신체 및 임상 데이터를 수집, 분석 및 활용하는 것을 의미한다. 대신 빅데이터는 기계 학습 알고리즘과 데이터 과학자에 의해 처리되는 경우가 많다.

그러나 Healthgrades에 따르면 볼륨, 속도, 다양성 및 진실성과 같은 의료 데이터의 과제에 직면한 의료 시스템은 이러한 정보를 수집, 저장 및 분석하여 실행 가능한 통찰력을 생성할 수 있는 기술을 채택해야 한다라고 한다.

의료 분야에서 빅데이터는 다음과 같은 이점을 제공할 수 있다. 먼저, 투약 오류를 줄인다. 환자 기록을 분석함으로써 소프트웨어는 환자의 건강과 처방 사이의 불일치를 찾아낸 다음 의료 전문가와 환자에게 잠재적인 투약 오류를 알릴 수 있다.

둘째, 예방 진료에 도움을 준다. 많은 양의 재발 환자 또는 상용 고객이 응급실로 모여 든다. 빅데이터 분석을 사용하면 이러한 유형의 환자를 식별하고 해당 환자가 다시 돌아오지 않도록 예방 계획을 개발하는 데 도움이 될 수 있다.

셋째, 보다 정확하게 인력을 채용한다. 예측 분석은 병원과 의원이 입원율을 예측하여 직원 일정을 개선하는 데 도움이 될 수 있다.

8) 디지털 건강의 이점

디지털 건강은 질병을 예방하고 의료 비용을 낮추는 동시에 환자가 만성 질환을 모니터링하고 관리하도록 돕는 잠재력을 가지고 있다. 또한 개별 환자에게 맞는 약품을 맞춤화할 수도 있다.

의료 서비스 제공자 역시 디지털 건강의 발전으로 혜택을 누릴 수 있다. 디지털 도구는 건강 데이터에 대한 접근성을 크게 높이고 환자가 자신의 건강에 대해 더 큰 통제권을 부여함으로써 의료 서비스 제공자가 환자 건강에 대한 광범위한 보기를 제공한다. 그 결과 효율성이 향상되고 의료 결과가 향상된다.

미국 식품의약국(FDA) 웹사이트에 따르면, 의사가 매일 내리는 임상 결정을 지원하는 모바일 의료 앱과 소프트웨어부터 인공 지능과 기계 학습에 이르기까지 디지털 기술은 의료 분야의 혁명을 주도해 왔다. 디지털 건강 도구는 질병을 정확하게 진단하고 치료하는 능력을 향상시키고 개인을 위한 의료 서비스 제공을 향상시킬 수 있는 엄청난 잠재력이 있다.

또한 스마트폰, 소셜 네트워크, 인터넷 애플리케이션과 같은 기술은 환자가 자신의 건강을 모니터링하고 정보에 대한 접근성을 높일 수 있는 새로운 방법을 제공한다. FDA에 따르면 이러한 발전은 사람, 정보, 기술 및 연결성의 융합으로 이어져 의료 및 건강 결과를 개선한다.라고 밝혔다.

FDA에 따르면 디지털 의료 기술은 의료 제공자가 비효율성을 줄이고, 접근성을 개선하고, 비용을 절감하고, 품질을 높이고, 환자에게 더욱 맞춤화된 의약품을 만드는 데 도움이 된다. 동시에 디지털 건강 기술을 통해 환자와 소비자는 건강 및 웰니스 관련 활동을 보다 효율적으로 관리하고 추적할 수 있다.

가상현실(VR) 도구, 웨어러블 의료기기, 원격 의료 및 5G와 같은 기술이 환자 치료를 개선하는 데 도움이 되는 반면, 의료 전문가는 AI 기반 시스템을 사용하여 워크플로를 간소화할 수 있다.

9) 디지털 헬스의 과제

의료의 디지털 혁신은 환자, 의료 전문가, 기술 개발자, 정책 입안자 및 기타 사람들에게 영향을 미치는 몇 가지 과제를 제기했다. 데이터를 서로 다르게 저장하고 코딩하는 다양한 시스템에서 수집된 막대한 양의 데이터로 인해 데이터 상호 운용성은 지속적인 과제이다.

추가적인 과제는 환자의 디지털 활용 능력과 이에 따른 의료 서비스에 대한 불평등한 접근부터 데이터 저장, 접근, 공유 및 소유권과 관련된 문제에 이르기까지 다양한문제와 관련되어 있다. 이러한 우려로 인해 보안 및 개인 정보 보호에 대한 질문이 제기된다. 예를 들어, 고용주나 보험사가 직원의 소비자 직접 유전자 검사 결과에서 데이터를 수집하려는 경우 어떻게 해야 합니까? 아니면 의료기기가 해킹되면 어떻게 되나요? 추가적인 우려 사항은 기술 및 윤리와 관련이 있다. 예를 들어 의료용 로봇을 사용하는 경우 수술 중 실수에 대한 책임은 병원, 기술 개발자 또는 제조업체, 로봇을 사용한 의사 또는 다른 사람 중 누구에게 있습니까?

또한, 미국에서는 환자의 개인 데이터를 보호하기 위해 1996년 HIPAA(건강 보험 이전 및 책임에 관한 법률)가 제정되었다. HIPAA는 2009년에 HIPAA 규정 준수를 더욱 엄격하게 만들기 위해 고안된 경제 및 임상 건강을 위한 건강 정보 기술(HITECH)법의 도입으로 개정되었다. 그러나 이러한 행위를 비판하는 사람들은 동의 없이 환자 데이터에 대한 접근을 제한할 만큼 충분하지 않으며

HIPAA 규정을 위반하는 경우가 많다고 말했다. 2020년 말, 미국 보건복지부 (HHS)는 개인 건강 데이터에 액세스하는 환자의 능력에 부정적인 영향을 미치고 의료 서비스가 가치 기반 치료로 전환하는 것을 방해하는 개인 정보 보호 및 보안 표준과 관련하여 HIPAA에 대한 변경 사항을 제안했다.

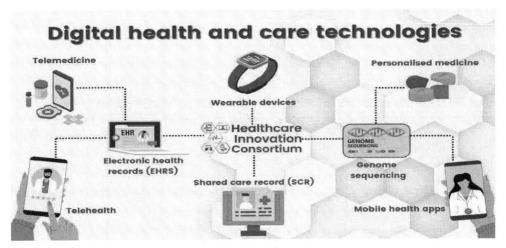

[그림 94] 디지털 헬스와 케어 기술

출처: Healthcare Innovation Consortium

Facebook이 이름을 Meta로 바꾼 이후로 사람들은 앞으로 몇 년 동안 메타버스가 어떤 모습일지 열심히 상상해 왔다. 지금까지는 사람들이 살고, 일하고, 놀고, 심지어 의료 서비스도 받을 수 있는 초현실적인 가상 세계로 설명되었다. 의사가 환자에게 가상 수술을 수행한다는 아이디어는 현재로서는 믿기 어려울 수도 있지만, 우리가 생각하는 것보다 빨리 현실이 될 수도 있다. 예를 들면, John Hopkins 병원의 외과 의사들은 이미 AR 헤드셋을 사용하여 환자의 내부 해부학적 이미지(CT 스캔 기반)를 투사하여 수술을 안내하고 있다. VR 헤드셋은 외상 후 스트레스 장애 치료에 대한 노출 치료의 일환으로 두려움을 유발하는 경험을 시뮬레이션하는 데 사용되었다.

대만과 같은 곳에서는 Microsoft HoloLens(MR 헤드셋)가 원격 의료 상담에 새로운 차원을 가져오고 있다. 방문 중인 간호사나 일반의는 담당 임상의가 전문의에게 보고 있는 내용을 정확하게 보여주는 HoloLens를 사용하여 참석할 수 없는 전문의와 효과적으로 협업할 수 있다. Polaris Market Research에 따르면 헬스케어 시장의 AR과 VR은 2020년에 20억 1천만 달러 규모로 평가되었으며, 앞으로도 크게 성장할 것으로 예상된다.

9. 가상자산과 배출가스 규제

최근 전 세계적으로 기후 변화에 대한 우려가 커지면서, 탄소 중립을 위한 노력이 강화되고 있다. 이러한 노력의 일환으로, 각국 정부는 탄소 배출량을 규제하는 정책을 시행하고 있다. 가상자산은 전기 사용량이 많다는 이유로 탄소 배출량이 높은 것으로 알려져 있다. 가상자산의 채굴은 컴퓨터의 연산 능력을 사용하여 블록체인 네트워크에 거래 내역을 기록하는 작업이다. 이 과정에서 많은 전력이 소모되기 때문에, 가상자산의 채굴은 탄소 배출량 증가에 기여하고 있다.

또한 배출가스 규제를 받지 않는 가상자산에 대한 소비가 늘 전망이지만, 보수적 성향의 우리 인간들은 이에 대한 엄청난 의구심을 일으킨다. 배출가스 규제가 강화되면서, 배출가스를 많이 배출하는 가상자산의 소비가 줄어들 것으로 예상된다. 예를 들어, 비트코인은 채굴 과정에서 많은 전력을 소모하기 때문에, 배출가스를 많이 배출하는 것으로 알려져 있다. 이에 따라, 비트코인의 소비가 줄어들 것으로 예상된다. 이러한 이유로, 탄소 배출량을 줄이기 위해 배출가스 규제를 받지 않는 가상자산에 대한 관심이 높아지고 있다. 배출가스 규제를 받지 않는 가상자산은 전력 사용량이 적거나, 재생에너지를 사용하여 전력을 공급받는 등 탄소 배출량을 줄이는 노력을 하고 있다.

배출가스 규제를 받지 않는 가상자산의 대표적인 예로는 다음과 같은 것들이 있다. 플라즈마 캐스팅(PoC)으로 플라즈마 캐스팅은 블록체인 네트워크의 보안을 유지하기 위해 전력을 사용하는 대신, 블록체인 네트워크의 참여자가 서로 합의하는 방식으로 보안을 유지하는 방식이다. 이 방식은 전력 사용량을 크게 줄일 수 있기 때문에, 탄소 배출량을 줄이는 데 효과적이다.

에너지 효율을 개선한 PoW로 PoW는 기존의 가상자산 채굴 방식으로, 전력 사용량이 많다는 단점이 있다. 최근에는 PoW의 에너지 효율을 개선하기 위한 다양한 연구가 진행되고 있다. 예를 들어, 솔라나(SOL)는 PoH(Proof of History)라는 에너지 효율을 개선한 PoW 방식을 채택하고 있다. 즉, 솔라나(SOL)는 태양열을 이용하여 블록체인을 운영하기 때문에, 배출가스를 거의 배출하지 않는다. 이에 따라, 솔라나(SOL)의 소비는 늘어날 것으로 예상된다. 재생에너지를 사용하는 PoW로 PoW는 전력 사용량을 줄이기 위해 재생 에너지를 사용하는 방식도 있다. 예를 들어, 테라(LUNA)는 재생에너지를 사용하여 PoW를 운영하고 있다.

이러한 가상자산들은 탄소 배출량을 줄이기 위한 노력을 하고 있기 때문에, 향후 소비자들의 관심을 받을 것으로 예상됩니다.

1) 솔라나(SOL)

솔라나(SOL)의 채굴 방법을 보면, 솔라나는 PoH(Proof of History)라는 합의 알고리즘을 채택하고 있고, 에너지 효율을 개선한 PoW(Proof of Work) 방식을 채택하고 있다. PoH는 블록체인 네트워크에 거래 내역을 기록할 때, 블록의 순서를 수학적으로 증명하는 방식이고, 이 과정에서 컴퓨터의 연산 능력을 사용하지 않기 때문에, 전력 사용량이 적다는 장점이 있다. 또한 PoH는 블록체인 네트워크의 시간에 대한 합의 알고리즘을 사용하여, 채굴의 난이도를 조절하고, 블록 생성을 위한 연산 작업을 줄이는 방식이다.

	SOLANA	Bitcoin	ethereum	v2.0	BINANCE SMART CHAIN	CARDANO	Polkadot	COSMOS	Avalanche	fantom
Current TPS	65,000	7	30	100,000	100	1,000	1,500	1,400	4,500	10,000
Block Time	0.4 seconds	10 minutes	15 seconds	12 seconds	3 seconds	20 seconds	2-3 seconds	1 second	1-5 seconds	1-2 seconds
Transaction Fee	$0.00001	$26.89	$12.76	--	$0.01	$0.21	--	$0.03	$0.03	--
Validators	600	--	--	--	21	--	297	160	932	57
GitHub Stars	1,700	52,700	29,800	1,800	357	3,600	3,200	2,400	662	97
Founding Year	2018	2009	2015	2021	2019	2015	2016	2014	2019	2018
Type	Layer 1	Layer 1	Layer 1	Sharding	Layer 1	Layer 1	Sharding	Layer 1	Layer 1	Layer 1
Working Product	Yes	Yes	Yes	No	Yes	No	Yes	Yes	Yes	Yes
Market Cap ($BN)	$11.32	$989.82	$313.67	--	$89.36	$41.41	$31.33	$4.56	$3.52	$1.50

Data as of 4/29/21   Created by @rareliquid

[그림 95] Blockchain Comparison.

출처: Rareliquid

예를 들어 설명하면, PoW 방식에서는 블록을 생성하기 위해 채굴자들이 경쟁을 벌이지만, 채굴자가 블록을 생성하면, 그에 대한 보상으로 블록에 포함된 거래 수수료를 받게 된다. 채굴자들은 블록을 생성하기 위해 컴퓨터를 사용하고, 이 과정에서 많은 전력이 소모된다. 반면, PoH 방식에서는 블록의 순서를 수학적으로 증명하기 위해 컴퓨터의 연산 능력을 사용하지 않는다. 대신, 블록체인 네트워크의 참여자들이 서로 합의를 통해 블록의 순서를 결정한다. 이 과정에서 전력 사용량이 거의 발생하지 않는다.

실제로, 이러한 추세로 솔라나의 시총은 큰 변화가 발생하였다. 이런 배출가스 규제를 벗어난 효과와 전망은 이미 현실화되고 있다. 예를 들어, 2022년 8월 기준, 비트코인의 시가총액은 4,000조 원 수준으로, 2021년 말 대비 약 30% 감소했다. 반면, 솔라나의 시가총액은 2022년 8월 기준, 400조 원 수준으로, 2021년 말 대비 약 3배 이상 증가했다.

이러한 추세는 앞으로도 지속될 것으로 예상된다. 기후 변화에 대한 우려가 더욱 커지고, 배출가스 규제가 더욱 강화됨에 따라, 배출가스를 많이 배출하는 가상자산의 소비는 줄어들고, 배출가스를 적게 배출하는 가상자산의 소비는 늘어날 것으로 예상된다. PoH는 다음과 같은 과정을 통해 작동한다. 먼저, 거래가 발생하면, 네트워크 노드들은 거래를 기록한 타임스탬프를 생성한다(시간 측정). 그리고 타임스탬프는 네트워크 노드들 간에 공유된다. 네트워크 노드들은 타임스탬프를 사용하여, 다음 블록이 생성될 시점을 예측한다(블록 생성). 또한, 예측이 맞은 노드가 블록을 생성하고(시간 확인), SOL을 보상으로 받는다(블록 승인).

PoH는 기존의 PoW 방식과 비교하여 장점을 보면, 에너지 효율이 높다. 타임스탬프 생성 과정은 CPU를 사용하기 때문에, GPU를 사용하는 기존의 PoW 방식보다 에너지 효율이 높다. 블록 생성 속도가 빠르다. 타임스탬프를 사용하여 다음 블록이 생성될 시점을 예측하기 때문에, 블록 생성 속도가 빠르다. 확장성이 높다. 타임스탬프를 사용하여 채굴의 난이도를 조절하기 때문에, 네트워크의 트래픽이 증가하더라도 안정적으로 블록을 생성할 수 있다.

솔라나의 배출가스 규제 면제받는 근거를 보면, 솔라나는 PoH 방식을 채택하고 있기 때문에, 기존의 PoW 방식보다 에너지 효율이 높다. 따라서, 솔라나의 채굴은 탄소 배출량이 적기 때문에, 배출가스 규제를 받지 않는다. 예를 들어, 2023년 7월 기준, 솔라나의 하루 평균 전력 사용량은 약 100MW~300MW이고, 솔라나의 연간 전력 사용량은 약 2.6TWh로 추산된다. 이는 비트코인의 연간 전력 사용량(약 150TWh)의 약 17%에 불과하다. 또한, 솔라나는 재생에너지 사용을 장려하고 있으며, 현재 약 50%의 전력을 재생에너지로 사용하고 있다. 따라서, 솔라나는 탄소 배출량을 줄이기 위한 노력을 하고 있기 때문에, 향후 배출가스 규제에 대한 우려 없이 성장할 것으로 예상할 수 있다.

2) 폴카닷(DOT)

폴카닷(Polkadot)은 이더리움 공동 창업자인 개빈 우드(Gavin Wood)가 주도하는 인터체인 블록체인 프로젝트로, 다양한 블록체인 간의 연결을 통한 원활한 데이터 전송을 목표로 하고 있다. 이 프로젝트는 공동 창업자로 독일의 로버트 하버마이어(Robert Habermeier)를 포함하고 있으며, 폴카닷의 암호화폐 티커는 DOT이다. 폴카닷은 릴레이체인(relay chain)과 파라체인(parachain)으로 구성되어 있다. 여기에서 릴레이체인은 중앙 관리자로서 거래 여부를 결정하는 역할을 하며, 파라체인은 거래를 수집하고 처리하는 보조적인 체인 역할을 한다. 이러한 구조를 통해 폴카닷은 서로 다른 블록체인 간의 상호 운용성을 제공하고 다양한 블록체인을 하나의 네트워크로 통합할 수 있다.

폴카닷은 다중체인 아키텍처를 기반으로 하여 다양한 블록체인을 연결하고, 각 블록체인이 자체적인 보안과 기능을 유지하면서도 상호 작용할 수 있도록 지원한다. 이를 통해 블록체인 간의 데이터 및 자산 교환을 원활하게 할 수 있으며, 프로젝트는 분산화와 확장성을 강조하고 있다. 폴카닷은 참여자 간의 역할이 균형을 이루는 독특한 구조를 가지며, 다양한 블록체인 간의 연결을 촉진하는 프로젝트이다. 이에 비해, 카이버 네트워크58)는 중앙화된 거래소의 문제를 해결하고자 하는 탈중앙화 금융(DeFi) 플랫폼으로, 미래에 폴카닷과 유사한 특징을 지닌 프로젝트들이 더 많이 나올 것으로 예상된다. 폴카닷은 이더리움 지갑인 패리티 테크놀로지스와 웹3 재단 산하 프로젝트로 형성되어 있어 다양한 블록체인 간의 상호 운용성을 강조하고 있다. 이는 코스모스나 아이콘과 같은 인터체인 프로젝트를 모방하는 모습을 보여주고 있다. 프로젝트를 이끄는 개빈 우드는 이더리움의 공동 창업자이자 최고 기술 책임자(CTO) 출신으로, 부스트 VC, 판테라캐피탈, 폴리체인캐피탈 등 유력한 암호화폐 투자 회사들이 참여하고 있다. 그러나 폴카닷은 ICO 진행 중 이더리움 지갑인 패리티가 해킹을 당해 투자로 받은 9800만 달러 규모의 이더가 동결되는 사태를 경험했다.

폴카닷은 확장 가능한 이종 멀티체인이다. 릴레이체인을 중심으로 수많은 파라체인들이 독립적으로 돌아가며, 그만큼 많은 양의 거래를 처리할 수 있어 확장성 문제를 해결할 수 있다. 각 파라체인의 헤더는 릴레이체인에 보관되어 있으며, 이를 통해 조작, 이중지불을 방지하게 된다. 비트코인의 사이드체인과 유사하다. 폴카닷에서의 합의구조는 지분증명(PoS)에 기반을 둔다. 그러나 그 위에서 여러 가지 시스템이 섞여 있다.

파라체인(Parachain): 폴카닷 네트워크를 구성하는 병렬형 블록체인이다. 각각

---

58) 카이버 네트워크는 중앙화된 거래소의 문제점을 해결하고자 개발된 탈중앙화 금융(DeFi) 플랫폼이다. 카이버 네트워크가 기존 거래소의 문제점을 해결하기 위해 만들어진 플랫폼이다. 먼저, 보안 문제 해결로 기존 중앙화 거래소는 해커의 공격 대상이 되어왔고, 이로 인해 투자자들은 보안 우려를 가지게 되었다. 카이버 네트워크는 탈중앙화 구조를 통해 사용자의 자산을 중앙화된 서버가 아닌 블록체인에 저장함으로써 보안 문제를 완화하고자 한다. 또한, 분산된 블록체인 네트워크에서 거래가 이루어지기 때문에 해킹의 표적이 되기 어렵다. 둘째, 빠른 토큰 교환으로 기존 거래소에서는 토큰 교환에 시간이 걸리고, 새로운 토큰들이 발행됨에 따라 호환성 문제가 발생한다. 카이버 네트워크는 다양한 토큰 간에 신속하고 효율적인 거래를 가능하게 한다. 이를 위해 자체적인 리퀴디티 프로토콜을 도입하여 다양한 토큰 간의 교환을 실시간으로 처리할 수 있도록 하고 있다. 셋째, 블록체인에 기록된 거래 문제로 탈중앙화 거래소의 경우 모든 거래 기록을 블록체인에 기록함으로써 발생하는 비용이 증가할 수 있다. 카이버 네트워크는 스마트 계약을 사용하여 거래의 투명성을 제공하면서 블록체인에 필요한 정보만을 기록함으로써 비용을 최소화한다. 이는 거래의 신뢰성을 확보하면서도 블록체인 네트워크에 부담을 줄인다. 카이버 네트워크는 탈중앙화된 특징과 기술적인 혁신을 통해 기존 거래소의 문제를 해결하려는 시도에 해당한다.

의 파라체인은 해당 애플리케이션에 가장 잘 맞는 구조로 되어 있다. 또한, 거래를 병렬화하고 확장성을 달성하는 데 사용되며, 매개체는 릴레이체인에 의해 연결되고 고정된다.

릴레이체인(Relay chain): 폴카닷 네트워크의 구성요소를 연결하는 체인이다. 릴레이체인은 파라체인에 보안을 제공하고 그들 사이의 메시지와 브릿지체인을 중계한다. 메시지는 트랜잭션 또는 임의의 데이터일 수 있다.

브릿지체인(Bridge chain): 폴카닷의 릴레이체인에 의해 확보되지 않고 대신 비트코인이나 이더리움과 같이 자체 보안을 사용하는 독립적인 블록체인과 통신할 수 있는 특별한 파라체인이다.

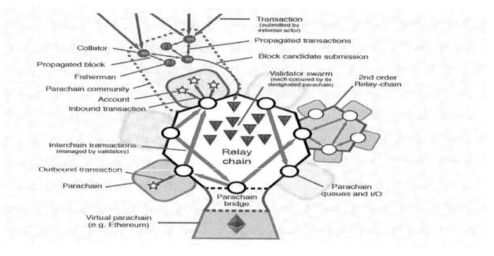

[그림 96] 폴카닷 구조

출처: http://wiki.hash.kr

릴레이체인 주위에는 그림과 같이 파라체인이 존재한다. 파라체인은 파라체인 커뮤니티(점선 박스)를 자연스레 가지게 되는데, 이곳에서 수집가와 감시자가 활동한다. 수집가는 외부의 트랜잭션들을 수집하여 블록을 만든 후, 릴레이체인에 상주하고 있는 검증인에게 보내게 된다. 이들 사이에서 감시자가 감시, 추가적인 검증을 한다. 검증인은 후보 블록을 받아 검증 후, 블록을 파라체인에 추가하며, 파라체인간 메시지 이동을 수행한다. 흰 동그라미는 파라체인의 큐, I/O라고 하며, 메시지의 이동 통로 + 후보 블록 대기 장소이며, 검증인이 이 동그라미들을 제어한다.

3) 아발란체(AVAX)

애벌랜치는 신뢰할 수 없는 기계 네트워크에서 합의를 위해 해결하기 위한 프로토콜로 시작되었으며, 여기서 실패는 크래시 폴트 또는 비잔틴일 수 있다. 프로토콜의 기본은 팀 로켓(Team Rocket)이라는 이름으로 활동하는 익명의 마니아 그룹에 의해 2018년 5월 행성간 파일 시스템(IPFS)에서 처음 공유되었다. 애벌랜치는 이후 Emin Gun Sirer가 이끄는 코넬 대학의 연구자들과 박사과정 학생인 Maofan Ted Yin과 Kevin Sekniqi에 의해 개발되었다. 연구단계에 이어 금융산업의 요구사항을 충족시킬 수 있는 블록체인 네트워크를 개발하기 위한 스타트업 기술회사가 설립되었다. 2020년 3월, 애벌랜치 합의 프로토콜을 위한 AVA 코드베이스(개발자 가속 프로그램 또는 AVA DAP)가 오픈소스로 공개되어 일반에 공개되었다. 2020년 9월에는 네이티브 토큰 어백스(Avax)를 발행하기도 했다. 2021년 9월, 아바랩스 재단은 폴리체인과 쓰리 애로우즈 캐피탈로 구성된 그룹으로부터 AVAX 암호화폐를 매입하여 2억 3천만 달러를 투자받았다.

아발란체(AVAX)는 2020년 9월에 출시된 레이어1 블록체인 플랫폼이다. 아발란체는 확장성, 보안성, 거버넌스를 모두 고려하여 설계되었으며, 탈중앙화 금융(DeFi), NFT, 스마트 계약 등 다양한 분야에서 활용될 수 있는 플랫폼으로 주목받고 있다. 아발란체(AVAX)는 탈중앙화 금융(DeFi), NFT, 스마트 계약 등 다양한 분야에서 활용할 수 있는 블록체인 플랫폼으로 아발란체는 확장성, 보안성, 지속가능성이라는 세 가지 핵심 가치를 바탕으로 설계되었다.

아발란체의 확장성은 샤딩(sharding) 기술을 통해 구현된다. 샤딩은 블록체인을 여러 개의 작은 블록체인으로 분할하여 확장성을 개선하는 기술이다. 아발란체는 3개 계층으로 구성된 샤딩 구조를 사용하여 초당 수천 건의 트랜잭션을 처리할 수 있다. 아발란체의 보안성은 합의 알고리즘인 파워스테이킹을 통해 구현된다. 파워스테이킹은 네트워크의 참여자들이 자신의 코인을 예치하여 네트워크를 보안하는 방식이다. 아발란체는 파워스테이킹을 통해 51% 공격을 방지하고 네트워크의 보안성을 강화한다.

아발란체의 지속가능성은 네트워크의 탄소 배출량을 최소화하는 것을 목표로 한다. 아발란체는 PoS(Proof-of-Stake) 합의 알고리즘을 사용하여 PoW(Proof-of-Work) 합의 알고리즘보다 탄소 배출량을 크게 줄일 수 있다. 최근들어 아발란체는 DeFi, NFT, 게임 등 다양한 분야에서 활발하게 사용되고 있으며, 2023년 8월 기준으로 시가 총액 기준으로 세계 10위의 암호화폐로 자리매김 했다.

아발란체는 X-Chain, C-Chain과 P-Chain 3개의 체인으로 구성되어 있다. 먼저, X-Chain은 NFT, DeFi, 스테이킹 등 다양한 애플리케이션을 위한 메인 체인이다. X-Chain은 아발란체 네트워크의 메인 체인이다. X-Chain의 특징에는 고성능으로 X-Chain은 초당 4,500건 이상의 트랜잭션을 처리할 수 있다. 확장성으로 X-Chain은 스노우맨 합의 알고리즘을 사용하여 확장성을 개선한다. 보안성으로 X-Chain은 검증인 노드에 의한 다중 서명 방식을 사용하여 보안성을 강화한다.

X-Chain은 NFT 플랫폼이다. X-Chain은 NFT를 생성, 거래, 저장할 수 있는 플랫폼을 제공한다. 예를 들어, Aavegotchi, Decentraland, Sandbox 등의 NFT 프로젝트는 X-Chain을 기반으로 구축되었다. DeFi 플랫폼이다. X-Chain은 DeFi 애플리케이션을 실행할 수 있는 플랫폼을 제공한다. 예를 들어, TraderJoe, Pangolin, Sushiswap 등의 DeFi 프로토콜은 X-Chain을 기반으로 구축되었다. 스테이킹 플랫폼이다. X-Chain은 AVAX 토큰을 스테이킹하여 보상을 받을 수 있는 플랫폼을 제공한다.

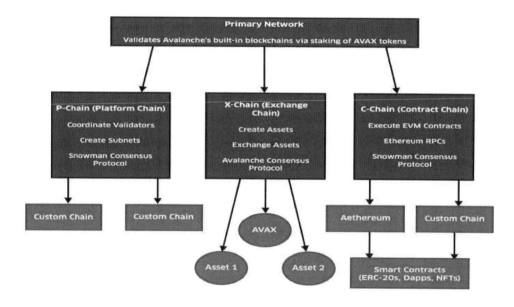

[그림 97] 아발란체

출처: https://www.publish0x.com/interdax

둘째, C-Chain은 이더리움과 호환되는 EVM 체인이다. 이더리움 기반 스마트 계약을 아발란체 네트워크에서 실행할 수 있도록 한다. C-Chain의 특징은 이더리움 호환성을 가진다. C-Chain은 이더리움의 EVM을 지원하여 이더리움 기반 스마트 계약을 포팅할 수 있다. 높은 성능을 보인다. C-Chain은 X-Chain과 동일한 스노우맨 합의 알고리즘을 사용하여 높은 성능을 제공한다.

C-Chain은 다음과 같은 애플리케이션에 사용되고 있습니다. 이더리움 기반 스마트 계약 포팅(Porting) 기능이다. C-Chain은 이더리움 기반 스마트 계약을 아발란체 네트워크로 포팅하여 성능과 비용을 개선할 수 있다. 새로운 이더리움 기반 프로젝트 출시 플랫폼이다. C-Chain은 이더리움 기반 프로젝트를 아발란체 네트워크에서 출시할 수 있는 플랫폼을 제공한다.

셋째, P-Chain은 아발란체 네트워크의 거버넌스를 담당하는 체인이다. 거버넌스 플랫폼이다. P-Chain은 아발란체 네트워크의 거버넌스를 위한 플랫폼을 제공한다. 네트워크의 규칙, 합의 알고리즘, 수수료 정책 등을 변경할 때 사용된다. 스테이킹 플랫폼이다. P-Chain은 AVAX 토큰을 스테이킹하여 네트워크의 보안성을 강화하고 보상을 받을 수 있는 플랫폼을 제공한다.

P-Chain의 용도는 네트워크 거버넌스와 스테이킹에 사용된다. P-Chain은 아발란체 네트워크의 규칙, 합의 알고리즘, 수수료 정책 등을 변경할 때 사용된다. P-Chain은 AVAX 토큰을 스테이킹하여 네트워크의 보안성을 강화하고 보상을 받을 수 있다.

4) 카르다노(ADA)

카르다노(Cardano)는 이더리움을 넘어선 차세대 블록체인 플랫폼을 위한 암호화폐이다. 블록체인 플랫폼인 카르다노 기반의 암호화폐를 에이다(ADA)라고 부른다. 즉, 카르다노는 블록체인 플랫폼이고, 에이다는 그 플랫폼 위에서 작동하는 암호화폐의 이름이다. 2015년 찰스 호스킨슨(Charles Hoskinson)과 제러미 우드(Jeremy Wood)가 홍콩에 설립한 IOHK(아이오에이치케이) 회사가 개발했다. 카르다노(ADA)는 2017년 9월에 출시된 PoS(Proof of Stake) 기반의 블록체인 플랫폼으로 카르다노는 하스켈(Haskell) 프로그래밍 언어로 개발되었으며, 과학적 방법과 합리주의 철학을 바탕으로 설계되었다. 에이다는 채굴이 없이 우로보로스 지분증명(Ouroboros PoS) 방식으로 신규 코인이 발행된다. 에이다는 암호화폐 시가총액이 최상위권까지 가파르게 오른 적이 있는 메이저 알트코인으로서, 2023년 11월 기준으로 시가총액은 8위이다.

카르다노의 주요 특징은 첫째, 카르다노는 확장성을 위해 고안된 블록체인 플랫폼이다. 카르다노는 확장성을 위해 다음과 같은 기술을 사용하고 있다. 샤딩 기술이다. 샤딩은 블록체인 네트워크를 여러 개의 작은 영역으로 나누는 기술이다. 샤딩을 통해 블록체인 네트워크의 트랜잭션 처리량을 크게 늘릴 수 있다. 메모리풀이다. 메모리풀은 블록체인 네트워크에 저장된 데이터를 효율적으로 관리하는 기술이다. 메모리풀을 통해 블록체인 네트워크의 성능을 크게 향상시킬 수 있다.

보안성을 유지하기 위해 카르다노는 다음과 같은 기술을 사용하고 있다. PoS 방식을 사용한다. PoS는 블록체인 네트워크의 보안을 유지하기 위해 전력을 사용하는 PoW 방식과 달리, 블록체인 네트워크의 참여자가 보유한 코인의 양을 기준으로 보상을 지급하는 방식이다. PoS는 PoW 방식에 비해 에너지 효율이 높고, 중앙 집중화 위험이 적다는 장점이 있다.

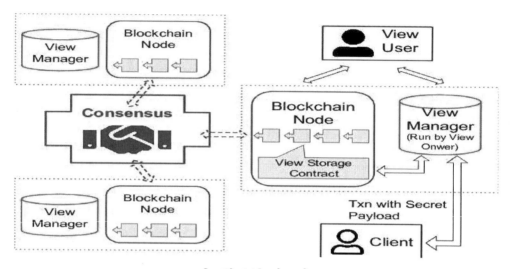

[그림 98] 카르다노

출처: Ruan et al. 2022.

러그풀(rug pull) 방지를 위해 카르다노는 다음과 같은 기술을 사용하고 있다. 토큰 발행을 제한한다. 카르다노는 토큰 발행을 제한하여 러그풀을 방지하고 있다. 토큰 소각한다. 카르다노는 토큰을 소각하여 러그풀을 방지하고 있다.

카르다노는 효율성을 위해 다음과 같은 기술을 사용하고 있다. UTXO(Unspent Transaction Output)로 카르다노는 UTXO 모델을 사용하여 블록체인 네트워크의 효율성을 높이고 있다. UTXO 모델은 블록체인 네트워크에 저장된 데이터의 양을 줄여 효율성을 높이는 모델이다. Plutus 기능으로 카르다노는 Plutus라는 스마트 컨트랙트 언어를 사용하여 스마트 컨트랙트의 효율성을 높이고 있다. Plutus는 하스켈 프로그래밍 언어를 기반으로 만들어진 스마트 컨트랙트 언어이다.

카르다노는 2023년 8월 기준으로 시가총액 기준으로 세계 8위의 가상자산이다. 카르다노는 확장성, 보안성, 효율성 등 다양한 측면에서 우수한 성능을 보여주고 있으며, 향후 가상자산 시장에서 중요한 역할을 할 것으로 기대된다.

카르다노의 특징은 과학적 접근을 사용하고 있다. 카르다노는 과학적 접근을 통해 블록체인 기술을 개발하고 있다. 카르다노의 설계는 수학적 모델링과 검증을 거쳐 이루어졌으며, 이는 카르다노의 안정성과 확장성을 높여준다. 효율성이 높다. 카르다노는 PoS 방식을 채택하여 전력 사용량을 줄이고 있다. 카르다노의 연간 전력 사용량은 약 600MW로, 비트코인의 약 0.0000000000001%에 불과하다. 확장성이 우수하다. 카르다노는 향후 수십억 개의 트랜잭션을 처리할 수 있도록 설계되었다. 카르다노는 고성능의 Hydra[59]라는 확장성 솔루션을 개발하고 있다.

카르다노는 현재 ADA라는 가상자산을 발행하고 있다. ADA는 카르다노 블록체인 네트워크에서 사용되는 통화로, 거래, 스마트 계약, dApp 등 다양한 용도로 사용될 수 있다.

카르다노는 2022년 9월에 Basho라는 업데이트를 완료했다. Basho 업데이트는 카르다노의 확장성을 개선하기 위한 업데이트로, Hydra를 비롯한 다양한 확장성 솔루션을 도입했다. 카르다노는 2023년 3월에 Mary라는 업데이트를 완료했다. Mary 업데이트는 카르다노의 스마트 계약 기능을 개선하기 위한 업데이트로, Plutus라는 스마트 계약 언어를 도입했다.

카르다노는 2023년 12월에 Vasil이라는 업데이트를 완료할 예정이다. Vasil 업데이트는 카르다노의 효율성을 개선하기 위한 업데이트로, Plutus의 성능을 개선하고, 스마트 계약의 상호 운용성을 개선할 예정이다.

---

59) 고성능의 Hydra라는 확장성 솔루션에서 하이드라는 카르다노 블록체인의 확장성을 개선하기 위한 레이어2 솔루션으로 레이어2 솔루션은 블록체인의 기본 레이어인 메인넷(Layer 1)의 트랜잭션을 오프체인(off-chain)으로 처리하여 메인넷의 확장성을 개선하는 방법이다. 하이드라 솔루션은 카르다노의 블록체인 프로토콜인 Ouroboros Praos를 기반으로 한다. Ouroboros Praos는 PoS(Proof of Stake) 합의 알고리즘을 사용하는 블록체인 프로토콜로, 블록 생성에 참여하는 노드들이 네트워크의 보안을 책임지는 역할을 한다. 하이드라 솔루션은 Ouroboros Praos의 합의 알고리즘을 활용하여 오프체인에서 트랜잭션을 집계하고 합성한 후, 메인넷에 함께 등록하는 방식으로 작동한다. 트랜잭션 집계는 여러 개의 트랜잭션을 하나의 트랜잭션으로 결합하는 과정을 말한다. 합성은 집계된 트랜잭션의 유효성을 검증하는 과정을 말한다. 하이드라 솔루션은 이러한 방식을 통해 메인넷의 트랜잭션 처리량을 수천~수만 배까지 늘릴 수 있을 것으로 기대된다. 또한, 트랜잭션 처리량 증가에 따른 가스비(Gas fee)의 상승을 억제할 수 있을 것으로 기대된다. 하이드라 솔루션은 현재 개발 중이며, 2023년 말 또는 2024년 초에 출시될 예정이다. 하이드라 솔루션의 출시가 완료되면 카르다노 블록체인은 스마트 계약, 탈중앙화 금융(DeFi), NFT 등 다양한 분야에서 더욱 폭넓게 활용될 것으로 기대된다.

Reference

김광표 (2017년). KSTAR 토카막 장치 진공 기술 현황. 사이언스온.

김기영, 유정희, 김수배, 김성완, 김성렬, 최광호, 김종길, 박종우. (2019). Cas9 단백질/ 가이드 RNA 복합체를 이용한 누에 BmBLOS 유전자 편집. 생명과학회지, 29(5), p.537.

김민성, 백한영, 이정, 김서영. (2021). 기업의 사회적 책임(CSR)이 고객들의 감정 반응, 행동 의도에 미치는 요인 분석 - 호텔 기업을 중심으로. 한국서비스경영학회 학술대회, 개최지.

마이클 샌델 저, 김선욱 외 역, 공동체주의와 공공성, 철학과 현실사, 2008, 242~243쪽

유전자 가위기술 연구개발 동향 보고서. 2017. 식품의약품안전처 식품의약품안전평가원. 2017. 5.

제니퍼 다우드나·새뮤얼 스턴버그 저, 김보은 역, 크리스퍼가 온다, 프시케의숲, 2017, 282쪽.

최경석, 생명윤리와 철학 : 철학적 대립과 새로운 생명윤리학을 위한 철학의과제, 생명윤리 14(2), 2013, 17쪽.

최윤주·이아름. 2020. 크리스퍼 유전자가위 기술의 윤리적 문제. 인문과학 제79집.

황만성. (2017). 현행 생명윤리법상 유전자편집기술의 법적 쟁점. 의생명과학과 법, 18, p.179.

2018 R&D Blueprint

Abolade, Toyeeb Olamilekan. (2018). The Benefits and Challenges of E-Health Applications in Developing Nations: A Review.

Alenoghena, C.O.; Ohize, H.O.; Adejo, A.O.; Onumanyi, A.J.; Ohihoin, E.E.; Balarabe, A.I.; Okoh, S.A.; Kolo, E.; Alenoghena, B. Telemedicine: A Survey of Telecommunication Technologies, Developments, and Challenges.J. Sens. Actuator Netw.2023,12, 20.

Barcaccia, Gianni & D'Agostino, Vincenzo & Zotti, Alessandro & Cozzi, Bruno. (2020). Impact of the SARS-CoV-2 on the Italian Agri-food Sector: An Analysis of the Quarter of Pandemic Lockdown and Clues for a Socio-Economic and Territorial Restart. 10.20944/preprints202007.0095.v1.

Bortesi L, Fischer R (2015) The CRISPR/Cas9 system for plant genome editing and beyond. Biotechnol Adv, 33: p.43

Carroll, Carlos & Rohlf, Dan & Li, Ya-Wei & Hartl, Brett & Phillips, Michael & Noss, Reed. (2014). Carroll et al 2014 connectivity and conservation reliance.

Gaj T, Guo J, Kato Y, Sirk SJ, Barbas III CF. Targeted gene knockout by direct delivery of zinc-finger nuclease proteins. Nat Methods 2012;9:805-7.

Gaj T, Sirk SJ, Shui SL, Liu J. Genome-Editing Technologies: Principles and Applications. Cold Spring Harb Perspect Biol. 2016 Dec 1;8(12).

Gao Y, Guo X, Santostefano K, Wang Y, Reid T, Zeng D, et al. Genome therapy of myotonic dystrophy type 1 iPS cells for development of autologous stem cell therapy. Mol Ther 2016;24:1378-87.

Grunwald et al., "Super-Mendelian inheritance mediated by CRISPR-Cas9 in the female mouse germline", Nature, 566.7742, 2019, p. 105.

Hector Caraballo and Kevin King, "Emergency department management of mosquito-borne illness: malaria, dengue, and West Nile virus", Emergency medicine practice, 16.5, 2014, pp. 1~23.

Hsu PD, Lander ES, Zhang F. (2014) Development and Applications of CRISPR-Cas9 for Genome Engineering. Cell, 157: p.1264.

http://publichealth.lacounty.gov/

https://newsinhealth.nih.gov/2019/01/how-much-activity-do-you -need

https://ourworldindata.org/living-alone

https://ourworldindata.org/living-alone

https://www.dailymail.co.uk/news/article-5181559/, 20171215.; Dan Brennan, MD on October 25, 2021

https://www.spglobal.com/marketintelligence

https://www.thescoop.co.kr/news/articleView.html?idxno=23635

Jennifer Doudna and Samuel H. Sternberg, A crack in creation: Gene editing and the unthinkable power to control evolution, Boston: Houghton Mifflin Harcourt, 2017, p. 331.

K. D. M. Snell (2017) The rise of living alone and loneliness in history, Social History, 42:1, 2-28, DOI: 10.1080/03071022.2017.1256093

Kyros et al., "A CRISPR-Cas9 gene drive targeting doublesex causes complete population suppression in caged Anopheles gambiae mosquitoes", Nature biotechnology, 36.11, 2018, p. 1062.

Kyuwoong Kim, Seulggie Choi, Seo Eun Hwang, Joung Sik Son, Jong-Koo

Lee, Juhwan Oh, Sang Min Park, Changes in exercise frequency and cardiovascular outcomes in older adults, European Heart Journal, Volume 41, Issue 15, 14 April 2020, pp. 1490-1499.

Our World in Data based on Sundström et al. (2009), Savikko et al (2005), ONS (2019) and CIGNA (2018) – processed by Our World in Data Puzio, Kunkel, & Klinge, 2023)

Pine, B. J., & Gilmore, J. H. (2011).The experience economy. Harvard Business Press.

Przekop, R.E.; Gabriel, E.; Pakuła, D.; Sztorch, B. Liquid for Fused Deposition Modeling Technique (L—FDM)—A Revolution in Application Chemicals to 3D Printing Technology: Color and Elements. Appl. Sci. 2023, 13, 7393. https://doi.org/10.3390/app13137393

Radanliev, P., De Roure, D., Maple, C.et al. Methodology for integrating artificial intelligence in healthcare systems: learning from COVID−19 to prepare for Disease X.AI Ethics2, 623-630 (2022). https://doi.org/10.1007/s43681−021−00111−x

Ruan, Pingcheng & Kanza, Yaron & Ooi, Beng & Srivastava, Divesh. (2022). LedgerView: Access−Control Views on Hyperledger Fabric. 2218−2231. 10.1145/3514221.3526046.

Russell, D , Peplau, L. A.. & Ferguson, M. L. (1978). Developing a measure of loneliness. Journal of Personality Assessment, 42, 290−294.

Russell, J. A. (1980). A circumplex model of affect. Journal of Personality and Social Psychology, 39, 1161-1178.

Schaufeli, W. B., & Bakker, A. B. (2010). The conceptualization and measurement of work engagement. In A. B. Bakker, & M. P. Leiter (Eds.), Work engagement: A handbook of essential theory and research (pp. 10-24). New York: Psychology Press.

Schaufeli, W. B., & Salanova, M. A. R. I. S. A. (2013). in the Workplace. An introduction to contemporary work psychology, 293.

Shastry, K Aditya & Sanjay, H.. (2022). Cancer diagnosis using artificial intelligence: a review. Artificial Intelligence Review. 55. 10.1007/s10462−021−10074−4.

TOYOBO

Yuxuan Wu et al., "Highly efficient therapeutic gene editing of human hematopoietic stem cells", Nature medicine, 2019, p. 1.

Zetsche B, Gootenberg JS, Abudayyeh OO, Slaymaker IM, Makarova KS, Essletzbichler P, Volz SE, Joung J, van der Oost J, Regev A, Koonin EV, Zhang F. Cpf1 is a single RNA-guided endonuclease of a class 2 CRISPR-Cas system. Cell. 2015;163(3):759-71.